U0217519

国家出版基金项目
NATIONAL PUBLICATION FOUNDATION

中国中药资源大典

「十三五」国家重点出版物出版规划项目

中国中药资源大典

湖北卷

③

黄璐琦 / 总主编

吴和珍 王 平 李晓东 / 主 编

北京科学技术出版社

图书在版编目（CIP）数据

中国中药资源大典. 湖北卷. 3 / 吴和珍, 王平, 李晓东主编. -- 北京 : 北京科学技术出版社, 2024. 6.
ISBN 978-7-5714-4048-0

Ⅰ. R281.4

中国国家版本馆CIP数据核字第2024VP0088号

责任编辑：吕　慧　庞璐璐　吴　丹　李兆弟　侍　伟
责任校对：贾　荣
图文制作：樊润琴
责任印制：李　茗
出 版 人：曾庆宇
出版发行：北京科学技术出版社
社　　　址：北京西直门南大街16号
邮政编码：100035
电　　　话：0086-10-66135495（总编室）　　0086-10-66113227（发行部）
网　　　址：www.bkydw.cn
印　　　刷：北京博海升彩色印刷有限公司
开　　　本：889 mm×1 194 mm　　1/16
字　　　数：1 020千字
印　　　张：46
版　　　次：2024年6月第1版
印　　　次：2024年6月第1次印刷
审 图 号：GS京（2023）1758号
ISBN 978-7-5714-4048-0

定　　价：490.00元

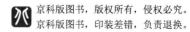

《中国中药资源大典·湖北卷》

编写委员会

指导单位　湖北省卫生健康委员会

　　　　　　湖北省中医药管理局

总　主　编　黄璐琦

主　　编　王　平　吴和珍　刘合刚

副 主 编　陈家春　李晓东　康四和　甘啟良　熊兴军　聂　晶　余　坤

　　　　　　黄　晓　艾中柱　游秋云　周重建　万定荣　汪乐原

编　　委　（按姓氏笔画排序）

力　华	万　智	万定荣	万舜民	马艳丽	马哲学	王　平	王　东
王　伟	王　旭	王　玮	王　诚	王　倩	王　涛	王　涵	王　斌
王　路	王　静	王玉兵	王正军	王臣林	王庆华	王红星	王志平
王迎丽	王建华	王艳丽	王绪新	王智勇	王毅斌	方　丹	方　琛
方　震	方优妮	尹　超	孔庆旭	邓　丰	邓　旻	邓　娟	邓　静
邓中富	邓爱平	甘　泉	甘啟良	艾中柱	艾伦强	石　晗	卢　琼
卢　锋	卢妍瑛	卢晓莉	帅　超	申雪阳	田万安	田守付	田经龙
史峰波	付卫军	包凤君	冯　煜	冯启光	冯建华	冯晓红	兰　洲
成刘志	成润芳	吕　沐	吕　露	朱　明	朱　霞	朱建军	向　栋
向　莉	向子成	向华林	刘　启	刘　迪	刘　晖	刘　敏	刘　渊
刘　博	刘　辉	刘　斌	刘　磊	刘义飞	刘义梅	刘丹萍	刘传福
刘合刚	刘兴艳	刘军昌	刘军锋	刘丽珍	刘国玲	刘建平	刘建涛
刘新平	闫明媚	江玲兴	许明军	许萌晖	阮　伟	阮爱萍	孙　媛
孙云华	孙立敏	孙仲谋	牟红兵	纪少波	严少明	严星宇	严雪梅
严德超	杜鸿志	李　平	李　立	李　芳	李　凯	李　洋	李　莉
李　浩	李　超	李　靖	李小红	李小玲	李丰华	李太彬	李文涛

李方涛　李世洋　李兴伟　李兴娇　李利荣　李宏焘　李建芝　李秋怡
李晓东　李海波　李乾富　李梓豪　李德凤　李德平　杨　建　杨　瑞
杨万宏　杨小宙　杨卫民　杨玉莹　杨光明　杨红兵　杨明荣　杨欣霜
杨学芳　杨振中　杨焰明　肖　光　肖　帆　肖　浪　肖权衡　肖惟丹
吴　丹　吴　迪　吴　勇　吴　涛　吴亚立　吴自勇　吴志德　吴和珍
吴洪来　吴海新　何　博　何文建　何江城　余　坤　余　艳　余亚心
邹远锦　邹志威　汪　婧　汪　静　汪文杰　汪乐原　张　宇　张　红
张　芳　张　明　张　沫　张　星　张　俊　张　格　张　健　张　银
张　翔　张　磊　张才士　张子良　张华良　张旭荣　张志君　张松保
张国利　张明高　张南方　张美娅　张晓勇　张梦林　张景景　张颖柔
陈　乐　陈　泉　陈　俊　陈　峰　陈　途　陈　锐　陈从量　陈秀梅
陈茂华　陈国健　陈泽璇　陈宗政　陈顺俭　陈家春　陈智国　陈霖林
范　钊　范又良　范海洲　林良生　林祖武　明　晶　季光琼　周　艳
周　密　周　晶　周卫忠　周兴明　周丽华　周建国　周重建　周根群
周瑞忠　周新星　周啟兵　庞聪雅　郑宗敬　赵　云　赵　晖　赵　翔
赵　鹏　赵东瑞　赵君宇　赵昌礼　郝欲平　胡　文　胡　红　胡天云
胡文华　胡志刚　胡建华　胡敦全　胡嫦娥　柯　源　柯美仓　柏仲华
柳卫东　柳成盟　钟　艳　郜邦鹏　姜在铎　姜荣才　洪祥云　姚　奇
秦　思　袁　杰　耿维东　聂　晶　夏千明　夏斌斌　晏　哲　钱　特
徐　雷　徐卫权　徐友滨　徐华丽　徐拂然　徐昌恕　徐泽鹤　徐德耀
高志平　郭丹丹　郭文华　唐　鼎　涂育明　谈发明　黄　莉　黄　晓
黄　楚　黄必胜　黄发慧　黄智洪　曹百惠　戚倩倩　龚　玲　龚　颜
龚绪毅　康四和　梁明华　寇章丽　彭　宇　彭义平　彭建波　彭荣越
彭宣文　彭家庆　葛关平　董　喜　董小阳　韩永界　韩劲松　森　林
喻　剑　喻　涛　喻志华　喻雄华　程　志　程月明　程淑琴　答国政
舒　勇　舒佳惠　舒朝辉　童志军　曾凡奇　游秋云　蒯梦婷　雷　普
雷大勇　雷志红　雷梦玉　詹建平　詹爱明　蔡志江　蔡宏涛　蔡洪容
蔡清萍　蔡朝晖　裴光明　廖　敏　谭卫民　谭文勇　谭洪波　熊　睿

熊小燕　熊兴军　熊志恒　熊林波　熊国飞　熊德琴　黎　曙　黎钟强

潘云霞　薛　辉　魏　敏　魏继雄

品种审定委员会（按姓氏笔画排序）

王志平　刘合刚　杨红兵　吴和珍　汪乐原　黄　晓　森　林　潘宏林

审稿委员（按姓氏笔画排序）

王　平　艾中柱　刘合刚　李建强　李晓东　肖　凌　吴和珍　余　坤

汪乐原　张　燕　陈林霖　陈科力　陈家春　苟君波　袁德培　聂　晶

徐　雷　黄　晓　黄必胜　康四和　詹亚华　廖朝林

《中国中药资源大典·湖北卷3》

编写委员会

主　　编　吴和珍　王　平　李晓东
副 主 编　吴志德　胡志刚　聂　晶

黄 序

　　湖北省位于我国中部，地处亚热带季风气候区，位于第二级阶梯向第三级阶梯的过渡地带，温暖湿润的气候和复杂多样的地貌类型孕育了丰富的中药资源。

　　中药资源是中医药事业和中药产业发展的重要物质基础，是国家重要的战略性资源。湖北省作为第四次全国中药资源普查的试点省区之一，于2011年12月启动中药资源普查工作，历时11年，完成了103个县（自治县、市、区、林区）的中药资源普查工作，摸清了湖北省中药资源情况。《中国中药资源大典·湖北卷》由湖北省卫生健康委员会、湖北省中医药管理局组织编写，以普查获取的数据资料为基础，凝聚了全体普查"伙计"的共同心血与智慧，以较全面地展现了湖北省中药资源现状，具有重要的学术价值。

　　我曾多次与湖北省的"伙计们"一起跋山涉水开展中药资源调查，其间有许多新发现和新认识，如在蕲春县仙人台发现了失传已久的"九牛草"[*Artemisia stolonifera* (Maxim.) Komar.]。"伙计们"的专业精神令人感动，该书付梓之际，欣然为序。

中国工程院院士

中国中医科学院院长

第四次全国中药资源普查技术指导专家组组长

2024 年 3 月

前　言

　　湖北省地处我国中部，属于典型的亚热带季风气候区。全省地势大致为东、西、北三面环山，中间低平，略呈向南敞开的不完整盆地。湖北省西部的武陵山区、秦巴山区为我国第二级阶梯山地地区，海拔落差大，小气候明显；东南部属于我国第三级阶梯，日照充足，降水丰富，环境适宜。多样的地理环境与气候特征孕育了湖北省丰富的中药资源，湖北省历来被称为"华中药库"，为我国中药生产的重要基地。

　　2011年，在第四次全国中药资源普查试点工作启动之际，湖北省系统梳理本省在中药资源普查队伍、产业规模、政策支持等方面的优势，向全国中药资源普查办公室提交试点申请，获得批准，并于2011年12月18日正式启动普查工作。湖北省历时11年，分6批完成了全省103个县（自治县、市、区、林区）的野外普查工作。为进一步梳理普查成果，促进成果转化应用，湖北省于2019年7月29日启动《中国中药资源大典·湖北卷》的编写工作。

　　《中国中药资源大典·湖北卷》分为上、中、下三篇，共10册。上篇主要介绍湖北省的地理环境和气候特征、第四次中药资源普查实施情况、中药资源概况、中药资源开发利用情况、中药资源发展规划简介，以及湖北省新种、新记录种。中篇介绍湖北省道地、大宗药材，每种药材包括来源、原植物形态、野生资源、栽培资源、采收加工、药材性状、功能主治、用法用量、附注 9 项内容。下篇主要按照《中国植物志》的分类方法,以科、属为主线,分类介绍湖北省植物类中药资源,以便于读者了解湖北省植物类中药资源的种类、分布及应用现状等。

湖北省第四次中药资源普查共普查到植物类中药资源 4 834 种,其中具有药用历史的植物类中药资源 4 346 种。《中国中药资源大典·湖北卷》共收载植物类中药资源 3 298 种。普查过程中,发现新属 1 个、新种 17 个,重新采集模式标本 4 个,发现新分布记录科 2 个、新分布记录属 6 个。

《中国中药资源大典·湖北卷》目前收载的主要为植物类中药资源,动物类中药资源、矿物类中药资源和部分暂未收载的植物类中药资源将在补编中收载。

《中国中药资源大典·湖北卷》的编写工作由湖北省卫生健康委员会、湖北省中医药管理局组织,湖北省中药资源普查办公室、湖北中医药大学普查工作专班承担。本书是参与湖北省中药资源普查工作的全体同志智慧的结晶,在编写过程中得到了全国中药资源普查办公室和湖北省相关部门的大力支持,全省各普查单位、相关高校及科研院所的无私帮助,有关专家的悉心指导。在此,对所有领导、专家学者、普查队员等的辛勤付出表示诚挚的谢意和崇高的敬意!

本书可能存在不足之处,敬请读者不吝指正,以期后续完善和提高。

编　者

2024 年 2 月

凡 例

（1）本书共 10 册，分为上、中、下篇。上篇综述了湖北省的地理环境和气候特征、第四次中药资源普查实施情况、中药资源概况、中药资源开发利用情况、中药资源发展规划及新种、新记录种；中篇论述了 121 种湖北省道地、大宗药材；下篇共收录植物类中药资源 3 298 种。

（2）本书下篇主要介绍各中药资源，以中药资源名为条目名，下设药材名、形态特征、生境分布、资源情况、采收加工、功能主治及附注等，其中资源情况、采收加工、附注为非必要项，资料不详者项目从略。各项目编写原则简述如下。

1）条目名。该项记述中药资源物种及其科属的中文名、拉丁学名。其中菌类、苔藓类的名称主要参考《中华本草》，蕨类、裸子植物、被子植物的名称主要参考《中国植物志》。

2）药材名。该项记述中药资源的药材名。凡《中华人民共和国药典》等法定标准收载者，原则上采用法定药材名；法定标准未收载者，主要参考《中华本草》《全国中草药名鉴》《中国中药资源志要》。

3）形态特征。该项简要描述中药资源的形态特征，突出鉴别特征。主要参考《中国植物志》，并结合普查实际所获取的信息进行描述。

4）生境分布。该项记述中药资源在湖北省的生存环境与分布区域。生存环境主要源于普查实际获取的生境信息，并参考相关志书的描述。分布区域主要介绍中药资源的分布情况，源于植物标本采集地。

5）资源情况。该项记述中药资源的蕴藏量情况，用丰富、较丰富、一般、较少、稀少来表示；并用"野生"或"栽培"记述药材的主要来源。

6）采收加工。该项记述药材的采收时间与加工方法。

7）功能主治。该项主要记述药材的功能和主治。

8）附注。该项记载中药资源最新的分类学地位与接受名的变动情况；记载《中华人民共和国药典》与地方标准收载的物种学名；描述物种其他医药相关用途，以及本草、地方志书中的相关记载情况等。

（3）附录。以名录形式收载中篇、下篇没有收载的湖北药用植物资源。

目录

被子植物

雨久花科 Pontederiaceae 凤眼莲属 Eichhornia

凤眼莲 *Eichhornia crassipes* (Mart.) Solme

药 材 名

水葫芦。

形态特征

多年生浮水草本。高 20 ~ 80 cm 或更高。
须根发达，棕黑色，长 10 ~ 30 cm 或更长。
茎极短，具长匍匐枝，匍匐枝淡绿色或带紫
色，与母株分离后长成新植物。叶在基部丛
生，莲座状排列，一般 5 ~ 10；叶片圆形、
宽卵形或宽倒卵形至肾状圆形，先端钝圆或
微尖，基部宽楔形或浅心形，全缘，具弧
形脉，两边微向上卷，顶部略向下翻卷；表
面深绿色，光亮，质厚实；叶柄长短不等，
中部膨大成囊状或纺锤形，内有多数气室，
散布维管束，黄绿色至绿色，光滑；叶柄基
部有鞘状苞片，黄绿色，薄而半透明。花茎
单生，穗状花序有 6 ~ 12 花，花被 6 裂，
紫蓝色，上方 1 裂片较大，中部具鲜黄色斑
点。蒴果包藏于凋萎的花被管内，卵形，
有棱，种子多数。花期 7 ~ 10 月，果期 8 ~
11 月。

生境分布

生于海拔 200 ~ 1 800 m 的水库、湖泊、池
塘、沟渠、流速缓慢的河道、沼泽地和稻

田中。分布于湖北荆州、恩施、武汉、咸宁、宜昌。

| 采收加工 | 全草：夏、秋季采收，除去病叶和烂叶，洗净，鲜用或晒干。

| 功能主治 | 清热解毒，利水通淋，疏散风热。用于风热感冒，水肿，热淋，尿路结石，风疹，湿疮，疖肿。

灯心草科 Juncaceae 灯心草属 Juncus

翅茎灯心草 *Juncus alatus* Franch. et Sav.

| 药 材 名 | 翅茎灯心草。

| 形态特征 | 多年生草本。高 11 ~ 48 cm。根茎短而横走，具淡褐色细弱的须根。茎丛生，直立，扁平，两侧有狭翅，宽 2 ~ 4 mm，具不明显的横隔。叶基生或茎生，基生叶多数，茎生叶 1 ~ 2；叶片扁平，线形，长 5 ~ 16 cm，宽 3 ~ 4 mm，先端尖锐，通常具不明显的横隔或几无横隔；叶鞘两侧压扁，边缘膜质，松弛抱茎；叶耳小。花序由 7 ~ 27 头状花序排列成聚伞状，花序分枝常 3，具长短不等的花序梗，长者达 8 cm，上端分枝常向两侧伸展，花序长 3 ~ 12 cm；叶状总苞片长 2 ~ 9 cm；头状花序扁平，有 3 ~ 7 花，具 2 ~ 3 宽卵形的膜质苞片，长 2 ~ 2.5 mm，宽约 1.5 mm，先端急尖；小苞片 1，卵形；花淡绿色或黄褐色；花梗极短；花被片披针形，长 3 ~ 3.5 mm，宽

1 ~ 1.3 mm，先端渐尖，边缘膜质，外轮者背脊明显，内轮者稍长；雄蕊 6，花药长圆形，长约 0.8 mm，黄色，花丝基部扁平，长约 1.7 mm；子房椭圆形，1 室，花柱短，柱头 3 分叉，长约 0.8 mm。蒴果三棱状圆柱形，长 3.5 ~ 5 mm，先端具短钝的凸尖，淡黄褐色；种子椭圆形，长约 0.5 mm，黄褐色，具纵条纹。花期 4 ~ 7 月，果期 5 ~ 10 月。

| 生境分布 | 生于水边、田边、湿草地或山坡林下阴湿处。湖北有分布。

| 功能主治 | 清心降火，利尿通淋。

灯心草科 Juncaceae 灯心草属 Juncus

葱状灯心草 *Juncus allioides* Franch.

| 药 材 名 | 葱状灯心草。

| 形态特征 | 多年生草本。高 10 ~ 55 cm。根茎横走，具褐色细弱的须根。茎稀疏丛生，直立，圆柱形，直径 0.8 ~ 2 mm，有纵条纹，绿色，光滑。叶基生和茎生；低出叶鳞片状，褐色；基生叶常 1，长可达 21 cm；茎生叶 1，稀为 2，长 1 ~ 5 cm；叶片圆柱形，稍压扁，直径 1 ~ 1.5 mm，具明显横隔；叶鞘边缘膜质；叶耳显著，长 2 ~ 3 mm，钝圆。头状花序单一顶生，有 7 ~ 25 花，直径 10 ~ 25 mm；苞片 3 ~ 5，披针形，褐色或灰色，最下方 2 苞片较大，长 1.5 ~ 2.3 cm，宽 2 ~ 3 mm，在花蕾期包裹花序，呈佛焰苞状，其余苞片长 1.2 cm，宽 3 ~ 4 mm，中脉明显；花具花梗和卵形膜质的小苞片，长约 2.2 mm，宽约 1 mm；花被片披针形，长 5 ~ 8 mm，宽约 2 mm，

灰白色至淡黄色，膜质，常具 3 纵脉，内、外轮花被片近等长；雄蕊 6，伸出花外，花药线形，长 2 ～ 4 mm，淡黄色，花丝长 4 ～ 7 mm，上部紫黑色，基部红色；雌蕊具较长的花柱，柱头 3 分叉，线形，长约 1.2 mm。蒴果长卵形，长 5 ～ 7 mm，先端有尖头，1 室，成熟时黄褐色；种子长圆形，长约 1 mm，成熟时黄褐色，两端有白色附属物，连同种子共长约 2.2 mm。花期 6 ～ 8 月，果期 7 ～ 9 月。

| 生境分布 | 生于海拔 1 000 ～ 3 100 m 的山坡、草地、林下潮湿处。湖北有分布。

| 采收加工 | **全草**：夏、秋季采收，洗净，晒干或阴干。

| 功能主治 | 清热解毒，利尿通淋。用于小便不利，热淋，水肿。

灯心草 *Juncus effusus* L.

|药材名|

灯心草。

|形态特征|

多年生草本，高 27 ~ 91 cm，有时更高。根茎粗壮横走，具黄褐色稍粗的须根。茎丛生，直立，圆柱形，淡绿色，具纵条纹，直径 1.5 ~ 3 mm，茎内充满白色的髓心。叶全部为低出叶，呈鞘状或鳞片状，包围在茎的基部，长 1 ~ 22 cm，基部红褐色至黑褐色；叶片退化为刺芒状。聚伞花序假侧生，含多花，排列紧密或疏散；总苞片圆柱形，生于先端，似茎的延伸，直立，长 5 ~ 28 cm，先端尖锐；小苞片 2，宽卵形，膜质，先端尖；花淡绿色；花被片线状披针形，长 2 ~ 12.7 mm，宽约 0.8 mm，先端锐尖，背脊增厚凸出，黄绿色，边缘膜质，外轮者稍长于内轮者；雄蕊 3，长约为花被片的 2/3，花药长圆形，黄色，长约 0.7 mm，稍短于花丝；雌蕊具 3 室子房，花柱极短，柱头 3 分叉，长约 1 mm。蒴果长圆形或卵形，长约 2.8 mm，先端钝或微凹，黄褐色；种子卵状长圆形，长 0.5 ~ 0.6 mm，黄褐色。花期 4 ~ 7 月，果期 6 ~ 9 月。

| 生境分布 | 生于海拔 1 650 ~ 3 100 m 的河边、池旁、水沟、稻田旁、草地及沼泽。湖北有分布。 |

| 采收加工 | **茎髓：** 夏末至秋季割取茎，晒干，取出茎髓，理直，扎成小把。 |

| 功能主治 | 清心火，利小便。用于心烦失眠，尿少涩痛，口舌生疮。 |

灯心草科 Juncaceae 灯心草属 Juncus

扁茎灯心草 *Juncus gracillimus* V. Krecz. et Gontsch.

| 药 材 名 | 扁秆灯心草。

| 形态特征 | 多年生草本，高 15 ~ 40 cm。根茎粗壮横走，褐色，具黄褐色须根。茎丛生，直立，圆柱形或稍扁，绿色，直径 0.5 ~ 1.5 mm。叶基生和茎生；低出叶鞘状，长 1.5 ~ 3 cm，淡褐色；基生叶 2 ~ 3；叶片线形，长 3 ~ 15 cm，宽 0.5 ~ 1 mm；茎生叶 1 ~ 2；叶片线形，扁平，长 10 ~ 15 cm；叶鞘长 2 ~ 9 cm，松弛抱茎；叶耳圆形。顶生复聚伞花序；叶状总苞片通常 1，线形，常超出花序；从总苞叶腋中发出多个花序分枝，花序分枝纤细，长短不一，长者 4 ~ 6 cm，先端 1 ~ 2 回或多回分枝，有时花序延伸长达 13 cm；花单生，彼此分离；小苞片 2，宽卵形，长约 1 mm，先端钝，膜质；花被片披针形或长圆状披针形，长 1.8 ~ 2.6 mm，宽 0.9 ~ 1.1 mm，先端钝圆，外

轮者稍长于内轮者，较窄，内轮者具宽膜质边缘，背部淡绿色，先端和边缘褐色；雄蕊 6，花药长圆形，基部略成箭形，长 0.8 ~ 1 mm，黄色，花丝长 0.6 ~ 0.8 mm；子房长圆形，长约 1.5 mm，花柱短，柱头 3 分叉，长约 1.5 mm。蒴果卵球形，长约 2.5 mm，超出花被，上端钝，具短尖头，有 3 隔膜，成熟时褐色、光亮；种子斜卵形，长约 0.4 mm，表面具纵纹，成熟时褐色。花期 5 ~ 7 月，果期 6 ~ 8 月。

| 生境分布 | 生于海拔 540 ~ 1 500 m 的河岸、塘边、田埂上、沼泽及草原湿地。湖北有分布。

| 采收加工 | **全草**：夏、秋季采收，洗净，晒干或阴干。

| 功能主治 | 清热利尿，消食。用于小便赤热灼痛，宿食不化。

灯心草科 Juncaceae 灯心草属 Juncus

野灯心草

Juncus setchuensis Buchen. ex Diels

| 药 材 名 | 野灯心草。

| 形态特征 | 多年生草本，高 25 ~ 65 cm。根茎短而横走，具黄褐色稍粗的须根。茎丛生，直立，圆柱形，有较深而明显的纵沟，直径 1 ~ 1.5 mm，茎内充满白色的髓心。叶全部为低出叶，呈鞘状或鳞片状，包围在茎的基部，长 1 ~ 9.5 cm，基部红褐色至棕褐色；叶片退化为刺芒状。聚伞花序假侧生；花数朵紧密或疏散排列；总苞片生于先端，圆柱形，似茎的延伸，长 5 ~ 15 cm，先端尖锐；小苞片 2，三角状卵形，膜质，长 1 ~ 1.2 mm，宽约 0.9 mm；花淡绿色；花被片卵状披针形，长 2 ~ 3 mm，宽约 0.9 mm，先端锐尖，边缘宽膜质，内轮者与外轮者等长；雄蕊 3，比花被片稍短，花药长圆形，黄色，长约 0.8 mm，比花丝短；子房 1 室（3 隔膜发育不完全），侧膜胎

座呈半月形，花柱极短，柱头 3 分叉，长约 0.8 mm。蒴果通常卵形，比花被片长，先端钝，成熟时黄褐色至棕褐色；种子斜倒卵形，长 0.5 ~ 0.7 mm，棕褐色。花期 5 ~ 7 月，果期 6 ~ 9 月。

| **生境分布** | 生于海拔 800 ~ 1 700 m 的山沟、林下阴湿地、溪旁、道旁的浅水处。湖北有分布。

| **采收加工** | **全草**：全年均可采收，除去杂质，洗净，切段，鲜用或晒干。

| **功能主治** | 利尿通淋，泻热安神，凉血止血。用于热淋，水肿，心热烦躁，心悸失眠，口舌生疮，咽痛，齿痛，目赤肿痛，衄血，咯血，尿血。

百部科 Stemonaceae 百部属 Stemona

蔓生百部 *Stemona japonica* (Bl.) Miq.

| **药 材 名** | 百部。

| **形态特征** | 多年生草本。高 60 ~ 90 cm，全体平滑无毛。块根肉质，通常纺锤形，
数个至数十个簇生。茎上部蔓状，具纵纹。叶通常 4 轮生；卵形或

卵状披针形，长 3 ~ 9 cm，宽 1.5 ~ 4 cm，先端锐尖或渐尖，全缘或带微波状，基部圆形或近截形，偶为浅心形，中脉 5 ~ 9；叶柄线形，长 1.5 ~ 2.5 cm。花梗丝状，长 1.5 ~ 2.5 cm，其基部贴生在叶片中脉上，每梗通常单生 1 花；花被片 4，淡绿色，卵状披针形至卵形；雄蕊 4，紫色，花丝短，花药内向，线形，先端有 1 线形附属体；子房卵形，甚小，无花柱。蒴果广卵形而扁，内有长椭圆形的种子数粒。花期 5 ~ 7 月，果期 7 ~ 10 月。

| **生境分布** | 生于海拔 300 ~ 400 m 的山坡草丛、路旁或林下。湖北有分布。

| **采收加工** | **块根**：秋、冬季采挖，洗净，晒干。

| **功能主治** | 润肺下气止咳，杀虫灭虱。用于新久咳嗽，肺痨咳嗽，顿咳；外用于头虱病，体虱病，蛲虫病，阴痒。

百部科 Stemonaceae 百部属 Stemona

直立百部 *Stemona sessilifolia* (Miq.) Miq.

| **药 材 名** | 百部。

| **形态特征** | 多年生草本。高 30 ~ 60 cm。块根簇生，肉质，纺锤形，直径约 1 cm。茎直立，不分枝，具细纵棱。叶薄革质，3 ~ 4 轮生；有短柄或几无柄；叶片卵状椭圆形或卵状披针形，长 3.5 ~ 6 cm，宽 1.5 ~ 4 cm，先端急尖或渐尖，基部楔形；叶脉通常 5，中间 3 叶脉特别明显。花单朵腋生，多数生于茎下部鳞叶腋内；鳞片披针形，长约 8 mm；花梗向外平展，长约 1 cm，中、上部具关节；花向上斜升或直立；花被片长 1 ~ 1.5 cm，宽 2 ~ 3 mm，淡绿色；雄蕊紫红色，花丝短，花药长约 3.5 mm，其先端的附属物与花药等长或稍短于花药，药隔伸延物约为花药的 2 倍；子房三角状卵形。蒴果有种子数粒。花期 3 ~ 5 月，果期 6 ~ 7 月。

| 生境分布 | 生于向阳山坡灌丛中或林下。湖北有分布。

| 采收加工 | **块根**：春、秋季采挖，除去须根，洗净，置于沸水中略烫或蒸至无白心，取出，晒干。

| 功能主治 | 润肺下气止咳，杀虫灭虱。用于新久咳嗽，肺痨咳嗽，百日咳；外用于头虱病，体虱病，蛲虫病，阴痒。

百部科 Stemonaceae 百部属 *Stemona*

对叶百部 *Stemona tuberosa* Lour.

| 药 材 名 | 百部。

| 形态特征 | 块根通常纺锤状，长达 30 cm。茎常具少数分枝，攀缘状，下部木质化，分枝表面具纵槽。叶对生或轮生，极少兼有互生，卵状披针形、卵形或宽卵形，长 6 ～ 24 cm，宽 5 ～ 17 cm，先端渐尖至短尖，基部心形，边缘稍波状，纸质或薄革质；叶柄长 3 ～ 10 cm。花单生或 2 ～ 3 排成总状花序，生于叶腋或偶贴生于叶柄上，花梗或花序梗长 2.5 ～ 5 cm；苞片小，披针形，长 5 ～ 10 mm；花被片黄绿色带紫色脉纹，长 3.5 ～ 7.5 cm，宽 7 ～ 10 mm，先端渐尖，内轮花被片比外轮花被片稍宽，具 7 ～ 10 脉；雄蕊紫红色，短于花被或与花被几等长；花丝粗短，长约 5 mm；花药长 1.4 cm，先端具短钻状附属物；药隔肥厚，向上延伸为长钻状或披针形的附属物；子房小，

卵形，花柱近无。蒴果光滑，具多数种子。花期 4 ~ 7 月，果期 7 ~ 8 月。

| 生境分布 | 生于海拔 370 ~ 2 240 m 的山坡背阴处、丛林下、溪边、路旁、山谷或阴湿岩石中。湖北有分布。

| 采收加工 | **块根：**春、秋季采挖，除去须根，洗净，置于沸水中略烫或蒸至无白心，取出，晒干。

| 功能主治 | 润肺下气止咳，杀虫灭虱。用于新久咳嗽，肺痨咳嗽，百日咳；外用于头虱病，体虱病，蛲虫病，阴痒。

百合科 Liliaceae 粉条儿菜属 Aletris

粉条儿菜 *Aletris spicata* (Thunb.) Franch.

| 药 材 名 |

粉条儿菜。

| 形态特征 |

植株具多数须根，根毛局部膨大；膨大部分长 3 ~ 6 mm，宽 0.5 ~ 0.7 mm，白色。叶簇生，纸质，条形，有时下弯，长 10 ~ 25 cm，宽 3 ~ 4 mm，先端渐尖。花葶高 40 ~ 70 cm，有棱，密生柔毛，中、下部有数枚长 1.5 ~ 6.5 cm 的苞片状叶；总状花序长 6 ~ 30 cm，疏生多花；苞片 2，窄条形，位于花梗的基部，长 5 ~ 8 mm，短于花；花梗极短，有毛；花被黄绿色，上端粉红色，外面有柔毛，长 6 ~ 7 mm，分裂部分占花被的 1/3 ~ 1/2；裂片条状披针形，长 3 ~ 3.5 mm，宽 0.8 ~ 1.2 mm；雄蕊着生于花被裂片的基部，花丝短，花药椭圆形；子房卵形，花柱长 1.5 mm。蒴果倒卵形或矩圆状倒卵形，有棱角，长 3 ~ 4 mm，宽 2.5 ~ 3 mm，密生柔毛。花期 4 ~ 5 月，果期 6 ~ 7 月。

| 生境分布 |

生于海拔 350 ~ 2 500 m 的山坡上、路边、灌丛中或草地上。湖北有分布。

| 采收加工 | **全草**：全年均可采收，洗净，鲜用或晒干。
根：夏秋采挖，洗净，晒干。

| 功能主治 | 润肺止咳，养心安神，消积驱蛔。用于支气管炎，百日咳，疳积，蛔虫病，腮腺炎。

百合科 Liliaceae 粉条儿菜属 Aletris

狭瓣粉条儿菜 *Aletris stenoloba* Franch.

| 药 材 名 | 狭瓣粉条儿菜。

| 形态特征 | 植株具多数须根，少数根毛局部稍膨大；膨大部分长 3 ~ 6 mm，宽约 0.5 mm。叶簇生，条形，长 8 ~ 11 cm，宽 3 ~ 4 mm，先端渐尖，两面无毛。花葶高 30 ~ 80 cm，有毛，中下部有数枚长 1 ~ 4 cm、宽 1 ~ 1.5 mm 的苞片状叶；总状花序长 7 ~ 35 cm，疏生多花；苞片 2，披针形，位于花梗的上端，长 5 ~ 7 mm，短于花；花梗极短；花被白色，长 6 ~ 7 mm，有毛，分裂到中部或中部以下；裂片条状披针形，长 3.5 ~ 3.8 mm，宽 0.5 ~ 0.8 mm，开展，膜质；雄蕊着生于花被裂片的基部，花丝下部贴生于花被裂片上，上部分离，长约 1 mm，花药球形，短于花丝；子房卵形，长 2.5 ~ 3 mm。蒴果卵形，无棱角，有毛，长 3 ~ 5 mm，宽 3 ~ 3.5 mm。花果期 5 ~ 7 月。

生境分布	生于海拔 300 ～ 3 100 m 的林边草坡上、山坡林下或路边。湖北有分布。
采收加工	全草：夏、秋季采收，洗净，鲜用。
功能主治	清肺化痰。用于支气管炎，百日咳，疳积。

百合科 Liliaceae 葱属 Allium

野葱

Allium chrysanthum Regel

| 药 材 名 | 野葱。

| 形态特征 | 鳞茎圆柱状至狭卵状圆柱形，直径 0.5 ～ 1 cm；鳞茎外皮红褐色至褐色，薄革质，常条裂。叶圆柱状，中空，比花葶短，直径 1.5 ～ 4 mm。花葶圆柱状，中空，高 20 ～ 50 cm，中部直径 1.5 ～ 3.5 mm，下部被叶鞘，总苞 2 裂，与伞形花序近等长；伞形花序球状，具多而密集的花；小花梗近等长，略短于花被片至长为花被片的 1.5 倍，基部无小苞片；花黄色至淡黄色；花被片卵状矩圆形，钝头，长 5 ～ 6.5 mm，宽 2 ～ 3 mm，外轮的花被片稍短；花丝比花被片长 1/4 ～ 1 倍，锥形，无齿，等长，在基部合生，并与花被片贴生；子房倒卵球状，花柱伸出花被外。花果期 7 ～ 9 月。

| 生境分布 | 生于海拔 2 000 ~ 3 100 m 的山坡或草地上。湖北有分布。

| 采收加工 | **全草：** 5 ~ 6 月采收，鲜用。

| 功能主治 | 清热解表，消肿，健胃。用于伤风感冒，头痛鼻塞，脘腹冷痛，消化不良，跌打损伤。

百合科 Liliaceae 葱属 Allium

葱 *Allium fistulosum* L.

| 药 材 名 | 葱。

| 形态特征 | 鳞茎单生，圆柱状，稀为基部膨大的卵状圆柱形，直径 1 ~ 2 cm，有时可达 4.5 cm；鳞茎外皮白色，稀淡红褐色，膜质至薄革质，

不破裂。叶圆筒状，中空，向先端渐狭，约与花葶等长，直径在 0.5 cm 以上。花葶圆柱状，中空，高 30 ~ 50 cm，中部以下膨大，先端渐狭，约在 1/3 以下被叶鞘；总苞膜质，2 裂；伞形花序球状，多花，较疏散；小花梗纤细，与花被片等长或长为花被片的 2 ~ 3 倍，基部无小苞片；花白色；花被片长 6 ~ 8.5 mm，近卵形，先端渐尖，具反折的尖头，外轮的花被片稍短；花丝长为花被片的 1.5 ~ 2 倍，锥形，在基部合生，并与花被片贴生；子房倒卵状，花柱细长，伸出花被外。花果期 4 ~ 7 月。

| 生境分布 |　湖北有分布。

| 采收加工 |　**鳞茎：**夏、秋季采挖，洗净，除去须根，蒸透或置于沸水中烫透，晒干。

| 功能主治 |　通阳散结，行气导滞。用于胸痹心痛，脘腹痞满胀痛，泻痢后重。

百合科 Liliaceae 葱属 Allium

玉簪叶韭

Allium funckiaefolium Hand.-Mazz.

| 药 材 名 | 天韭。

| 形态特征 | 多年生草本。鳞茎单生，近圆柱状；鳞茎外皮灰褐色，破裂成纤维状，呈明显的网状。叶1，卵状宽椭圆形，长16.5 ~ 22.8 cm，宽11.3 ~ 15.7 cm，基部心形至深心形，先端急缩成短尖头，边缘皱波状；叶柄半圆柱状，与叶片近等长。花葶圆柱状，高40 ~ 66 cm，下部被叶鞘；总苞2裂，宿存；伞形花序球状，具多而密集的花；小花梗近等长，长1 ~ 2 cm，基部无小苞片；花白色；花被片椭圆形至狭椭圆形，近相等，长3 ~ 4.5 mm，宽1.2 ~ 1.5 mm，外轮的花被片呈舟状；花丝长约为花被片的1.5倍，基部合生，并与花被片贴生，内轮的花丝呈狭长三角形，基部宽约1 mm，外轮的花丝呈锥形，基部比内轮的花丝基部狭；子房基部收狭成短柄，柄

长约 1 mm，每室具 1 胚珠。花期 7 月。

| 生境分布 | 生于海拔 2 300 m 以下的阴湿山沟。湖北有分布。

| 采收加工 | **全草**：夏、秋季采收，洗净，鲜用或晒干。

| 功能主治 | 散瘀止痛，止血。用于衄血，瘀血，跌打损伤。

百合科 Liliaceae 葱属 Allium

宽叶韭

Allium hookeri Thwaites

| 药 材 名 | 宽叶韭。

| 形态特征 | 鳞茎圆柱状，具粗壮的根；鳞茎外皮白色，膜质，不破裂。叶条形至宽条形，稀为倒披针状条形，比花葶短或与花葶近等长，

宽 5 ～ 10 mm，具明显的中脉。花葶侧生，圆柱状或略呈三棱柱状，高 20 ～ 60 cm，下部被叶鞘；总苞 2 裂，常早落；伞形花序近球状，多花，花较密集；小花梗纤细，近等长，长为花被片的 2 ～ 3 倍，基部无小苞片；花白色，星芒状开展；花被片等长，披针形至条形，长 4 ～ 7.5 mm，宽 1 ～ 1.2 mm；先端渐尖或不等的 2 裂；花丝等长，比花被片短或与花被片近等长，在最基部合生，并与花被片贴生；子房倒卵形，基部收狭成短柄，外壁平滑，每室具 1 胚珠，花柱比子房长，柱头点状。花果期 8 ～ 19 月。

| 生境分布 | 生于海拔 2 800 ～ 3 100 m 的草坡、湿地或林缘。湖北有分布。

| 采收加工 | **全草**：秋季采收，洗净，鲜用或晒干。

| 功能主治 | 散瘀止痛，止血。用于衄血，瘀血，跌打损伤。

百合科 Liliaceae 葱属 *Allium*

薤白 *Allium macrostemon* Bunge

| 药 材 名 |

薤白。

| 形 态 特 征 |

多年生草本。高 30 ~ 60 cm。鳞茎近球形，直径 0.7 ~ 1.5 cm，基部常具小鳞茎，鳞茎外皮带黑色，纸质或膜质，不破裂。叶 3 ~ 5，苍绿色，半圆柱状或因背部纵棱发达而呈三棱状半圆柱形，中空，上面具沟槽，比花葶短，长 20 ~ 40 cm，宽 2 ~ 4 mm，先端渐尖，基部鞘状抱茎。花葶圆柱状，直立，高 30 ~ 70 cm；伞形花序顶生，半球状至球状，具多而密集的花，或间具珠芽，或全为珠芽；小花梗近等长，比花被片长 3 ~ 5 倍，基部具小苞片；珠芽暗紫色，基部具小苞片；花淡紫色或淡红色；花被片矩圆状卵形至矩圆状披针形，长 4 ~ 5.5 mm，宽 1.2 ~ 2 mm，内轮的花被片常较狭；花丝等长，比花被片长约 1/3，在基部合生，并与花被片贴生，分离部分花丝的基部呈狭三角形扩大，向上收狭成锥形，内轮花丝的基部约为外轮花丝基部宽的 1.5 倍；子房近球状，花柱伸出花被外。花期 5 ~ 6 月，果期 8 ~ 9 月。

| 生境分布 | 生于海拔 1 500 m 以下的山坡、丘陵、山谷或草地上。湖北有分布。

| 采收加工 | **鳞茎**：夏、秋季采挖，洗净，除去须根，蒸透或置于沸水中烫透，晒干。

| 功能主治 | 通阳散结，行气导滞。用于胸痹心痛，脘腹痞满胀痛，泻痢后重。

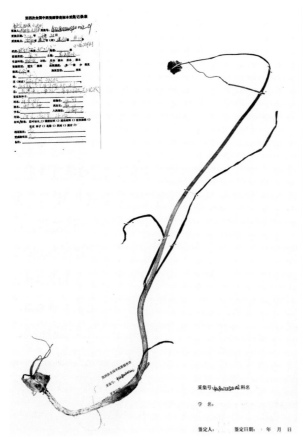

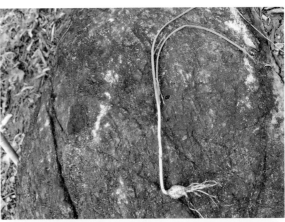

百合科 Liliaceae 葱属 Allium

卵叶韭

Allium ovalifolium Hand.-Mazz.

| 药 材 名 | 卵叶韭。

| 形 态 特 征 | 鳞茎单一或 2 ~ 3 聚生，近圆柱状；鳞茎外皮灰褐色至黑褐色，破裂成纤维状，呈明显的网状。叶 2，靠近或近对生状，极少 3，披针状矩圆形至卵状矩圆形，长 6 ~ 15 cm，宽 2 ~ 7 cm，先端渐尖或近短尾状，基部圆形至浅心形，稀为深心形；叶柄明显，长 1 cm以上，连同叶片的两面和叶缘常具乳头状突起，稀光滑。花葶圆柱状，高 30 ~ 60 cm，下部被叶鞘；总苞 2 裂，宿存，稀早落；伞形花序球状，具多而密集的花；小花梗近等长，长为花被片的 1.5 ~ 4倍，果期伸长，基部无小苞片；花白色，稀淡红色；花被片长 3.5 ~6 mm，内轮的花被片披针状矩圆形至狭矩圆形，长 4 ~ 6 mm，宽1 ~ 1.6 mm，先端钝或凹陷，或具不规则小齿，外轮的花被片较宽

而短，狭卵形、卵形或卵状矩圆形，长 3.5 ~ 5 mm，宽 1.4 ~ 2 mm，先端钝或凹陷，或具不规则小齿；花丝等长，比花被片长 1/4 ~ 1/2，基部合生，并与花被片贴生，内轮的花丝狭长三角形，基部宽 0.8 ~ 1.1 mm，外轮的花丝锥形；子房具 3 圆棱，基部收狭成长约 0.5 mm 的短柄，每室具 1 胚珠。花果期 7 ~ 9 月。

| 生境分布 | 生于海拔 1 500 ~ 3 100 m 的林下、阴湿山坡、湿地、沟边或林缘。分布于湖北西部。

| 采收加工 | 叶：秋季采收，洗净，鲜用或晒干。

| 功能主治 | 活血散瘀，止血止痛。用于跌打损伤，瘀血肿痛，衄血。

百合科 Liliaceae 葱属 Allium

天蒜

Allium paepalanthoides Airy-Shaw

| 药 材 名 | 天蒜。

| 形态特征 | 鳞茎单生，狭卵状圆柱形，直径 0.5 ~ 1.5 cm；鳞茎外皮黄褐色或黑褐色，有时带红色，纸质，条裂，有时近纤维状，在标本上常因外皮脱落而仅余灰白色的膜质内皮。叶宽条形至条状披针形，比花葶短或与花葶近等长，宽 0.5 ~ 2.3 cm，先端渐尖，钝头。花葶圆柱状，高 15 ~ 50 cm，中部以下被叶鞘，稀仅下部被叶鞘；总苞单侧开裂，具长喙，有时喙长可达 7 cm，宿存或早落；伞形花序多花，松散；小花梗近等长，比花被片长 2 ~ 4 倍，果期更长，基部无小苞片；花白色；花被片常具绿色中脉，长 3 ~ 5 mm，宽 1.5 ~ 2.5 mm，内轮的花被片卵状矩圆形，先端平截或钝圆，外轮的花被片卵形，舟状，稍短；花丝等长，长为花被片的 1.5 ~ 2 倍，仅基部合生，

并与花被片贴生，内轮的花丝基部扩大，扩大部分每侧各具 1 齿片，齿片高
1.5 ~ 2.5 mm，先端具 2 至数枚不规则的小齿，外轮的花丝锥形；子房倒卵状，
花柱伸出花被外。花果期 8 ~ 9 月。

| 生境分布 | 生于海拔 1 400 ~ 2 000 m 的阴湿山坡、沟边或林下。分布于湖北西部。

| 采收加工 | **鳞茎**：秋季采收，洗净，鲜用或晒干。

| 功能主治 | 消肿止痛，活血止血。用于跌打损伤，风湿疼痛，骨折，截瘫，外伤出血。

百合科 Liliaceae 葱属 Allium

太白韭

Allium prattii C. H. Wright ex Forb. et Hemsl.

| 药 材 名 |

太白韭。

| 形态特征 |

鳞茎单生或 2 ~ 3 聚生，近圆柱状；鳞茎外皮灰褐色至黑褐色，破裂成纤维状，呈明显的网状。叶 2，紧靠或近对生状，稀为 3，常为条形、条状披针形、椭圆状披针形或椭圆状倒披针形，稀为狭椭圆形，短于或近等长于花葶，宽 0.5 ~ 4 cm，先端渐尖，基部逐渐收狭成不明显的叶柄。花葶圆柱状，高 10 ~ 60 cm，下部被叶鞘；总苞 1 ~ 2 裂，宿存；伞形花序半球状，具多而密集的花；小花梗近等长，比花被片长 2 ~ 4 倍，果期更长，基部无小苞片；花紫红色至淡红色，稀白色；内轮的花被片披针状矩圆形至狭矩圆形，长 4 ~ 7 mm，宽 1 ~ 1.5 mm，先端钝或凹缺，或具不规则小齿，外轮的花被片宽而短，狭卵形、矩圆状卵形或矩圆形，长 3.2 ~ 5.5 mm，宽 1.4 ~ 2 mm，先端钝或凹缺，或具不规则小齿；花丝比花被片略长，基部合生，并与花被片贴生，内轮的花丝狭卵状长三角形，基部宽 0.8 ~ 1.5 mm，外轮的花丝锥形；子房具 3 圆棱，基部收狭成长约 0.5 mm 的短柄，每室具 1 胚珠。花果期 6 月底至 9 月。

| 生境分布 | 生于海拔 2 000 ～ 3 100 m 的阴湿山坡、沟边、灌丛或林下。湖北有分布。 |

| 采收加工 | **全草**：夏、秋季采收，洗净，鲜用。 |

| 功能主治 | 清热解表，消肿，健胃。用于伤风感冒，头痛鼻塞，脘腹冷痛，消化不良，跌打损伤。 |

百合科 Liliaceae 葱属 Allium

野韭

Allium ramosum L.

| **药 材 名** | 野韭。

| **形态特征** | 具横生的粗壮根茎，略倾斜。鳞茎近圆柱状；鳞茎外皮暗黄色至
黄褐色，破裂成纤维状，网状或近网状。叶三棱状条形，背面具
龙骨状隆起的纵棱，中空，比花序短，宽 1.5 ~ 8 mm，沿叶缘和
纵棱光滑或具细糙齿。花葶圆柱状，具纵棱，有时棱不明显，高
25 ~ 60 cm，下部被叶鞘；总苞单侧开裂至 2 裂，宿存；伞形花序
半球状或近球状，多花；小花梗近等长，比花被片长 2 ~ 4 倍，基
部除具小苞片外，常在数枚小花梗的基部又被一共同的苞片所包围；
花白色，稀淡红色；花被片具红色中脉，内轮的花被片矩圆状倒卵
形，先端具短尖头或钝圆，长 5.5 ~ 9 mm，宽 1.8 ~ 3.1 mm，外轮
的花被片常与内轮的花被片等长，但外轮的花被片较窄，矩圆状卵

形至矩圆状披针形，先端具短尖头；花丝等长，长为花被片的 1/2 ~ 3/4，基部合生，并与花被片贴生，合生部分高 0.5 ~ 1 mm，分离部分狭三角形，内轮的花丝稍宽；子房倒圆锥状球形，具 3 圆棱，外壁具细的疣状突起。花果期 6 月底至 9 月。

| **生境分布** | 生于海拔 460 ~ 2 100 m 的向阳山坡、草坡或草地上。湖北有分布。

| **采收加工** | **全草：**秋季采收，洗净，鲜用或晒干。

| **功能主治** | 温补肝肾，壮阳固精。用于肝肾亏虚，腰膝酸痛，阳痿遗精，遗尿尿频，白浊带下。

百合科 Liliaceae 葱属 Allium

蒜 *Allium sativum* L.

| **药材名** | 蒜。

| **形态特征** | 鳞茎球状至扁球状，通常由多数肉质、瓣状的小鳞茎紧密排列而成，外面被数层白色至带紫色的膜质鳞茎外皮。叶宽条形至条状披针形，扁平，先端长渐尖，比花葶短，宽可达 2.5 cm。花葶实心，圆柱状，高可达 60 cm，中部以下被叶鞘；总苞具长 7 ~ 20 cm 的长喙，早落；伞形花序密具珠芽，间有数花；小花梗纤细；小苞片大，卵形，膜质，具短尖；花常为淡红色；花被片披针形至卵状披针形，长 3 ~ 4 mm，内轮的花被片较短；花丝比花被片短，基部合生，并与花被片贴生，内轮花丝基部扩大，扩大部分每侧各具 1 齿，齿端成长丝状，较花被片长，外轮的花丝锥形；子房球状，花柱不伸出花被外。花期 7 月。

| 生境分布 | 湖北有分布。

| 采收加工 | **鳞茎：**夏季叶枯萎时采挖，除去须根和泥沙，通风晾晒至外皮干燥。

| 功能主治 | 解毒消肿，杀虫，止痢。用于痈肿疮疡，疥癣，肺痨，顿咳，泄泻，痢疾。

百合科 Liliaceae 葱属 Allium

茖葱
Allium victorialis L.

| 药 材 名 |

茖葱。

| 形 态 特 征 |

鳞茎单生或 2 ~ 3 聚生，近圆柱状；鳞茎外皮灰褐色至黑褐色，破裂成纤维状，呈明显的网状。叶 2 ~ 3，倒披针状椭圆形至椭圆形，长 8 ~ 20 cm，宽 3 ~ 9.5 cm，基部楔形，沿叶柄稍下延，先端渐尖或短尖，叶柄长为叶片的 1/5 ~ 1/2。花葶圆柱状，高 25 ~ 80 cm，1/4 ~ 1/2 被叶鞘；总苞 2 裂，宿存；伞形花序球状，具多而密集的花；小花梗近等长，比花被片长 2 ~ 4 倍，果期伸长，基部无小苞片；花白色或带绿色，极稀带红色；内轮花被片椭圆状卵形，长 5 ~ 6 mm，宽 2 ~ 3 mm，先端钝圆，常具小齿，外轮的花被片狭而短，舟状，长 4 ~ 5 mm，宽 1.5 ~ 2 mm，先端钝圆；花丝比花被片长 0.25 ~ 1 倍，基部合生，并与花被片贴生，内轮的花丝狭长三角形，基部宽 1 ~ 1.5 mm，外轮的花丝锥形，基部比内轮的花丝基部窄；子房具 3 圆棱，基部收狭成短柄，柄长约 1 mm，每室具 1 胚珠。花果期 6 ~ 8 月。

| **生境分布** | 生于海拔 1 000 ～ 2 500 m 的阴湿山坡、林下、草地或沟边。湖北有分布。

| **采收加工** | **全草**：夏、秋季采挖，洗净，鲜用。

| **功能主治** | 散瘀止血，解毒。用于跌打损伤，血瘀肿痛，衄血，疮痈肿痛。

百合科 Liliaceae 知母属 Anemarrhena

知母
Anemarrhena asphodeloides Bunge

| 药 材 名 | 知母。

| 形 态 特 征 | 草本。根茎横走，直径 0.5 ～ 1.5 cm，具较粗的根，为残存的叶鞘所覆盖。叶基生，禾叶状，长 15 ～ 60 cm，宽 1.5 ～ 11 mm，向先端渐尖而成近丝状，基部渐宽而成鞘状，具多条平行脉，没有明显的中脉。花葶比叶长得多，从叶丛中或一侧伸出；总状花序通常较长，可达 20 ～ 50 cm，花 2 ～ 3 簇生；苞片小，卵形或卵圆形，先端长渐尖；花粉红色、淡紫色至白色；花被片 6，在基部稍合生，条形，长 5 ～ 10 mm，中央具 3 脉，宿存；雄蕊 3，生于内花被片近中部，花丝短，扁平；子房上位，3 室，每室具 2 胚珠；花柱与子房近等长，柱头小。蒴果狭椭圆形，长 8 ～ 13 mm，宽 5 ～ 6 mm，先端有短喙；

种子长 7 ~ 10 mm，黑色，具 3 ~ 4 纵狭翅。花果期 6 ~ 9 月。

| 生境分布 | 生于海拔 1 450 m 以下的山坡、草地及路旁较干燥且向阳的地方。湖北有分布。湖北有栽培。

| 采收加工 | **根茎**：春、秋季采挖根茎，除去须根和泥沙，晒干，习称"毛知母"；或除去外皮，晒干，习称"知母肉（光知母）"。

| 功能主治 | 清热泻火，滋阴润燥。用于外感热病，高热烦渴，肺热燥咳，骨蒸潮热，内热消渴，肠燥便秘。

百合科 Liliaceae 天门冬属 Asparagus

天门冬
Asparagus cochinchinensis (Lour.) Merr.

| 药 材 名 |

天门冬。

| 形态特征 |

攀缘植物。根在中部或近末端呈纺锤状膨大，膨大部分长 3 ～ 5 cm，直径 1 ～ 2 cm。茎平滑，常弯曲或扭曲，长可达 1 ～ 2 m，分枝具棱或狭翅。叶状枝通常每 3 成簇，扁平或由于中脉龙骨状而略呈锐三棱形，稍镰状，长 0.5 ～ 8 cm，宽 1 ～ 2 mm；茎上的鳞片状叶基部延伸为长 2.5 ～ 3.5 mm 的硬刺，在分枝上的刺较短或不明显。花通常每 2 腋生，淡绿色；花梗长 2 ～ 6 mm，关节一般位于中部，有时位置有变化；雄花花被长 2.5 ～ 3 mm；花丝不贴生于花被片上；雌花大小和雄花相似。浆果直径 6 ～ 7 mm，成熟时红色，有 1 种子。花期 5 ～ 6 月，果期 8 ～ 10 月。

| 生境分布 |

生于海拔 1 750 m 的山坡、路旁、疏林下、山谷或荒地上。分布于湖北武汉、房县、兴山、谷城、罗田、通城、崇阳、通山、利川、巴东、宣恩、咸丰、来凤、鹤峰、神农架，以及武汉、荆门等。湖北利川等有栽培。

| 采收加工 | **块根：**栽种 2 ～ 3 年，秋、冬季采挖块根，洗净，除去须根，放入锅内煮或蒸至透心，剥去外皮，洗净，切断，晒干。

| 功能主治 | 养阴润燥，清肺生津。用于肺燥干咳，顿咳痰黏，腰膝酸痛，骨蒸潮热，内热消渴，热病津伤，咽干口渴，肠燥便秘。

百合科 Liliaceae 贝母属 *Fritillaria*

湖北贝母
Fritillaria hupehensis Hsiao et K. C. Hsia

| 药 材 名 |

湖北贝母。

| 形态特征 |

多年生草本。全株光滑无毛。茎单一，直立，长 25 ~ 50 cm。鳞茎肥厚，肉质白色，卵球形或扁球形，由 2 鳞片组成，直径 1.5 ~ 3 cm。叶 3 ~ 7 轮生，中间常兼有对生或散生，矩圆状披针形，长 7 ~ 13 cm，宽 1 ~ 3 cm，先端不卷曲或多少弯曲。花 1 ~ 4，紫色，有黄色小方格条纹；叶状苞片通常 3，极少 4，多花时先端的花具 3 苞片，下面的具 1 ~ 2 苞片，先端卷曲；花梗长 1 ~ 2 cm；花被片 6，2 轮，长 4 ~ 4.5 cm，宽 1.5 ~ 1.8 cm，外花被片稍狭些；蜜腺窝在背面稍凸出；雄蕊 6，长约为花被片的一半，花药近基着，花丝常具小乳突；雌蕊 1，子房上位，柱头 3 裂。蒴果长 2 ~ 2.5 cm，宽 2.5 ~ 3 cm，棱上的翅宽 4 ~ 7 mm；种子多数，淡棕色，扁平，半圆形，有狭翼。花期 4 月，果期 5 ~ 6 月。

| 生境分布 |

生于海拔 1 000 ~ 1 800 m 的高山和二高山上。湖北西南部和西北部等有栽培。

| 采收加工 | **鳞茎**：夏季初植株枯萎后采挖，采挖后将鳞茎洗净，放入石灰水（水 100 kg，生石灰 7.5 kg）或清水浸泡，干燥。

| 功能主治 | 清热化痰，止咳，散结。用于热痰咳嗽，瘰疬痰核，痈肿疮毒。

百合科 Liliaceae 百合属 *Lilium*

野百合
Lilium brownii F. E. Br. ex Miellez

| **药 材 名** | 野百合。

| **形态特征** | 鳞茎球形，直径 2 ~ 4.5 cm；鳞片披针形，长 1.8 ~ 4 cm，宽
0.8 ~ 1.4 cm，无节，白色。茎高 0.7 ~ 2 m，有的有紫色条纹，有
的下部有小乳头状突起。叶散生，通常自下向上渐小，披针形、窄
披针形至条形，长 7 ~ 15 cm，宽（0.6 ~）1 ~ 2 cm，先端渐尖，
基部渐狭，具 5 ~ 7 脉，全缘，两面无毛。花单生或几朵排成近伞
形；花梗长 3 ~ 10 cm，稍弯；苞片披针形，长 3 ~ 9 cm，宽 0.6 ~
1.8 cm；花喇叭形，有香气，乳白色，外面稍带紫色，无斑点，向
外张开或先端外弯而不卷，长 13 ~ 18 cm；外轮花被片宽 2 ~
4.3 cm，先端尖；内轮花被片宽 3.4 ~ 5 cm，蜜腺两边具小乳头状

突起；雄蕊向上弯，花丝长 10 ~ 13 cm，中部以下密被柔毛，少有具稀疏的毛
或无毛，花药长椭圆形，长 1.1 ~ 1.6 cm；子房圆柱形，长 3.2 ~ 3.6 cm，宽
4 mm，花柱长 8.5 ~ 11 cm，柱头 3 裂。蒴果矩圆形，长 4.5 ~ 6 cm，宽约 3.5 cm，
有棱，具多数种子。花期 5 ~ 6 月，果期 9 ~ 10 月。

| 生境分布 | 生于海拔 600 ~ 2 150 m 的山坡、灌木林下、路边、溪旁或石缝中。湖北有分布。

| 采收加工 | 全草：7 ~ 10 月采收，鲜用或切段，晒干。

| 功能主治 | 清热，利湿，解毒，消积。用于痢疾，热淋，喘咳，风湿痹痛，疔疮疖肿，毒
蛇咬伤，疳积，恶性肿瘤等。

百合科 Liliaceae 百合属 Lilium

百合
Lilium brownii F. E. Brown var. *viridulum* Baker

| 药 材 名 | 百合。

| 形态特征 | 多年生草本。高达 1.5 m。鳞茎近球形，高 3.5 ~ 5 cm，直径 5 cm，暴露部分带紫色，鳞叶广展如荷花状。茎无毛，常有紫色条纹。叶有短柄；叶片披针形或窄披针形，长 2 ~ 10 cm，宽 0.5 ~ 1.5 cm。花 1 至数朵生于茎端；花被片 6，乳白色而微黄，长约 15 cm，背面中肋带淡黄色，先端向外张开或稍反卷。蒴果长圆形，长约 5 cm。花期 5 ~ 7 月，果期 8 ~ 10 月。

| 生境分布 | 生于海拔 700 ~ 1 000 m 的山坡上。分布于湖北来凤、宣恩、英山、罗田等。湖北来凤、宣恩、英山、罗田有栽培。

| **采收加工** | 肉质鳞叶：一般于移栽翌年 9 ～ 10 月茎叶枯萎后采挖，去掉茎秆、须根，小鳞茎选留作种，大鳞茎洗净，从基部横切一刀，使鳞片分开，然后于开水中烫 5 ～ 10 min，当鳞片边缘变软、背面微裂时迅速捞起，放清水中洗去黏液，薄摊晒干或炕干。 |

| **功能主治** | 养阴润肺，清心安神。用于阴虚久咳，痰中带血，虚烦惊悸，失眠多梦，精神恍惚。 |

禾叶山麦冬 *Liriope graminifolia* (L.) Baker

| 药 材 名 | 禾叶山麦冬。

| 形态特征 | 根细或稍粗，分枝多，有时有纺锤形小块根；根茎短或稍长，具地下走茎。叶长 20 ～ 50（～ 60）cm，宽 2 ～ 3（～ 4）mm，先

端钝或渐尖，具 5 脉，近全缘，但先端边缘具细齿，基部常有残存的枯叶或撕裂成纤维状。花葶通常稍短于叶，长 20 ~ 48 cm；总状花序长 6 ~ 15 cm，具许多花；花通常 3 ~ 5 簇生于苞片腋内；苞片卵形，先端具长尖，最下面的长 5 ~ 6 mm，干膜质；花梗长约 4 mm，关节位于近先端；花被片狭矩圆形或矩圆形，先端钝圆，长 3.5 ~ 4 mm，白色或淡紫色；花丝长 1 ~ 1.5 mm，扁而稍宽；花药近矩圆形，长约 1 mm；子房近球形；花柱长约 2 mm，稍粗，柱头与花柱等宽。种子卵圆形或近球形，直径 4 ~ 5 mm，初期绿色，成熟时蓝黑色。花期 6 ~ 8 月，果期 9 ~ 11 月。

| **生境分布** | 生于山坡、山谷林下、灌丛中、山沟背阴处、石缝间或草丛中。湖北有分布。

| **功能主治** | 清心润肺，养胃生津。用于肺燥干咳，阴虚痨嗽，喉痹咽痛，津伤口渴，内热消渴，心烦失眠，肠燥便秘。

百合科 Liliaceae 山麦冬属 Liriope

长梗山麦冬

Liriope longipedicellata Wang et Tang

| 药 材 名 | 长梗山麦冬。

| 形态特征 | 根细，有时稍粗；根茎粗短，木质，无地下走茎。叶长 30 ~ 50 cm，宽（3 ~ ）4 ~ 5 mm，上面绿色，脉不明显，下面粉绿色，具 5 稍

粗的脉，边缘具细锯齿；基部常被褐色、膜质的鞘。花葶稍长于或等长于叶，长 30 ~ 60 cm；总状花序长 7 ~ 12 cm，具多花；花常 2 ~ 4 簇生于苞片腋内，少数单生；苞片小，长 1 ~ 2 mm，干膜质；花梗长 5 ~ 8 mm，关节位于中部以上或近中部；花被片倒卵形或倒披针形，长约 3 mm，先端急尖或稍钝，紫红色或紫色；花丝扁，长约 1.2 mm，花药卵形，开裂后近矩圆形，长约 1 mm；子房扁圆形，花柱稍粗，长约 2 mm，柱头不明显。种子近球形或稍呈椭圆形，直径 5 ~ 6 mm，初期绿色，成熟后黑紫色。花期 7 月，果期 8 ~ 9 月。

| **生境分布** | 生于海拔 1 400 ~ 1 950 m 的潮湿草地或阴湿的岩石缝中。分布于湖北长阳、宣恩、兴山、神农架、房县。

| **功能主治** | 清心润肺，养胃生津。用于肺燥干咳，阴虚痨嗽，喉痹咽痛，津伤口渴，内热消渴，心烦失眠，肠燥便秘。

百合科 Liliaceae 山麦冬属 Liriope

阔叶山麦冬
Liriope platyphylla Wang et Tang

| 药材名 |

阔叶山麦冬。

| 形态特征 |

根细长，分枝多，有时局部膨大成纺锤形的小块根，小块根长达 3.5 cm，宽 7 ~ 8 mm，肉质；根茎短，木质。叶密集成丛，革质，长 25 ~ 65 cm，宽 1 ~ 3.5 cm，先端急尖或钝，基部渐狭，具 9 ~ 11 脉，有明显的横脉，边缘几不粗糙。花葶通常长于叶，长 45 ~ 100 cm；总状花序长（12 ~）25 ~ 40 cm，具多花；花（3 ~）4 ~ 8 簇生于苞片腋内；苞片小，近刚毛状，长 3 ~ 4 mm，有时不明显；小苞片卵形，干膜质；花梗长 4 ~ 5 mm，关节位于中部或中部偏上；花被片矩圆状披针形或近矩圆形，长约 3.5 mm，先端钝，紫色或红紫色；花丝长约 1.5 mm，花药近矩圆状披针形，长 1.5 ~ 2 mm；子房近球形，花柱长约 2 mm，柱头 3 齿裂。种子球形，直径 6 ~ 7 mm，初期绿色，成熟时变为黑紫色。花期 7 ~ 8 月，果期 9 ~ 11 月。

| 生境分布 |

生于海拔 100 ~ 1 400 m 的山地、山谷的疏

密林下或潮湿处。湖北有分布。

| **采收加工** | **块根**：翌年 4 月晴天采挖，抖掉泥土，洗净，晒干或烘干。

| **功能主治** | 补肺养胃，滋阴生津。用于肺燥干咳，阴虚痨嗽，喉痹咽痛，津伤口渴，内热消渴，心烦失眠，肠燥便秘。

百合科 Liliaceae 山麦冬属 Liriope

山麦冬 *Liriope spicata* (Thunb.) Lour.

| 药 材 名 | 湖北麦冬。

| 形态特征 | 植株有时丛生；根稍粗，直径 1 ~ 2 mm，有时分枝多，近末端处常
膨大成矩圆形、椭圆形或纺锤形的肉质小块根；根茎短，木质，具
地下走茎。叶长 25 ~ 60 cm，宽 4 ~ 6（~ 8）mm，先端急尖或钝，
基部常包以褐色的叶鞘，上面深绿色，下面粉绿色，具 5 脉，中脉
比较明显，边缘具细锯齿。花葶通常长于或几等长于叶，少数稍短
于叶，长 25 ~ 65 cm；总状花序长 6 ~ 15（~ 20）cm，具多花；
花通常（2 ~）3 ~ 5 簇生于苞片腋内；苞片小，披针形，最下面的
长 4 ~ 5 mm，干膜质；花梗长约 4 mm，关节位于中部以上或近
顶端；花被片矩圆形或矩圆状披针形，长 4 ~ 5 mm，先端钝圆，
淡紫色或淡蓝色；花丝长约 2 mm；花药狭矩圆形，长约 2 mm；子

房近球形，花柱长约 2 mm，稍弯，柱头不明显。种子近球形，直径约 5 mm。花期 5 ~ 7 月，果期 8 ~ 10 月。

| 生境分布 | 生于海拔 50 ~ 1 400 m 的山坡、山谷林下、路旁或湿地。湖北有分布。

| 采收加工 | **块根**：夏初采挖，洗净，反复暴晒，至近干，除去须根，干燥。

| 功能主治 | 养阴生津，润肺清心。用于肺燥干咳，阴虚痨嗽，喉痹咽痛，津伤口渴，内热消渴，心烦失眠，肠燥便秘。

百合科 Liliaceae 沿阶草属 *Ophiopogon*

棒叶沿阶草
Ophiopogon clavatus C. H. Wright

| 药 材 名 | 棒叶沿阶草。

| 形态特征 | 植株由地下细长的走茎相连接。茎短。叶基生成丛，狭矩圆状倒披针形，长5～12 cm，宽5～13 mm，先端钝或钝圆，基部渐狭成叶柄，上面绿色，下面粉绿色，具5～7明显的脉；叶柄长2.5～10 cm。花葶长7～11 cm，总状花序具1～3(～4)花；苞片卵形，边缘膜质，长约7 mm；花梗长5～8 mm，关节位于近先端；花被片矩圆形，内轮3花被片稍宽，长约12 mm，白色稍带淡紫色，开花时花被片不向外张开；花丝明显，长约2 mm，花药狭披针形，长约7 mm；花柱细长，长约1 cm。种子椭圆形，长约8 mm，绿色，成熟时呈深蓝色。花期5～6月。

| 生境分布 | 生于海拔 1 400 ～ 1 600 m 的山坡或山谷的疏林下或水边。湖北有分布。

| 功能主治 | 滋阴润肺，益胃生津，清心除烦。用于肺燥干咳，肺痈，阴虚劳嗽，津伤口渴，消渴，心烦失眠，咽喉疼痛，肠燥便秘，血热吐衄。

百合科 Liliaceae 沿阶草属 Ophiopogon

异药沿阶草
Ophiopogon heterandrus Wang et Dai

| 药 材 名 | 异药沿阶草。

| 形态特征 | 多年生草本。根细长，生于茎下部的叶簇下。茎细，直径 2 ~ 3 mm，匍匐，节上生灰白色膜质的鞘，每隔数节生叶。叶 2 ~ 4 簇生，矩圆形至狭矩圆形，长 4.5 ~ 6.5 cm，宽 1 ~ 1.6 cm，先端急尖，基部渐狭，上面绿色，具 3 明显的脉，下面灰绿色，具 7 明显的脉；叶柄长 5 ~ 8 cm，最初下部包以膜质的鞘，后来鞘脱落。总状花序生于茎先端叶簇中，具 3 ~ 4 花；花单生于苞片腋内；苞片披针形，最下面的苞片长 3 ~ 4 mm，上面的苞片较短，小苞片很小；花梗长 6 ~ 8 mm，关节位于中部以下或近中部；花被片三角状披针形，长 7 ~ 8 mm，白色，开花时向外卷；雄蕊具很短花丝，花药披针形，长约 7 mm，连合成圆锥状；花柱细长，稍伸出花药外。花期 7 月。

| **生境分布** | 生于海拔 1 200 ～ 1 500 m 的林下。湖北有分布。 |

| **采收加工** | **全草：**夏、秋季采挖，洗净泥土，晒干或烘干。 |

| **功能主治** | 补中益气。用于久病体虚，四肢乏力，食欲不振。 |

百合科 Liliaceae 沿阶草属 Ophiopogon

间型沿阶草 *Ophiopogon intermedius* D. Don

| **药 材 名** | 间型沿阶草。

| **形态特征** | 植株常丛生。根细长，分枝多，常在近末端处膨大成椭圆形或纺锤形的小块根；根茎粗短，木质，呈块状。茎很短，常丛生。叶基生成丛，禾叶状，长 15 ~ 55（~ 70）cm，宽 2 ~ 5 mm，具 7 ~ 9 脉，下面中脉明显隆起，叶基部常包以褐色的鞘，有时撕裂成纤维状。花葶长 20 ~ 35 cm，短于叶或与叶等长；总状花序轴长 2.5 ~ 7 cm，具 8 ~ 20 或更多花，有时更少；花常单生或 2 ~ 3 簇生于苞片腋内；苞片针形或披针形，最下面的苞片长可达 2 cm；花梗长 4 ~ 6 mm，关节位于中部；花被片 6，矩圆形，先端钝圆，长 4 ~ 5 mm，白色或淡紫色；雄蕊 6，花丝极短，花药狭披针形，长约 3 mm；子房半下位，花柱细长，约 3.5 mm。种子椭圆形。花期 5 ~ 8 月，果期

8 ～ 10 月。

| **生境分布** |　生于海拔 1 000 ～ 3 000 m 的山谷、林下阴湿处或水沟边。湖北有分布。

| **功能主治** |　清心除烦，润肺止咳，养胃生津。用于热病之心烦郁闷、躁扰不宁诸症，燥邪伤肺之干咳、咽干、痰少而黏诸症，胃阳不足之口渴、欲饮。

百合科 Liliaceae 沿阶草属 Ophiopogon

麦冬

Ophiopogon japonicus (L. f.) Ker Gawl.

| 药 材 名 |

麦冬。

| 形态特征 |

根较粗，中间或近末端常膨大成椭圆形或纺锤形的小块根；小块根长 1 ~ 1.5 cm 或更长，宽 5 ~ 10 mm，淡褐黄色；地下走茎细长，直径 1 ~ 2 mm，节上具膜质的鞘。茎很短，叶基生成丛，禾叶状，长 10 ~ 50 cm，少数更长，宽 1.5 ~ 3.5 mm，具 3 ~ 7 脉，边缘具细锯齿。花葶长 6 ~ 15（~ 27）cm，通常比叶短，总状花序长 2 ~ 5 cm，有时更长，具数至 10 余花；花单生或成对着生于苞片腋内；苞片披针形，先端渐尖，最下面的长 7 ~ 8 mm；花梗长 3 ~ 4 mm，关节位于中部以上或近中部；花被片常稍下垂而不展开，披针形，长约 5 mm，白色或淡紫色；花药三角状披针形，长 2.5 ~ 3 mm；花柱长约 4 mm，较粗，宽约 1 mm，基部宽阔，向上渐狭。种子球形，直径 7 ~ 8 mm。花期 5 ~ 8 月，果期 8 ~ 9 月。

| 生境分布 |

生于山坡阴湿处、林下或溪旁。湖北有分布。

| 采收加工 | **块根：**夏初采挖，洗净，反复暴晒，至近干，除去须根，干燥。

| 功能主治 | 养阴生津，润肺清心。用于肺燥干咳，阴虚痨嗽，喉痹咽痛，津伤口渴，内热消渴，心烦失眠，肠燥便秘。

百合科 Liliaceae 沿阶草属 *Ophiopogon*

西南沿阶草
Ophiopogon mairei H. Lév.

| 药 材 名 | 大叶麦门冬。

| 形态特征 | 多年生草本。根稍粗，柔软，多而长，近末端常有膨大成纺锤形的小块根。茎较短或中等长，每年稍延长，老茎上叶枯萎后残留叶鞘撕裂成的纤维，并生根，形如根茎。叶丛生，近禾叶状或稍带剑形，长 20 ~ 40 cm，宽 7 ~ 14 mm，先端急尖或钝，基部具膜质的鞘，鞘常具横皱纹，上面绿色，下面粉绿色，通常具 9 脉，边缘具细齿，基部逐渐狭成不明显的柄。花葶较叶短，长 10 ~ 15 cm，下部常被幼叶所包裹；总状花序长 5 ~ 7 cm，密生许多花；花 1 ~ 2 着生于苞片腋内；苞片钻形，最下面的苞片长 5 ~ 7 mm；花梗长 4 ~ 5 mm 或更短，关节位于中部或中部偏上；花被片卵形，长 4 ~ 5 mm，白色或蓝色；花丝明显，花药卵形，长约 2 mm；花柱稍粗短，长约

2.5 mm。种子椭圆形或卵圆形，长约 8 mm，蓝灰色。花期 5 月中旬至 7 月上旬。

| 生境分布 |　生于海拔 800 ～ 1 800 m 的林下阴湿处。分布于湖北西南部。

| 采收加工 |　**块根：**夏、秋季采挖，洗净泥土，晒干。

| 功能主治 |　清心润肺，解毒，止咳。用于肺结核，阴虚内热，咳嗽，咯血，心烦口渴。

百合科 Liliaceae 沿阶草属 Ophiopogon

阴生沿阶草
Ophiopogon umbraticola Hance

| **药 材 名** | 寸冬。

| **形态特征** | 植株丛生，常有粗短的根茎。根细长，分枝多。茎很短。叶基生成丛，禾叶状，长 25 ~ 35（~ 50）cm，宽 1 ~ 1.5 mm，具 3 脉，边缘具细齿。花葶稍短或几等长于叶，长约 30 cm；总状花序长 8 ~ 16 cm，具多花；花 1 ~ 3 簇生于苞片腋内；苞片近钻形，最下面的苞片长 6 ~ 8 mm，向上渐短；花梗细，长约 1 cm，关节位于中部或中部稍下；花被片披针形或矩圆形，先端钝圆，长约 4 mm，内轮 3 花被片较外轮 3 花被片稍宽，淡蓝色；花丝明显，长不及 1 mm；花药狭披针形，长约 2 mm；花柱粗短，基部宽阔，直径达 1.2 mm，向上渐狭。花期 8 月。

| **生境分布** | 生于山谷阴湿处。湖北有分布。

| **采收加工** | **块根**：4 ～ 5 月采挖，晒至半干后，每日揉搓 1 ～ 2 次或装入布袋中撞击，筛去杂质，再晒至全干。

| **功能主治** | 清心润肺，解毒止咳。用于肺结核，阴虚内热，燥咳，咯血，心烦口渴等。

百合科 Liliaceae 重楼属 Paris

巴山重楼 *Paris bashanensis* Wang et Tang

| 药 材 名 | 重楼。

| 形态特征 | 多年生草本。高 25 ～ 45 cm。根茎细长，直径 4 ～ 8 cm。叶 4 轮生于茎顶，稀为 5，矩圆状披针形或卵状椭圆形，长 4 ～ 9 cm，宽 2 ～ 3.5 cm，先端渐尖，基部楔形，具短柄或近无柄。花梗长 2 ～ 7 cm，外轮花被片 4，狭披针形，长 1.5 ～ 3 cm，宽 3 ～ 4 mm，反折，内轮花被片线形，与外轮花被片同数且近等长；雄蕊通常 8，花药长 1 ～ 1.2 cm，花丝短，长 3 ～ 4 mm，药隔突出部分长 6 ～ 10 mm；子房球形，花柱具 4 ～ 5 分枝，分枝细长。浆果状蒴果不开裂，紫色，具多数种子。花期 5 月，果期 5 ～ 7 月。

| **生境分布** | 生于海拔 1 800 ~ 3 000 m 的高山林荫下。分布于湖北巴东、建始、利川、神农架、兴山等。

| **资源情况** | 野生资源稀少。

| **采收加工** | **根茎：** 秋季苗枯萎后采挖，晒干。

| **功能主治** | 清热解毒，降血压。用于头痛，高血压，蛇咬伤，痢疾。

百合科 Liliaceae 重楼属 Paris

七叶一枝花 *Paris polyphylla* Sm.

| 药 材 名 | 重楼。

| 形态特征 | 多年生草本。植株高 35 ~ 100 cm，无毛。根茎粗厚，直径 1 ~ 2.5 cm，外面棕褐色，密生多数环节和许多须根。茎通常带紫红色，直径（0.8 ~）2 ~ 1.5 cm，基部有灰白色的干膜质鞘 1 ~ 3。叶（5 ~）7 ~ 10，矩圆形、椭圆形或倒卵状披针形，长 7 ~ 15 cm，宽 2.5 ~ 5 cm，先端短尖或渐尖，基部圆形或宽楔形，叶柄明显，长 2 ~ 6 cm，带紫红色。花梗长 5 ~ 16（~ 30）cm，外轮花被片绿色，（3 ~）4 ~ 6，狭卵状披针形，长（3 ~）4.5 ~ 7 cm，内轮花被片狭条形，通常比外轮花被片长；雄蕊 8 ~ 12，花药短，长 5 ~ 8 mm，与花丝近等长或稍长于花丝，药隔突出部分长 0.5 ~ 1（~ 2）mm；子房近球形，具棱，先端具 1 盘状花柱基，花柱粗短，具（4 ~）5 分枝。蒴果紫

色，直径 1.5 ~ 2.5 cm，3 ~ 6 瓣裂开；种子多数，具鲜红色多浆汁的外种皮。花期 4 ~ 7 月，果期 8 ~ 11 月。

| **生境分布** | 生于海拔 1 800 ~ 3 100 m 的高山林荫下。分布于湖北神农架，以及宜昌、十堰、恩施等。

| **采收加工** | **根茎**：夏、秋季采挖，除去茎叶、须根，晒干。

| **功能主治** | 清热解毒，消肿止痛，凉肝定惊。用于疔疮痈肿，咽喉肿痛，蛇虫咬伤，跌扑伤痛，惊风抽搐。

华重楼

Paris polyphylla Sm. var. *chinensis* (Franch.) Hara

| 药 材 名 | 重楼。

| 形态特征 | 多年生草本。高 30 ~ 100 cm。茎直立。叶 5 ~ 8 轮生，通常 7，倒卵状披针形或倒披针形，基部通常楔形。内轮花被片狭条形，通常中部以上变宽，宽 1 ~ 1.5 mm，长 1.5 ~ 3.5 cm，长为外轮花被片的 1/3，或与花被片近等长或稍超过花被片；雄蕊 8 ~ 10，花药长 1.2 ~ 1.5（~ 2）cm，长为花丝的 3 ~ 4 倍，药隔突出部分长 1 ~ 1.5（~ 2）mm。花期 5 ~ 7 月，果期 8 ~ 10 月。

| 生境分布 | 生于海拔 600 ~ 2 000 m 的森林、竹林、灌丛及山坡林荫下。分布于巴东、神农架以及恩施等。

| 采收加工 | 根茎：夏、秋季采挖，除去茎叶、须根，晒干。

| 功能主治 | 清热解毒，消肿止痛，凉肝定惊。用于疔疮痈肿，咽喉肿痛，蛇虫咬伤，跌扑伤痛，惊风抽搐。

云南重楼
Paris polyphylla Sm. var. *yunnanensis* (Franch.) Hand.-Mazz.

| **药 材 名** | 重楼。

| **形态特征** | 叶 4 ~ 9，通常为 7，轮生于茎顶，长椭圆形或椭圆状披针形，长 9 ~ 23 cm，宽 2.5 ~ 7 cm，先端渐尖或短尖，全缘，基部楔形，膜质或薄纸质，绿色，有时下面带紫色；主脉 3，基出。花单生于先端，花梗青紫色或紫红色；外列被片绿色，叶状，4 ~ 7，长卵形至卵状披针形，长 3 ~ 5 cm，宽 1 ~ 1.5 cm，先端渐尖；内列被片与外列被片同数，黄色或黄绿色，线形，宽约 1 mm，一般短于外列被片；雄蕊数与花被片数同，花丝扁平，长 3 ~ 5 mm，花药线形，金黄色，纵裂，长于花丝 2 ~ 3 倍，药隔在药上略延长或无；子房上位，具 4 ~ 6 棱，花柱短，先端 4 ~ 7 裂，向外反卷；胚珠每室多数。蒴果球形，成熟时黄褐色，3 ~ 6 瓣裂，直径 2 ~ 2.4 cm，内含多数鲜

红色卵形种子。花期 4 ~ 7 月，果期 8 ~ 11 月。

| 生境分布 | 生于海拔 1 000 ~ 2 700 m 的林下或草丛阴湿处。湖北有分布。

| 采收加工 | **根茎：**全年均可采挖，晒干或切片晒干。

| 功能主治 | 清热解毒，消肿止痛，凉肝定惊。用于疔肿痈肿，咽喉肿痛，毒蛇咬伤，跌扑伤痛，惊风抽搐。

百合科 Liliaceae 重楼属 Paris

毛重楼
Paris pubescens (Hand.-Mazz.) Wang et Tang

| 药 材 名 | 重楼。

| 形态特征 | 植株高可达 1 m，全株被短柔毛；根茎直径 1 ~ 2 cm。叶 5 ~ 10，
披针形、倒披针形或椭圆形，长 5 ~ 14 cm，宽 1 ~ 2.5 cm，先端渐尖，

基部宽楔形或近圆形，叶背面有短柔毛，具短柄。内轮花被片长条形，与外轮花被片等长或超过外轮花被片，有时宽达 2 mm；雄蕊长 1 ~ 1.5 cm，通常花丝稍短于花药，药隔突出部分长 1 ~ 1.5 mm；子房通常为紫红色。花期 5 ~ 7 月，果期 8 ~ 9 月。

| 生境分布 | 生于海拔 1 800 ~ 3 100 m 的高山草丛或林下。湖北有分布。

| 功能主治 | 清热解毒，消肿止痛，凉肝定惊。用于痈疮，咽喉肿痛，毒蛇咬伤，跌打伤痛，惊风抽搐等。

百合科 Liliaceae 重楼属 Paris

北重楼
Paris verticillata M. Bieb.

| 药 材 名 | 重楼。

| 形态特征 | 植株高 25 ~ 60 cm。根茎细长，直径 3 ~ 5 mm。茎绿白色，有时带紫色。叶（5 ~）6 ~ 8 轮生，披针形、狭矩圆形、倒披针形或倒卵状披针形，长（4 ~）7 ~ 15 cm，宽 1.5 ~ 3.5 cm，先端渐尖，基部楔形，具短柄或近无柄。花梗长 4.5 ~ 12 cm；外轮花被片绿色，极少带紫色，叶状，通常 4（~ 5），纸质，平展，倒卵状披针形、矩圆状披针形或倒披针形，长 2 ~ 3.5 cm，宽（0.6 ~）1 ~ 3 cm，先端渐尖，基部圆形或宽楔形；内轮花被片黄绿色，条形，长 1 ~ 2 cm；花药长约 1 cm，花丝基部稍扁平，长 5 ~ 7 mm；药隔突出部分长 6 ~ 8（~ 10）mm；子房近球形，紫褐色，先端无盘状花柱基，花柱具 4 ~ 5 分枝，分枝细长，并向外反卷，比不分

枝部分长 2 ~ 3 倍。蒴果浆果状，不开裂，直径约 1 cm，具数颗种子。花期 5 ~ 6 月，果期 7 ~ 9 月。

| 生境分布 | 生于海拔 1 500 m 以上的高山林荫下。分布于湖北恩施、巴东、神农架等。

| 采收加工 | **根茎：**夏、秋采挖，鲜用或晒干。

| 功能主治 | 清热解毒，散瘀消肿。用于高热抽搐，咽喉肿痛，痈疖肿毒，毒蛇咬伤。

百合科 Liliaceae 黄精属 Polygonatum

卷叶黄精 *Polygonatum cirrhifolium* (Wall.) Royle

药材名

黄精。

形态特征

多年生草本。根茎肥厚，圆柱形，直径1～1.5 cm，或根茎连珠状，结节直径1～2 cm。茎高30～90 cm。叶通常每3～6轮生，稀下部有少数散生叶，细条形至条状披针形，稀矩圆状披针形，长4～9（～12）cm，宽2～8（～15）mm，先端拳卷或弯曲成钩状，边常外卷。花序轮生，通常具2花，总花梗长3～10 mm，花梗长3～8 mm，俯垂；苞片透明膜质，无脉，长1～2 mm，位于花梗上部或基部，或无苞片；花被淡紫色，全长8～11 mm，花被筒中部稍狭，裂片长约2 mm；花丝长约0.8 mm，花药长2～2.5 mm；子房长约2.5 mm，花柱长约2 mm。浆果红色或紫红色，直径8～9 mm，具4～9种子。花期5～7月，果期9～10月。

生境分布

生于海拔2 000～3 100 m的阴湿的山地灌丛及林边草丛中。湖北有分布。

| 采收加工 | **根茎：**秋季采挖，除去须根，置于蒸笼内蒸至呈现油润时取出，晒干或烘干；或置于水中煮沸后捞出，晒干或烘干。

| 功能主治 | 补气养阴，健脾，润肺，益肾。用于脾胃虚弱，体倦乏力，口干食少，肺虚燥咳，精血不足，内热消渴。

百合科 Liliaceae 黄精属 Polygonatum

多花黄精 *Polygonatum cyrtonema* Hua

药材名

黄精。

形态特征

多年生草本。根茎肥厚，通常连珠状或结节成块，少有近圆柱形，直径 1 ~ 2 cm。茎高 50 ~ 100 cm，通常具 10 ~ 15 叶。叶互生，椭圆形或卵状披针形至矩圆状披针形，少有稍呈镰状弯曲，长 10 ~ 18 cm，宽 2 ~ 7 cm，先端尖至渐尖。花序具（1 ~ ）2 ~ 7（ ~ 14）花，伞形，总花梗长 1 ~ 4（ ~ 6）cm，花梗长 0.5 ~ 1.5（ ~ 3）cm；苞片微小，位于花梗中部以下，或无；花被黄绿色，全长 18 ~ 25 mm，裂片长约 3 mm；花丝长 3 ~ 4 mm，两侧扁或稍扁，具乳头状突起至具短绵毛，先端稍膨大至具囊状突起，花药长 3.5 ~ 4 mm；子房长 3 ~ 6 mm，花柱长 12 ~ 15 mm。浆果黑色，直径约 1 cm，具 3 ~ 9 种子。花期 5 ~ 6 月，果期 8 ~ 10 月。

生境分布

生于海拔 500 ~ 2 100 m 的林下、灌丛或山坡背阴处。湖北有分布。

| 采收加工 | **根茎：**栽培 3 ～ 4 年后秋季地上部分枯萎后采收，除去须根，洗去泥土，置于蒸笼内蒸至呈现油润时取出，晒干或烘干；或置于水中煮沸后捞出，晒干或烘干。 |

| 功能主治 | 补气养阴，健脾，润肺，益肾。用于脾虚胃弱，体倦乏力，口干食少，肺虚燥咳，精血不足，内热消渴。 |

百合科 Liliaceae 黄精属 Polygonatum

独花黄精 *Polygonatum hookeri* Baker

| 药 材 名 |

黄精。

| 形态特征 |

根茎圆柱形，结节处稍有增粗，"节间"长
2 ~ 3.5 cm，直径 3 ~ 7 mm。植株矮小，
高不到 10 cm。叶数至 10 余，常紧接在一起，
当茎伸长时，显出下部的叶为互生，上部的
叶为对生或 3 叶轮生，条形、矩圆形或矩圆
状披针形，长 2 ~ 4 cm，宽 3 ~ 8 mm，先
端略尖。通常全株仅生 1 花，位于最下面的
1 叶腋内，少有 2 花生于 1 总花梗上，花梗
长 4 ~ 7 mm；苞片微小，膜质，早落；花
被紫色，全长 15 ~ 20（ ~ 25）mm，花被
筒直径 3 ~ 4 mm，裂片长 6 ~ 10 mm；花
丝极短，长约 0.5 mm，花药长约 2 mm；子
房长 2 ~ 3 mm，花柱长约 1.5 ~ 2 mm。浆
果红色，直径 7 ~ 8 mm，具 5 ~ 7 种子。
花期 5 ~ 6 月，果期 9 ~ 10 月。

| 生境分布 |

生于林下、山坡草地或冲积扇上。湖北有
分布。

| 采收加工 | **根茎：** 秋季采挖，除去须根，置于蒸笼内蒸至呈现油润时取出，晒干或烘干；或置于水中煮沸后捞出，晒干或烘干。

| 功能主治 | 补气养阴，健脾，润肺，益肾。用于脾虚胃弱，体倦乏力，口干食少，肺虚燥咳，精血不足，内热消渴。

百合科 Liliaceae 黄精属 Polygonatum

滇黄精

Polygonatum kingianum Coll. et Hemsl.

药材名

黄精。

形态特征

根茎近圆柱形或近连珠状，结节有时呈不规则菱状，肥厚，直径 1 ~ 3 cm。茎高 1 ~ 3 m，先端作攀缘状。叶轮生，每轮 3 ~ 10，条形、条状披针形或披针形，长 6 ~ 20（~ 25）cm，宽 3 ~ 30 mm，先端拳卷。花序具（1 ~）2 ~ 4（~ 6）花，总花梗下垂，长 1 ~ 2 cm，花梗长 0.5 ~ 1.5 cm，苞片膜质，微小，通常位于花梗下部；花被粉红色，长 18 ~ 25 mm，裂片长 3 ~ 5 mm；花丝长 3 ~ 5 mm，丝状或两侧扁，花药长 4 ~ 6 mm；子房长 4 ~ 6 mm，花柱长（8 ~）10 ~ 14 mm。浆果红色，直径 1 ~ 1.5 cm，具 7 ~ 12 种子。花期 3 ~ 5 月，果期 9 ~ 10 月。

生境分布

生于海拔 700 ~ 3 100 m 的林下、灌丛、阴湿草坡或岩石上。湖北有分布。

| 采收加工 | 根茎：秋季采挖，除去须根，置于蒸笼内蒸至呈现油润时取出，晒干或烘干；或置于水中煮沸后捞出，晒干或烘干。

| 功能主治 | 补气养阴，健脾，润肺，益肾。

百合科 Liliaceae 黄精属 *Polygonatum*

大苞黄精
Polygonatum megaphyllum P. Y. Li

| 药 材 名 | 黄精。

| 形态特征 | 根茎通常具瘤状结节而呈不规则的连珠状，或圆柱形，直径 3 ~ 6 mm。茎高 15 ~ 30 cm，除花和茎的下部外，其余部分疏生短柔毛。叶互生，狭卵形、卵形或卵状椭圆形，长 3.5 ~ 8 cm。花序通常具 2 花，总花梗长 4 ~ 6 mm，先端有 3 ~ 4 叶状苞片；花梗极短，长 1 ~ 2 mm；苞片卵形或狭卵形，长 1 ~ 3 cm；花被淡绿色，全长 11 ~ 19 mm，裂片长约 3 mm；花丝长约 4 mm，稍两侧扁，近平滑，花药约与花丝等长；子房长 3 ~ 4 mm，花柱长 6 ~ 11 mm。花期 5 ~ 6 月。

| 生境分布 | 生于海拔 1 700 ~ 2 500 m 的山坡或林下。湖北有分布。

| **采收加工** | **根茎：**秋季采挖，除去须根，置于蒸笼内蒸至呈现油润时取出，晒干或烘干；或置于水中煮沸后捞出，晒干或烘干。 |

| **功能主治** | 补气养阴，健脾，润肺，益肾。 |

节根黄精 *Polygonatum nodosum* Hua

| 药 材 名 |　黄精。

| 形态特征 |　根茎较细，结节膨大成连珠状或多少呈连珠状，直径 5 ～ 7 mm。茎高 15 ～ 40 cm，具 5 ～ 9 叶，叶互生，卵状椭圆形或椭圆形，长 5 ～ 7 cm，先端尖。花序具 1 ～ 2 花，总花梗长 1 ～ 2 cm；花被淡黄绿色，全长 2 ～ 3 cm，花被筒内面花丝贴生部分粗糙至具短绵毛，口部稍缢缩，裂片长约 3 mm；花丝长 2 ～ 4 mm，两侧扁，稍弯曲，具乳头状突起至具短绵毛，花药长约 4 mm；子房长 4 ～ 5 mm，花柱长 17 ～ 20 mm。浆果直径约 7 mm，具 4 ～ 7 种子。

| **生境分布** | 生于海拔 1 700 ～ 2 000 m 的林下、沟谷阴湿地或岩石上。湖北有分布。 |

| **采收加工** | **根茎：**秋季苗枯萎后采挖，置于蒸笼内蒸至呈现油润时取出，晒干或烘干；或置于水中煮沸后捞出，晒干或烘干。 |

| **功能主治** | 活血祛瘀。用于跌打损伤。 |

百合科 Liliaceae 黄精属 Polygonatum

玉竹
Polygonatum odoratum (Mill.) Druce

| 药 材 名 | 玉竹。

| 形态特征 | 多年生草本。根茎横走，肉质，黄白色，密生多数须根，圆柱形，直径 5 ~ 14 mm。茎单一，高 20 ~ 50 cm，具 7 ~ 12 叶。叶互生，无柄；叶片椭圆形至卵状矩圆形，长 5 ~ 12 cm，宽 3 ~ 16 cm，先端尖，基部楔形，上面绿色，下面带灰白色，下面脉平滑至乳头状粗糙。花腋生，花序具 1 ~ 4 花（栽培者可多至 8 花），总花梗（单花时为花梗）长 1 ~ 1.5 mm，无苞片或有条状披针形苞片；花被黄绿色至白色，长 13 ~ 20 mm，花被筒较直，长 13 ~ 20 mm，黄绿色至白色，先端 6 裂，裂片卵圆形，长 3 ~ 4 mm，常带绿色；雄蕊 6，着生于花被筒的中部，花丝丝状，近平滑至具乳头状突起，花药

长约 4 mm；子房长 3 ～ 4 mm，花柱长 10 ～ 14 mm。浆果球形，蓝黑色，直径 7 ～ 10 mm，具 7 ～ 9 种子。花期 5 ～ 6 月，果期 7 ～ 9 月。

| 生境分布 | 生于海拔 500 ～ 3 000 m 的林中或山野阴坡。分布于湖北赤壁、崇阳、南漳及宜昌等。湖北赤壁、崇阳、南漳及宜昌等有栽培。

| 采收加工 | 根茎：栽种 3 ～ 4 年后于秋季采挖，割去茎叶，抖去泥沙，除去须根，洗净，晒或炕至发软时，边搓揉边晒，反复数次，至柔软光滑、无硬心、色黄白时晒干即可；或将鲜玉竹蒸透后，边晒边搓，揉至软而半透明时晒干或鲜用。

| 功能主治 | 养阴润燥，生津止渴。用于肺胃阴伤，燥热咳嗽，咽干口渴，内热消渴。

对叶黄精 *Polygonatum oppositifolium* (Wall.) Royle

| 药 材 名 | 黄精。

| 形态特征 | 根茎呈不规则圆柱形，多少有分枝，直径 1 ~ 1.5 cm。茎高 40 ~ 60 cm。叶对生，老叶近革质，有光泽，横脉显而易见，卵状矩圆形

至卵状披针形，长 6 ~ 11 cm，宽 1.5 ~ 3.5 cm，先端渐尖，有长达 5 mm 的短柄。花序具 3 ~ 5 花，总花梗长 5 ~ 8 mm，俯垂，花梗长 5 ~ 12 mm；苞片膜质，微小，位于花梗上，早落；花被白色或淡黄绿色，全长 11 ~ 13 mm，裂片长约 2.5 mm；花丝长 3.5 ~ 4 mm，丝状，具乳头状突起，花药长约 4 mm；子房长约 5 mm，花柱长约 6 mm。花期 5 月。

| 生境分布 | 生于海拔 1 800 ~ 2 200 m 的林下岩石上。湖北有分布。

| 采收加工 | **根茎：**秋季苗枯萎后采挖，置于蒸笼内蒸至呈现油润时取出，晒干或烘干；或置于水中煮沸后捞出，晒干或烘干。

| 功能主治 | 补气养阴，健脾，润肺，益肾。用于脾胃气虚，体倦乏力，胃阴不足，口干食少，肺虚燥咳，劳嗽咯血，精血不足，腰膝酸软，须发早白，内热消渴。

百合科 Liliaceae 黄精属 Polygonatum

黄精

Polygonatum sibiricum Delar. ex Redoute

药材名

黄精。

形态特征

根茎圆柱状，由于结节膨大，因此"节间"一头粗、一头细，在粗的一头有短分枝，直径1～2 cm。茎高50～90 cm，或可达1 m以上，有时呈攀缘状。叶轮生，每轮4～6，条状披针形，长8～15 cm，宽6～16 mm，先端拳卷或弯曲成钩。花序通常具2～4花，似呈伞形状，总花梗长1～2 cm，花梗长2.5～10 mm，俯垂；苞片位于花梗基部，膜质，钻形或条状披针形，长3～5 mm，具1脉；花被乳白色至淡黄色，全长9～12 mm，花被筒中部稍缢缩，裂片长约4 mm；花丝长0.5～1 mm，花药长2～3 mm；子房长约3 mm，花柱长5～7 mm。浆果直径7～10 mm，黑色，具4～7种子。花期5～6月，果期8～9月。

生境分布

生于环境阴湿、土壤疏松肥沃、表层水分充足、背阴、透光性充足的林缘。湖北恩施、宜昌、十堰、咸宁、黄冈等有栽培。

| 采收加工 | **根茎**：春、秋季采收，以秋采者质佳。采挖时挖取根茎，除去地上部分及须根，洗去泥土，置蒸笼内蒸至呈现油润时，取出晒干或烘干；或置水中煮沸后，捞出晒干或烘干。

| 功能主治 | 补气养阴，健脾，润肺，益肾。用于脾胃气虚，体倦乏力，胃阴不足，口干食少，肺虚燥咳，劳嗽咳血，精血不足，腰膝酸软，须发早白，内热消渴。

轮叶黄精 *Polygonatum verticillatum* (L.) All.

| 药 材 名 | 黄精。

| 形态特征 | 根茎的"节间"长 2 ～ 3 cm,一头粗,一头较细,粗的一头有短分枝,直径 7 ～ 15 mm,少有根茎为连珠状。茎高(20 ～)40 ～ 80 cm。叶通常为 3 叶轮生,间有少数对生或互生,少有全株对生,矩圆状披针形(长 6 ～ 10 cm,宽 2 ～ 3 cm)至条状披针形或条形(长达 10 cm,宽仅 5 mm),先端尖至渐尖。花单朵或 2 ～(3 ～ 4)花成花序,总花梗长 1 ～ 2 cm,花梗(生于花序上的)长 3 ～ 10 mm,俯垂;苞片微小而生于花梗上或无;花被淡黄色或淡紫色,全长 8 ～ 12 mm,裂片长 2 ～ 3 mm;花丝长 0.5 ～ 1(～ 2)mm,花药

长约 2.5 mm；子房长约 3 mm，具与之等长或稍短于子房的花柱。浆果红色，直径 6 ～ 9 mm，具 6 ～ 12 种子。花期 5 ～ 6 月，果期 8 ～ 10 月。

| 生境分布 |　生于海拔 2 100 ～ 3 100 m 的林下或山坡草地。湖北有分布。

| 采收加工 |　**根茎：**秋季苗枯萎后采挖，置于蒸笼内蒸至呈现油润时取出，晒干或烘干；或置于水中煮沸后捞出，晒干或烘干。

| 功能主治 |　补气养阴，健脾，润肺，益肾。

百合科 Liliaceae 黄精属 Polygonatum

湖北黄精
Polygonatum zanlanscianense Pamp.

| 药 材 名 | 黄精。

| 形态特征 | 根茎连珠状或姜块状，肥厚，直径 1 ~ 2.5 cm。茎直立或上部多少攀缘，高 1 m 以上。叶轮生，每轮 3 ~ 6，叶形变异较大，椭圆形、矩圆状披针形或披针形至条形，长（5 ~）8 ~ 15 cm，宽（4 ~）13 ~ 28（~ 35）mm，先端拳卷至稍弯曲。花序具 2 ~ 6（~ 11）花，近伞形，总花梗长 5 ~ 20（~ 40）mm，花梗长（2 ~）4 ~ 7（~ 10）mm；苞片位于花梗基部，膜质或中间略带草质，具 1 脉，长 2 ~ 6 mm；花被白色、淡黄绿色或淡紫色，全长 6 ~ 9 mm，花被筒近喉部稍缢缩，裂片长约 1.5 mm；花丝长 0.7 ~ 1 mm，花药长 2 ~ 2.5 mm；子房长约 2.5 mm，花柱长 1.5 ~ 2 mm。浆果直径 6 ~ 7 mm，紫红色或黑色，具 2 ~ 4 种子。花期 6 ~ 7 月，果期 8 ~

10 月。

| **生境分布** | 生于海拔 800 ~ 2 700 m 的林下或山坡阴湿地。湖北有分布。

| **采收加工** | **根茎：**栽培 3 ~ 4 年后秋季地上部分枯萎后采挖，除去须根，洗去泥土，置于蒸笼内蒸至呈现油润时取出，晒干或烘干；或置于水中煮沸后捞出，晒干或烘干。

| **功能主治** | 补气养阴，健脾，润肺，益肾。用于脾胃气虚，体倦乏力，胃阴不足，口干少食，肺虚燥咳，劳嗽咯血，精血不足，腰膝酸软。

百合科 Liliaceae 吉祥草属 Reineckia

吉祥草
Reineckia carnea (Andr.) Kunth.

| 药 材 名 |

吉祥草。

| 形态特征 |

多年生常绿草本。根茎匍匐地下或贴近地上，带绿色，间有紫白色，直径 5 mm 左右，环节明显，节上生有须根。叶丛生于根茎先端或节处，无柄；叶片线形、卵状披针形或线状披针形，长 15 ~ 30 cm，宽 1 ~ 2.8 cm，先端尖或长尖，基部狭窄成叶柄状，全缘，无毛，脉平行，中脉明显，侧脉约 9 对，有叶鞘。花茎从叶腋抽出，长 5 ~ 9 cm，穗状花序，花排列较稀；花两性，无柄，着生于苞腋；苞片卵状三角形，淡褐色、带紫色或淡红色，每苞有花 1；花被 6，下部成筒状，外面紫红色，内面淡粉红色或白色，裂片反卷，先端钝圆；雄蕊 6，着生于花被筒的上端，与花被片对生，伸出花外，花丝白色或淡粉红色，花药囊 2 室，淡蓝色，背面着生于花丝先端，纵裂；子房上位，3 室，花柱长达 1 cm，柱头头状。浆果圆形，红色，直径约 1 cm；种子白色，直径约 2 mm。花期 7 ~ 9 月，果期 8 ~ 10 月。

| 采收加工 | **全草：** 全年均可采收，鲜用或晒干。

| 生境分布 | 生于阴湿山坡、山谷或密林下。湖北有分布。

| 功能主治 | 润肺止咳，活血止痛。用于肺热咳嗽，咯血，腰痛，风湿，劳伤腰痛，身痛，跌打损伤。

百合科 Liliaceae 万年青属 Rohdea

万年青
Rohdea japonica (Thunb.) Roth

| 药 材 名 | 万年青。

| 形态特征 | 多年生常绿草本。根茎倾斜，肥厚而短，黄白色，有多数环节，节上密生多数细长须根，密被白色毛茸。叶自根茎丛生，披针形或带状，长 10 ~ 30 cm，宽 2.5 ~ 7.5 cm，先端渐尖，基部渐狭而近叶柄状，厚革质而光滑，全缘，边缘略向内折，上面深绿色，有光泽，下面淡绿色，脉多条直出平行，叶脉在背面隆起，主脉明显。花茎从叶丛中抽出，长 7 ~ 20 cm；花多数，生于先端；穗状花序椭圆形，长 3 ~ 4 cm；花被淡绿白色，裂片 6，卵形至三角形，先端尖，基部宽，下部愈合成盘状；雄蕊 6，无柄，着生于花被筒上，花药长椭圆形，内向，纵裂；子房球形，花柱短，柱头 3 裂，外展。浆果球形，肉质，成熟时橘红色或淡黄色，内含种子 1。花期 6 ~ 7 月，

果期 8 ～ 10 月。

| **生境分布** | 生于山坡阴凉潮湿的地方。湖北有栽培。

| **采收加工** | **根及根茎：** 全年均可采挖，鲜用或晒干。

| **功能主治** | 清热解毒，强心利尿，止血。用于咽喉肿痛，白喉，蛇咬伤，疔疮，丹毒，烫伤，水肿，风湿性心脏病，心力衰竭，慢性或急性高山病，咯血，吐血，跌打损伤。

百合科 Liliaceae 虎尾兰属 Sansevieria

金边虎尾兰 Sansevieria trifasciata Prain var. laurentii (De Wildem.) N. E. Brown

| 药 材 名 | 金边虎尾兰。

| 形态特征 | 多年生草本。有横走根茎。叶基生，常 1 ~ 2，有时 3 ~ 6 成簇，直立，硬革质，扁平，长条状披针形，长 30 ~ 70（~ 120）cm，宽

3 ～ 5（～ 8）cm，有白绿色和深绿色相间的横带斑纹，边缘绿色，向下部渐狭成长短不等、有槽的柄。花葶高 30 ～ 80 cm，基部有淡褐色的膜质鞘；花淡绿色或白色，每 3 ～ 8 花簇生，排成总状花序；花梗长 5 ～ 8 mm，关节位于中部；花被长 1.6 ～ 2.8 cm，花被管与裂片长度约相等。浆果直径 7 ～ 8 mm。花期 11 ～ 12 月。

| 生境分布 | 湖北有栽培。

| 采收加工 | **根茎：**全年均可采挖，洗净，鲜用或晒干。

| 功能主治 | 清热解毒，活血消肿。用于感冒，肺热咳嗽，疮疡肿毒，跌打损伤，毒蛇咬伤，烫火伤。

百合科 Liliaceae 绵枣儿属 Scilla

绵枣儿 *Scilla scilloides* (Lindl.) Druce

| 药 材 名 | 绵枣儿。

| 形态特征 | 多年生草本。高 10 ~ 30 cm。鳞茎卵圆形或近球形，直立，长
2 ~ 5 cm，宽 1 ~ 3 cm，外被黑褐色或棕黄色的鳞片叶，内包数层
白色肉质鳞叶，下生多数白色须根。叶基生，通常 2 ~ 5，窄条形，
长 15 ~ 20 cm，宽 5 ~ 8 mm，质柔软，有黏液。花茎从叶丛中抽出，
通常比叶长，长 30 ~ 45 cm；总状花序长 2 ~ 20 cm，花多数，粉
红色至白色，直径 4 ~ 5 mm，在花梗先端脱落；花梗长 5 ~ 12 mm，
基部有 1 ~ 2 小苞片，线形，长约为花梗的一半；花被 6 裂，裂片
长圆形，倒卵形或狭椭圆形，长 2.5 ~ 4 mm，宽约 1.2 mm，基部稍
合生成盘状，先端增厚；雄蕊 6，比花被片稍短，着生于花被片基部，
花丝近披针形，基部扁平扩大稍合生，中部以上骤然变窄；子房近

球形，上位，3 室，每室有 1 胚珠。蒴果倒卵形，长 3 ～ 6 mm，宽 2 ～ 4 mm；种子多数，黑色，矩圆状狭倒卵形。

| **生境分布** | 生于山坡、草地、路旁或林缘。湖北有分布。

| **采收加工** | **全草或鳞茎：** 6 ～ 7 月采收，洗净，鲜用或晒干。

| **功能主治** | 清热解毒，消肿止痛。用于痈疮肿毒，乳腺炎，毒蛇咬伤，跌打损伤，腰腿疼痛，牙痛，筋骨痛，心源性水肿。

百合科 Liliaceae 菝葜属 *Smilax*

菝葜
Smilax china L.

| 药 材 名 | 菝葜。

| 形态特征 | 攀缘状灌木。根茎横走，呈不规则的弯曲状，质硬肥厚，疏生须根。茎硬，高 0.7 ~ 2 m 或 2 m 以上，有倒生或平出的疏刺。叶互生，革质，圆形至广椭圆形，长 5 ~ 7 cm，宽 2.5 ~ 5 cm，先端突尖或浑圆，基部浑圆或阔楔形，有时近心形，全缘，3 ~ 5 脉，下面绿色；叶柄长 4 ~ 5 mm，沿叶柄下部两侧有 2 卷须。花单性，雌雄异株；伞形花序，腋生；苞片卵状披针形；花被裂片 6，2 轮，矩圆形，黄绿色；雄花直径约 6 mm，雄蕊 6，花丝短，长约 4 mm，花药黄色；雌花较小，直径约 3 mm，退化雄蕊成丝状，子房上位，长卵形，3 室，柱头 3 裂，稍反曲。浆果球形，红色。花期 4 ~ 5 月。

| 生境分布 | 生于海拔 2 000 m 以下的林下、灌丛中、路旁、河谷或山坡上。湖北咸宁有栽培。

| 采收加工 | 根茎：2 月或 8 月采挖，除去泥土及须根，晒干。

| 功能主治 | 利湿去浊，祛风除痹，解毒散瘀。用于小便淋浊，带下，风湿痹痛，疔疮痈肿。

石蒜科 Amaryllidaceae 龙舌兰属 *Agave*

龙舌兰 *Agave americana* L.

| 药 材 名 | 龙舌兰。

| 形态特征 | 多年生大型草本。茎短。叶常 30 ~ 40（~ 60），呈莲座状着生于茎上；叶片肥厚，匙状倒披针形，灰绿色，具白粉，长可达 1.8 cm，宽 15 ~ 20 cm，花葶上的叶向上渐小，叶先端渐尖，末端具褐色、长 1.5 ~ 2.5 cm 的硬尖刺，边缘有波状锯齿，齿端下弯曲成钩状。狭长圆锥花序多分枝；花黄绿色，近漏斗状，花被管长约 1.2 cm，裂片 6，长 2.5 ~ 3 cm；雄蕊 6，着生于花被管喉部，花丝长约为花被片的 2 倍，呈 "丁" 字形着药；子房下位，3 室，每室具多个胚珠，柱头 3 裂。蒴果长圆形，长约 5 cm，直径约 3 cm。花期 6 ~ 8 月。

| **生境分布** | 湖北有栽培。

| **资源情况** | 栽培资源稀少。

| **采收加工** | 叶：全年均可采收，洗净，鲜用或煮沸烫后晒干。

| **功能主治** | 解毒拔脓，杀虫，止血。用于痈疽疮疡，疥癣，盆腔炎，子宫出血。

石蒜科 Amaryllidaceae 龙舌兰属 Agave

剑麻
Agave sisalana Perr. ex Engelm

| 药 材 名 | 剑麻。

| 形态特征 | 多年生草本。茎粗短。叶呈莲座状排列于茎上；叶剑形，长 1 ～
1.5 m，宽 10 ～ 15 cm，挺直，肉质，初被白霜，渐脱落后呈深蓝绿色，

表面凹，背面凸，常全缘，先端有一长 2 ~ 3 cm 的红褐色刺尖。大型圆锥花序，高达 6 m；花黄绿色，有浓烈气味；花梗长 5 ~ 10 mm；花被管长 1.5 ~ 2.5 cm，花被裂片卵状披针形，长 1.2 ~ 2 cm，基部宽 6 ~ 8 mm；花丝着生于花被裂片的基部，长 6 ~ 8 cm；花药长约 2.5 cm；子房长圆形，长约 3 cm，花柱线形，长 6 ~ 7 cm，柱头稍膨大。蒴果（通常不正常结实）长圆形，长约 6 cm，宽 2 ~ 2.5 cm。花期夏季。

| **生境分布** | 湖北有栽培。

| **资源情况** | 栽培资源较少。

| **功能主治** | 凉血止血，消肿解毒。用于肺痨咯血，便血，痢疾，痈疮肿毒，痔疮。

石蒜科 Amaryllidaceae 仙茅属 Curculigo

仙茅
Curculigo orchioides Gaertn

| 药 材 名 | 仙茅。

| 形态特征 | 多年生草本，高 10 ～ 40 cm。根茎近圆柱形，直生，直径约 1 cm，长可达 30 cm，外皮褐色；须根常丛生，肉质，具环状横纹，长可达 6 cm。地上茎不明显。叶基生；叶片线形，线状披针形或披针形，长 10 ～ 45 cm，宽 5 ～ 25 mm，先端长渐尖，基部下延成柄，叶脉明显，两面散生疏柔毛或无毛。花茎甚短，长 6 ～ 7 cm，大部分隐于鞘状叶柄基部之内，被毛；苞片披针形，长 2.5 ～ 5 cm，膜质，具缘毛；总状花序多少呈伞房状，通常具 4 ～ 6 花；花黄色，直径约 1 cm，下部花筒线形，上部 6 裂；花被裂片披针形，长 8 ～ 12 mm，宽 2.5 ～ 3 mm，外轮的花被裂片背面有时散生长柔毛；雄蕊 6，长约为花被裂片的 1/2，花丝长 1.5 ～ 2.5 mm，花药长 2 ～ 4 mm；柱

头 3 裂，分裂部分较花柱长，子房狭长，先端具长喙，连喙长达 7.5 mm，被疏毛。浆果近纺锤状，长 1.2 ～ 1.5 cm，宽约 6 mm，先端有长喙；种子亮黑色，表面具纵凸纹，有喙。花果期 4 ～ 9 月。

| 生境分布 | 生于海拔 500 m 以下的林下草地或荒坡向阳的草丛中。分布于湖北建始、咸丰、来凤。

| 采收加工 | **根茎：**秋季采挖，抖净泥土，除去残叶及须根，晒干。

| 功能主治 | 温肾壮阳，祛寒除湿。用于肾虚腰痛，阳痿精冷，慢性肾小球肾炎，小便失禁，脘腹冷痛，腰膝酸痛，筋骨软弱，下肢拘挛，毒蛇咬伤，风湿性关节炎，更年期综合征。

石蒜科 Amaryllidaceae 朱顶红属 Hippeastrum

朱顶红 Hippeastrum rutilum (Ker-Gawl.) Herb.

| 药 材 名 | 朱顶红。

| 形态特征 | 多年生草本。鳞茎近球形，直径 5 ~ 7.5 cm，并有匍匐枝。叶 6 ~ 8，花后抽出，鲜绿色，带形，长约 30 cm，基部宽约 2.5 cm。花茎中空，稍扁，高约 40 cm，宽约 2 cm，具白粉；花 2 ~ 4；佛焰苞状总苞片披针形，长约 3.5 cm；花梗纤细，长约 3.5 cm；花被管绿色，圆筒状，长约 2 cm，花被裂片长圆形，先端尖，长约 12 cm，宽约 5 cm，洋红色，略带绿色，喉部有小鳞片；雄蕊 6，长约 8 cm，花丝红色，花药线状长圆形，长约 6 mm，宽约 2 mm；子房长约 1.5 cm，花柱长约 10 cm，柱头 3 裂。花期夏季。

| 生境分布 |　栽培于庭院中。湖北有栽培。

| 采收加工 |　**鳞茎**：秋季采挖，洗去泥沙，鲜用或切片晒干。

| 功能主治 |　解毒消肿。用于痈疮肿毒。

石蒜科 Amaryllidaceae 小金梅草属 *Hypoxis*

小金梅草 *Hypoxis aurea* Lour.

| 药 材 名 | 小金梅草。

| 形态特征 | 多年生矮小草本。根茎肉质，球形或长圆形，内面白色，外面包有老叶柄的纤维残基。叶 4 ~ 12，基生，狭线形，长 7 ~ 30 cm，宽 2 ~ 6 mm，先端长尖，基部膜质，有黄褐色疏长毛。花茎纤细，高 2.5 ~ 10 cm 或更高；花序有花 1 ~ 2，有淡褐色疏长毛；苞片 2，小，刚毛状；花黄色；无花被管，花被片 6，长圆形，长 6 ~ 8 mm，宿存，有褐色疏长毛；雄蕊 6，着生于花被片基部，花丝短；子房下位，3 室，长 3 ~ 6 mm，有疏长毛，花柱短，柱头 3 裂，直立。蒴果棒状，长 6 ~ 12 mm，成熟时 3 瓣开裂；种子多数，近球形，表面具瘤状突起。

| 生境分布 | 生于山野荒地。湖北有分布。

| 采收加工 | 夏、秋季采收，晒干。

| 功能主治 | 温肾壮阳，补气。肾虚腰痛，疝气痛。

石蒜科 Amaryllidaceae 石蒜属 Lycoris

安徽石蒜 *Lycoris anhuiensis* Y. Hsu et Q. J. Fan

| 药 材 名 |

石蒜。

| 形态特征 |

鳞茎卵形或卵状椭圆形，直径 3 ~ 4.5 cm。早春出叶，叶带状，长约 35 cm，宽 1.5 ~ 2 cm，最宽处约 2.5 cm，先端渐狭，钝头，中间淡色带明显。花茎高约 60 cm；总苞片 2，披针形至狭卵形，长 3 ~ 4.5 cm，最宽处约 1.2 cm；伞形花序有花 4 ~ 6；花黄色，直径约 7.5 cm；花被裂片倒卵状披针形，长约 6 cm，最宽处达 1.5 cm，较反卷而开展，基部微皱缩，花被筒长 2.5 ~ 3.5 cm；雄蕊与花被近等长；雌蕊略伸出于花被外。花期 8 月。

| 生境分布 |

生于水沟边、河边、山沟阴湿的石缝中。分布于湖北咸丰。

| 资源情况 |

野生资源较丰富，栽培资源较少。

| 采收加工 |

鳞茎：秋季采挖，洗净，鲜用或晒干。

| **功能主治** | 祛痰催吐，解毒散结，消肿止痛，利尿。用于痈肿疮毒，牛皮癣，水肿，喉风，单、双乳蛾，咽喉肿痛，痰涎壅塞，食物中毒，胸腹积水，痰核瘰疬，痔漏，跌打损伤，风湿关节痛，顽癣，烫火伤，蛇咬伤。 |

石蒜科 Amaryllidaceae 石蒜属 Lycoris

忽地笑
Lycoris aurea (L'Hér.) Herb

| 药 材 名 | 忽地笑。

| 形态特征 | 多年生植物。鳞茎卵形,直径约 5 cm。秋季出叶,叶剑形,长约
60 cm,宽 1.7 ~ 2.5 cm,先端渐尖,中间淡色带明显。花茎高约

60 cm；总苞片 2，披针形，长约 35 cm，宽约 0.8 cm；伞形花序有花 4 ~ 8；花黄色；花被裂片背面具淡绿色中肋，倒披针形，长约 6 cm，宽约 1 cm，强烈反卷和皱缩，花被筒长 12 ~ 15 cm；雄蕊略伸出于花被外，比花被长 1/6 左右，花丝黄色；花柱上部玫瑰红色。蒴果具 3 棱，室背开裂；种子少数，近球形，直径约 0.7 cm，黑色。花期 8 ~ 9 月，果期 10 月。

| 生境分布 | 生于阴湿山坡、岩石上及石崖下土壤肥沃处。湖北有分布。

| 资源情况 | 野生资源较丰富，栽培资源较少。

| 采收加工 | **鳞茎**：春、秋季采挖，洗净，鲜用或晒干。

| 功能主治 | 润肺止咳，解毒消肿。用于肺热咳嗽，咯血，阴虚痨热，小便不利，痈肿疮毒，疔疮结核，烫火伤。

石蒜科 Amaryllidaceae 石蒜属 Lycoris

中国石蒜 *Lycoris chinensis* Traub

| 药 材 名 | 石蒜。

| 形态特征 | 鳞茎卵球形，直径约4 cm。春季出叶，叶带状，长约35 cm，宽约2 cm，先端圆，绿色，中间淡色带明显。花茎高约60 cm；总苞片2，倒披针形，长约2.5 cm，宽约0.8 cm；伞形花序有花5~6；花黄色；花被裂片背面具淡黄色中肋，倒披针形，长约6 cm，宽约1 cm，强烈反卷和皱缩，花被筒长1.7~2.5 cm；雄蕊与花被近等长或略伸出花被外，花丝黄色；花柱上端玫瑰红色。花期7~8月，果期9月。

| 生境分布 | 生于山坡阴湿处、林缘、溪边、路旁。分布于湖北咸丰。

| 资源情况 | 野生资源较丰富，栽培资源较少。

| **采收加工** | **鳞茎：**秋季采挖，洗净，鲜用或晒干。

| **功能主治** | 祛痰催吐，解毒散结，消肿止痛，利尿。用于痈肿疮毒，牛皮癣，水肿，喉风，单、双乳蛾，咽喉肿痛，痰涎壅塞，食物中毒，胸腹积水，痰核瘰疬，痔漏，跌打损伤，风湿关节痛，顽癣，烫火伤，蛇咬伤。

石蒜科 Amaryllidaceae 石蒜属 Lycoris

长筒石蒜 *Lycoris longituba* Y. Hsu et Q. J. Fan

| 药 材 名 |　石蒜。

| 形态特征 |　多年生草本。鳞茎卵球形，直径约4 cm。叶绿色，早春抽出，披针形，
长约38 cm，宽1.5 ~ 2.5 cm，先端渐尖，基部钝圆，中脉淡色带明

显。花辐射对称，白色，花被筒长 4 ~ 6 cm，花被裂片长椭圆形，长 6 ~ 8 cm，宽约 1.5 cm，上部稍外弯，背面稍具淡红色条纹，边缘非波状皱缩；雄蕊稍短于花被；花柱伸出花被，花期 7 ~ 8 月。

| **生境分布** | 生于阴湿山坡、岩石及石崖下。分布于湖北咸丰。

| **资源情况** | 野生资源较丰富，栽培资源较少。

| **采收加工** | **鳞茎：**秋季采挖，洗净，鲜用或晒干。

| **功能主治** | 解毒散结。用于咽喉肿痛，疮疖痈肿，瘰疬。

▌石蒜科▐ Amaryllidaceae ▌葱莲属▐ Zephyranthes

葱莲
Zephyranthes candida (Lindl.) Herb.

| 药 材 名 | 葱莲。

| 形态特征 | 多年生草本。鳞茎卵形，直径约 2.5 cm，具明显的颈部，颈长 2.5 ～ 5 cm。叶狭线形，肥厚，亮绿色，长 20 ～ 30 cm，宽 2 ～ 4 mm。

花茎中空；花单生于花茎先端，下部有带褐红色的佛焰苞状总苞，总苞片先端
2 裂；花梗长约 1 cm；花白色，外面常带淡红色；几无花被管，花被片 6，长 3 ~
5 cm，先端钝或具短尖头，宽约 1 cm，近喉部常有很小的鳞片；雄蕊 6，长约
为花被的 1/2；花柱细长，柱头不明显 3 裂。蒴果近球形，直径约 1.2 cm，3 瓣
开裂；种子黑色，扁平。花期秋季。

| **生境分布** | 生于道路旁。湖北有栽培。

| **采收加工** | 全年均可采收，洗净，鲜用。

| **功能主治** | 平肝息风。用于小儿惊风，癫痫，破伤风。

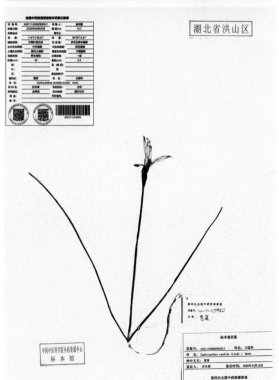

石蒜科 Amaryllidaceae　葱莲属 *Zephyranthes*

韭莲
Zephyranthes carinata Herbert

| 药 材 名 | 韭莲。

| 形态特征 | 多年生草本。鳞茎卵球形，直径 2 ～ 3 cm，表皮膜质，褐色，下面着生多数细根。基生叶常数枚簇生；叶片线形，扁平，长 15 ～ 30 cm，宽 6 ～ 8 mm。花单生于花茎先端，玫瑰红色或粉红色；总苞片佛焰苞状，常带淡紫红色，长 4 ～ 5 cm，下部合生成管；花梗长 2 ～ 3 cm；花被裂片 6，倒卵形，长 3 ～ 6 cm，先端略尖；雄蕊 6，长为花被的 2/3 ～ 4/5，花药呈"丁"字形着生；子房下位，3 室，花柱细长，柱头 3 深裂。蒴果近球形；种子黑色，近扁平。花期 6 ～ 9 月。

| **生境分布** | 栽培于庭院。湖北有栽培。

| **采收加工** | **全草**：夏、秋采收，晒干。

| **功能主治** | 凉血止血，解毒消肿。用于吐血，便血，崩漏，跌伤红肿，疮痈红肿，毒蛇咬伤。

蜀葵叶薯蓣 *Dioscorea althaeoides* R. Knuth

| 药 材 名 | 蜀葵叶薯蓣。

| 形态特征 | 缠绕草质藤本。根茎横生，细长条形，分枝纤细。茎幼嫩时具稀疏的长硬毛，开花结实后近无毛。单叶互生，有柄，通常比叶柄长；叶片宽卵状心形，长 10 ~ 13 cm，宽 10 ~ 13 cm，先端渐尖，边缘浅波状或 4 ~ 5 浅裂，表面有时有毛，背面脉上密被白色短柔毛。花单性，雌雄异株。雄花有梗，长 2 ~ 3 mm，常由 2 ~ 5 雄花集成小聚伞花序，再组成总状花序，有时花序轴分枝形成圆锥花序；花被碟形，基部连合成管，先端 6 裂，开花时裂片平展；雄蕊 6，着生于花被基部，花丝较短，有时弯曲。雌花序穗状，有花 40 或更多，单生或 2 ~ 3 簇生于叶腋；苞片披针形；退化雄蕊丝状或无。蒴果三棱形，长约 2.5 cm，宽约 1.5 cm，基部渐狭，先端稍宽大，

表面草黄色，有光泽；种子着生于每室中轴基部，向先端有斧头状的宽翅，长约 8 mm。花期 6 ~ 8 月，果期 7 ~ 9 月。

| **生境分布** | 生于海拔 1 000 ~ 2 000 m 的山坡、沟旁、路边的杂木林下或林缘。湖北有分布。

| **采收加工** | **根茎：** 秋、冬季采挖，除去泥土，切片，晒干。

| **功能主治** | 燥湿理脾，强筋壮骨，疏风祛湿，健脾消食，活血消肿。用于感冒头痛，风湿痹痛，食积饱胀，消化不良，跌打损伤。

黄独 *Dioscorea bulbifera* L.

| 药 材 名 | 黄独。

| 形态特征 | 缠绕草质藤本。块茎卵圆形或梨形，直径 4 ~ 10 cm，通常单生，每年由去年的块茎先端抽出，很少分枝，外皮棕黑色，表面密生须根。茎左旋，浅绿色或稍带红紫色，光滑无毛。叶腋内有紫棕色、球形或卵球形珠芽，大小不一，最重者可达 300 g，表面有圆形斑点。单叶互生，叶片宽卵状心形或卵状心形，长 15 ~ 26 cm，宽 2 ~ 14 cm，先端尾状渐尖，边缘波状或微波状，两面无毛。雄花序穗状，下垂，常数个丛生于叶腋，有时分枝呈圆锥状；雄花单生，密集，基部有卵形苞片 2；花被片披针形，新鲜时紫色；雄蕊 6，着生于花被基部，花丝与花药近等长。雌花序与雄花序相似，常 2 至数个丛生于叶腋，长 20 ~ 50 cm；退化雄蕊 6，长仅为花被片的 1/4。蒴果反折下垂，

三棱状长圆形，长 1.5 ～ 3 cm，宽 0.5 ～ 1.5 cm，两端浑圆，成熟时草黄色，表面密被紫色小斑点，无毛；种子深褐色，扁圆形，通常两两着生于每室中轴顶部，种翅栗褐色，向种子基部延伸成长圆形。花期 7 ～ 10 月，果期 8 ～ 11 月。

| 生境分布 | 生于河谷边、山谷阴沟或杂木林边缘。湖北有分布。

| 采收加工 | **块茎：** 经霜后植株逐渐枯萎时采挖，除净泥土和须根，趁鲜切成 0.5 ～ 1 cm 的厚片，晒干或烘干。

| 功能主治 | 化痰散结，凉血止血，消肿解毒。用于瘿瘤，咳嗽痰喘，百日咳，喉痹，咯血，吐血，衄血，瘰疬，疮疡肿毒，蛇犬咬伤，腰背酸痛，地方性甲状腺肿，疝气；外用于疮疖。

薯蓣科 Dioscoreaceae 薯蓣属 Dioscorea

薯莨
Dioscorea cirrhosa Lour.

| 药 材 名 | 薯莨。

| 形态特征 | 多年生缠绕粗壮藤本。块茎肉质肥大，圆锥形、长圆形或卵形，表面棕黑色，有疣状突起，切面鲜时紫红色，干后紫褐色。茎右旋，无毛，下部具刺。叶在茎下部互生，在茎中、上部对生，叶片革质或近革质，长椭圆形或宽披针形至窄披针形。雄穗状花序腋生，单生的常排成圆锥花序，花淡绿色；雌花序穗状，单生于叶腋，疏花。蒴果不反折，呈扁圆状；种子扁平，着生于果实每室中央，周围具膜质宽翅。花期 6 ~ 7 月，果期 9 ~ 10 月。

| 生境分布 | 生于海拔 400 ~ 750 m 的山坡灌丛或疏林中。湖北有分布。

| 采收加工 | 块茎：5 ~ 8 月采挖，洗净，晒干。

| 功能主治 | 止血，活血，补血，止痛，止泻。用于咯血，吐血，产后腹痛，尿血，便血，月经不调，紫癜，腰痛，风湿关节痛，疮疖，蛇咬伤，外伤出血，痢疾，泄泻。

薯蓣科 Dioscoreaceae 薯蓣属 Dioscorea

叉蕊薯蓣
Dioscorea collettii Hook. f.

| 药 材 名 |

草薢。

| 形态特征 |

缠绕草质藤本。根茎横生，竹节状，长短不一，直径约 2 cm，表面着生细长弯曲的须根，断面黄色。茎左旋，长圆柱形，无毛，有时密生黄色短毛。单叶互生，三角状心形或卵状披针形，先端渐尖，基部心形、宽心形或近截形，边缘波状或近全缘，干后黑色，有时背面灰褐色，有白色刺毛，毛沿叶脉较密。花单性，雌雄异株。雄花序单生或 2 ~ 3 簇生于叶腋；雄花无梗，在花序基部由 2 ~ 3 雄花簇生，至顶部常单生；苞片卵状披针形，先端渐尖，小苞片卵形，先端有时 2 浅裂；花被碟形，先端 6 裂，裂片新鲜时黄色，干后黑色，有时少数不变黑；雄蕊 3，着生于花被管上，花丝较短，花药卵圆形，花开放后药隔变宽，常为花药的 1 ~ 2 倍，呈短叉状，退化雄蕊有时只存有花丝，与 3 发育雄蕊互生。雌花序穗状；雌花的退化雄蕊呈花丝状；子房长圆柱形，柱头 3 裂。蒴果三棱形，先端稍宽，基部稍狭，表面栗褐色，富有光泽，成熟后反曲下垂；种子 2，着生于中轴中部，成熟时四周有薄膜状翅。花期 5 ~ 8 月，果期 6 ~ 10 月。

| 生境分布 | 常生于海拔 1 500 ~ 3 100 m 的河谷、山坡和沟谷的石缝、次生栎树林和灌丛中。湖北有分布。 |

| 资源情况 | 野生资源较丰富。 |

| 采收加工 | **根茎：**秋、冬季采挖，洗净，切片，晒干或捣碎鲜用。 |

| 功能主治 | 祛风除湿，止痒，止痛。用于风湿关节痛，皮炎，腰腿酸痛，尿浊，带下，毒蛇咬伤，跌打损伤。 |

薯蓣科 Dioscoreaceae 薯蓣属 Dioscorea

粉背薯蓣
Dioscorea collettii Hook. f. var. *hypoglauca* (Palibin) Pei et C. T. Ting

| 药 材 名 |

粉萆薢。

| 形态特征 |

多年生缠绕草质藤本。根茎横走，贴近地面盘结成姜块状或竹节状，断面黄色，生多数细长须根。茎纤细，左旋。单叶互生，纸质，三角状心形或卵状披针形，长 10 cm 左右，稀 20 cm，先端渐尖或急尖，基部心形，叶缘波状，叶片干后近黑色，背面常有白色粉状物；叶脉通常 7，背面沿脉疏生短硬毛。花单性，雌雄异株。雄花序穗状，腋生，单生或 2 ~ 3 簇生；花序基部的花常 2 ~ 3 簇生，上部花常单生；苞片卵圆形，先端渐尖，小苞片较宽，2 ~ 3 裂；花被 6 裂；能育雄蕊 3，花药对生，开放后药隔变宽，退化雄蕊 3，常与发育 3 雄蕊互生，花丝与发育雄蕊呈丝状，近等长。雌花为下垂的穗状花序，单生，子房下位；退化雄蕊呈丝状体，柱头 3 裂。蒴果近圆形，微被白粉，有 3 翅，翅宽超过长或近等长，表面栗褐色，成熟后反曲下垂，先端开裂；种子四周有薄膜状的翅，通常两两迷生着生于每室的中央。花期 5 ~ 8 月，果期 6 ~ 10 月。

| **生境分布** | 生于海拔 200 ~ 1 300 m 的半山腰陡坡、山谷缓坡或水沟边背阴处的混交林边缘或疏林下。湖北有分布。 |

| **资源情况** | 野生资源较丰富。 |

| **采收加工** | **根茎：**全年均可采挖，以秋、冬季采挖者最宜，除去须根，切薄片，晒干。 |

| **功能主治** | 利湿祛浊，祛风除痹。用于膏淋，白浊，带下，风湿顽痹，腰膝疼痛，关节炎，湿热疮毒，慢性前列腺炎，夜尿频数，尿失禁。 |

薯蓣科 Dioscoreaceae 薯蓣属 *Dioscorea*

甘薯
Dioscorea esculenta (Lour.) Burkill

| 药 材 名 |

甘薯。

| 形态特征 |

缠绕草质藤本。地下块茎先端通常有 4 ~ 10 或更多分枝，各分枝末端膨大成卵球形的块茎，外皮淡黄色，光滑。茎左旋，基部有刺，被"丁"字形柔毛。单叶互生，阔心形，最大的叶片长达 15 cm，宽 17 cm，一般的长和宽不超过 10 cm，先端急尖，基部心形，基出脉 9 ~ 13，被"丁"字形长柔毛，尤以背面较多；叶柄长 5 ~ 8 cm，基部有刺。雄花序为穗状花序，单生，长约 15 cm，雄花无梗或具极短的梗，通常单生，稀 2 ~ 4 簇生，排列于花序轴上；苞片卵形，先端渐尖；花被浅杯状，被短柔毛，外轮花被片阔披针形，长 1 ~ 8 mm，内轮花被片稍短；发育雄蕊 6，着生于花被管口部，较裂片稍短。雌穗状花序单生于上部叶腋，长达 40 cm，下垂，花序轴稍有棱。蒴果较少成熟，三棱形，先端微凹，基部截形，每棱翅状，长约 3 cm，宽约 1.2 cm；种子圆形，具翅。花期初夏。

| **生境分布** | 生于海拔 600 m 以下的山坡稀疏灌丛或路边岩石缝中。湖北有分布。 |

| **采收加工** | **块茎**：秋季采收，除去须根，切薄片，晒干。 |

| **功能主治** | 补虚乏，益气力，健脾胃，强肾阴，养心神，通乳汁，除宿瘀脏毒。用于复合性胃和十二指肠溃疡出血，崩漏，无名肿毒等。 |

薯蓣科 Dioscoreaceae 薯蓣属 Dioscorea

绵萆薢 *Dioscorea septemloba* Thunb.

| 药 材 名 | 绵萆薢。

| 形态特征 | 缠绕草质藤本。根茎横生，圆柱形，粗大，直径 2 ~ 5 cm，多分枝，质疏松，外皮浅黄色，具多数细长须根。茎左旋，光滑无毛。单叶互生，表面绿色，背面灰白色，基出脉 9；叶二型，一种从茎基部至先端全为三角状心形或卵状心形，全缘或微波状，另一种茎基部为掌状裂叶，5 ~ 9 深裂、中裂或浅裂，裂片先端渐尖，茎中部以上为三角状心形或卵状心形，全缘；叶柄短于叶片。花单性，雌雄异株。雄花序穗状，有时分枝成圆锥花序，腋生；花新鲜时橙黄色，有短梗，单生或 2 花成对着生，稀疏排列于花序轴上；花被基部连合成管，先端 6 裂，裂片披针形，花开时平展；雄蕊 6，着生于花被基部，3 花药较大，3 花药较小。雌花序与雄花序相似；退化雄蕊

有时呈花丝状。蒴果三棱形，每棱翅状，长 1.3 ~ 1.6 cm，宽 1 ~ 1.3 cm；种子通常 2，着生于每室中轴中部，成熟后四周有薄膜状翅，上下较宽，两侧较狭。花期 6 ~ 8 月，果期 7 ~ 10 月。

| **生境分布** | 生于海拔 450 ~ 750 m 的山地疏林或灌丛中。分布于湖北西南部和南部。

| **资源情况** | 野生资源较少。

| **采收加工** | **根茎**：秋、冬季采挖，除去须根，洗净，切片，晒干。

| **功能主治** | 补肝肾，强腰脊，祛风湿。用于腰膝酸软，下肢无力，风湿痹痛。

纤细薯蓣 *Dioscorea gracillima* Miq.

| 药 材 名 | 纤细薯蓣。

| 形态特征 | 缠绕草质藤本。根茎横生，竹节状，形状不规则，表面有细丝状须根。茎左旋，无毛。单叶互生，有时在茎基部 3 ~ 4 叶轮生，叶片卵状心形，先端渐尖，基部心形、宽心形或近截形，全缘或微波状，有时边缘呈明显的啮蚀状，干后不变黑，两面无毛，背面常具白粉；叶柄与叶片近等长。雄花序穗状，单生于叶腋，通常不规则分枝；雄花无梗，单生，很少 2 ~ 3 簇生，着生于花序的基部；苞片卵形，薄膜质，小苞片较苞片短而窄；花被碟形，先端 6 裂，裂片长圆形，花开时平展；发育雄蕊 3，药隔宽约为花药的 1/2，不育雄蕊 3，棍棒状，二者互生，着生于花托的边缘。雌花序与雄花序相似，雌花有 6 退化雄蕊。蒴果三棱形，先端截形，每棱翅状，长卵形，大小不一，

长 1.8 ~ 2.8 cm，宽 1 ~ 1.3 cm；种子每室 2，着生于中轴中部，四周有薄膜状翅。花期 5 ~ 8 月，果期 6 ~ 10 月。

| 生境分布 | 生于海拔 200 ~ 2 200 m 的山坡疏林下、较阴湿的山谷或河谷地带。分布于湖北西南部。

| 资源情况 | 野生资源较丰富。

| 采收加工 | **根茎：**秋季采收，除去须根，切薄片，晒干。

| 功能主治 | 滋补强壮，利湿浊，祛风湿。用于脾胃亏虚，风湿痹痛；外用于淋巴结结核。

薯蓣科 Dioscoreaceae 薯蓣属 *Dioscorea*

高山薯蓣
Dioscorea henryi (Prain et Burkill) C. T. Ting

| 药 材 名 | 高山薯蓣。

| 形态特征 | 缠绕草质藤本。块茎长圆柱形，向基部变粗，垂直生长。茎有短柔毛，后毛变疏至近无毛。掌状复叶有 3 ~ 5 小叶；叶片倒卵形或宽椭圆形至长椭圆形，最外侧的小叶片常为斜卵形至斜卵状椭圆形，长 2.5 ~ 16 cm，宽 1 ~ 10 cm，先端渐尖或锐尖，全缘，两面疏生贴伏柔毛或表面近无毛。雄花序为总状花序，单一或分枝，1 至多数着生于叶腋；花序轴、花梗有短柔毛；小苞片 2，宽卵形，先端渐尖或凸尖，边缘不整齐，外面疏生短柔毛或近无毛；雄花花被外面无毛；3 雄蕊与 3 不育雄蕊互生。雌花序为穗状花序，1 ~ 3 着生于叶腋；花序轴、小苞片、子房、花被片外面均有短柔毛，子房毛尤密。蒴果三棱状倒卵圆形或三棱状长圆形，长 1.2 ~ 2 cm，宽

1 ~ 1.2 cm，外面疏生柔毛；种子着生于每室中轴顶部，种翅向蒴果基部延伸。花期 6 ~ 8 月，果期 8 ~ 11 月。

| **生境分布** | 生于海拔 2 000 ~ 3 000 m 的林边、山坡路旁或次生灌丛中。湖北有分布。

| **功能主治** | 健脾益肾，宁咳定喘，填精固肾，涩精止遗。

薯蓣科 Dioscoreaceae 薯蓣属 Dioscorea

日本薯蓣 *Dioscorea japonica* Thunb.

| **药 材 名** | 野山药。

| **形态特征** | 缠绕草质藤本。块茎长圆柱形，垂直生长，直径 3 cm 左右，外皮棕黄色，干时皱缩，断面白色，有时带黄白色。茎绿色，有时带淡紫红色，右旋。单叶，茎下部的叶互生，茎中部以上的叶对生；叶片纸质，变异大，通常为三角状披针形或长椭圆状狭三角形至长卵形，有时茎上部的叶片为线状披针形至披针形，下茎部的叶片为宽卵心形，长 3 ~ 11（~ 19）cm，宽（1 ~）2 ~ 5（~ 18）cm，先端长渐尖至锐尖，基部心形至箭形或戟形，有时近截形或圆形，全缘，两面无毛；叶柄长 1.5 ~ 6 cm。叶腋内有各种大小、形状不等的珠芽。雌雄异株。雄花序为穗状花序，长 2 ~ 8 cm，近直立，单一或 2 至数个着生于叶腋；雄花绿白色或淡黄色，花被片有紫色斑纹，

外轮花被片为宽卵形，长约 1.5 mm，内轮花被片为卵状椭圆形，稍小；雄蕊 6。雌花序为穗状花序，长 6 ~ 20 cm，1 ~ 3 着生于叶腋；雌花的花被片为卵形或宽卵形，6 退化雄蕊与花被片对生。蒴果不反折，三棱状扁圆形或三棱状圆形，长 1.5 ~ 2（~ 2.5）cm，宽 1.5 ~ 3（~ 4）cm；种子着生于每室中轴中部，四周有膜质翅。花期 5 ~ 10 月，果期 7 ~ 11 月。

| **生境分布** | 生于向阳山坡、山谷、溪沟边、路旁的杂木林下或草丛中。湖北有分布。

| **采收加工** | **块茎**：8 ~ 10 月采收。

| **功能主治** | 补气，止痛。用于身体虚弱，胃痛，耳聋。

薯蓣科 Dioscoreaceae 薯蓣属 Dioscorea

毛芋头薯蓣 *Dioscorea kamoonensis* Kunth

药材名

毛芋头薯蓣。

形态特征

缠绕草质藤本。块茎通常近卵圆形，外皮有多数细长须根。茎左旋，密生棕褐色短柔毛，老时毛变疏至近无毛。掌状复叶有 3 ~ 5 小叶；小叶片椭圆形至披针状长椭圆形或倒卵状长椭圆形，有时最外侧的小叶片为斜卵状椭圆形，长 2 ~ 14 cm，宽 1 ~ 5 cm，先端渐尖，全缘，两面疏生贴伏柔毛或表面近无毛。叶腋内常有肉质球形珠芽，表面有柔毛。花序轴、小苞片、花被外面密生棕褐色或淡黄色短柔毛。雄花序为总状花序或再排列成圆锥花序，常数个着生于叶腋；雄花有短梗；小苞片 2，三角状卵形，其中 1 小苞片先端尾状尖；3 发育雄蕊与 3 退化雄蕊互生。雌花序为穗状花序，1 ~ 2 着生于叶腋，雌花子房密生绒毛。蒴果三棱状长圆形，长 1.5 ~ 2 cm，宽 1 ~ 1.2 cm，疏生短柔毛；种子两两着生于每室中轴顶部，种翅向基部伸长。花期 7 ~ 9 月，果期 9 ~ 11 月。

| 生境分布 | 生于海拔 500 ~ 2 900 m 的林边、山沟、山谷路旁或次生灌丛中。湖北有分布。

| 采收加工 | **块茎：**秋季采收，除去茎叶及须根，洗净，鲜用或切片晒干。

| 功能主治 | 补脾益肾，敛肺止咳，解毒消肿。用于脾虚便溏，肾虚阳痿，遗精，带下，虚劳久咳，缺乳，无名肿毒。

薯蓣科 Dioscoreaceae 薯蓣属 Dioscorea

黑珠芽薯蓣 *Dioscorea melanophyma* Prain et Burkill

| 药 材 名 | 黑珠芽薯蓣。

| 形态特征 | 缠绕草质藤本。块茎卵圆形或梨形，有多数细长须根。茎无毛。掌状复叶互生，小叶 3 ~ 5（~ 7），有时茎顶部为单叶；小叶片为披针形或长椭圆形至卵状披针形，顶生小叶片较两侧小叶片大，长 2.5 ~ 13 cm，宽 1 ~ 4 cm，先端渐尖，全缘或微波状，两面光滑无毛或沿主脉稍有短柔毛。叶腋内常有圆球形珠芽，成熟时黑色，直径 5 ~ 7 mm，表面光滑。花单性，雌雄异株。雄花序总状（花未完全开放时呈穗状），再排列成圆锥状，远比叶长，花序轴有短柔毛；雄花黄白色，花梗极短；苞片和花被外面有短柔毛；3 发育雄蕊和 3 不育雄蕊互生。雌花序下垂，单生或 2 雌花序生于叶腋。蒴果反折，三棱形，两端钝圆，每棱翅状，长圆形，长约 1.5 cm，宽约 1 cm，

表面光滑；种子通常两两着生于每室中轴先端，种翅向基部延伸，呈长圆形。花期 8 ～ 10 月，果期 10 ～ 12 月。

| **生境分布** | 生于海拔 1 500 ～ 2 500 m 的林缘或稀疏灌丛中。湖北有分布。

| **采收加工** | **块茎**：秋、冬季采挖，除去茎叶及须根，洗净，鲜用或切片晒干。

| **功能主治** | 健脾益肺，清热解毒。用于食少倦怠，虚咳，尿频，咽喉肿痛，痈肿热毒。

薯蓣科 Dioscoreaceae 薯蓣属 Dioscorea

穿龙薯蓣 *Dioscorea nipponica* Makino

| 药 材 名 |

穿山龙。

| 形态特征 |

缠绕草质藤本。根茎横生，圆柱形，多分枝，栓皮层显著剥离。茎左旋，近无毛，长达5 m。单叶互生，叶柄长 10 ~ 20 cm；叶片掌状心形，变化较大，茎基部叶片长 10 ~ 15 cm，宽 9 ~ 13 cm，边缘不等大的三角状浅裂、中裂或深裂，先端叶片小，近全缘，表面黄绿色，有光泽，无毛或有稀疏的白色细柔毛，尤以脉上毛较密。花雌雄异株。雄花序为腋生的穗状花序，花序基部常由 2 ~ 4花集成小伞状，花序先端常为单花；苞片披针形，先端渐尖，短于花被；花被碟形，6 裂，裂片先端钝圆；雄蕊 6，着生于花被裂片的中央，花药内向。雌花序穗状，单生；雌花具退化雄蕊，有时雄蕊退化，仅留有花丝；雌蕊柱头 3 裂，裂片再 2 裂。蒴果成熟后枯黄色，三棱形，先端凹入，基部近圆形，每棱翅状，大小不一，长约 2 cm，宽约 1.5 cm；种子每室 2，有时仅 1 种子发育，着生于中轴基部，四周有不等的薄膜状翅，上方呈长方形，长约比宽大 2 倍。花期 6 ~ 8 月，果期 8 ~ 10 月。

| 生境分布 | 生于海拔 100 ～ 1 700 m 的山腰河谷两侧半阴半阳的山坡灌丛中、稀疏杂木林内及林缘。分布于湖北鹤峰、建始、巴东、五峰、神农架。

| 资源情况 | 野生资源稀少，栽培资源稀少。

| 采收加工 | **根茎：**种子繁殖者第 4 ～ 5 年采收，根茎繁殖者第 3 年春季采收，除去外皮及须根，切段或片，晒干。

| 功能主治 | 祛风除湿，活血通络，止咳。用于风湿痹痛，肢体麻木，胸痹心痛，慢性支气管炎，跌打损伤，牙周疼痛，疟疾，痈肿。

| 附　注 | 同属植物柴姜黄 *Dioscorea nipponica* Makino var. *rosthani* Prain et Burk. 药材的功效与本种药材相似。

薯蓣科 Dioscoreaceae 薯蓣属 *Dioscorea*

薯蓣
Dioscorea opposita Thunb.

| 药 材 名 | 山药。

| 形态特征 | 缠绕草质藤本。块茎长圆柱形，垂直生长，长可超过 1 m，断面干时白色。茎通常带紫红色，右旋，无毛。单叶，茎下部的叶互生，茎中部以上的叶对生，很少 3 叶轮生；叶片变异大，卵状三角形至宽卵形或戟形，长 3 ~ 9（~ 16）cm，宽 2 ~ 7（~ 14）cm，先端渐尖，基部深心形、宽心形或近截形，边缘常 3 浅裂至 3 深裂，中裂片卵状椭圆形至披针形，侧裂片耳状，圆形、近方形至长圆形；幼苗时一般叶片为宽卵形或卵圆形，基部深心形。叶腋内常有珠芽。雌雄异株。雄花序为穗状花序，长 2 ~ 8 cm，近直立，2 ~ 8 着生于叶腋，偶呈圆锥状排列；花序轴明显呈"之"字状曲折；苞片和花被片有紫褐色斑点；雄花的外轮花被片为宽卵形，内轮花被片卵

形，较小；雄蕊 6。雌花序为穗状花序，1 ~ 3 着生于叶腋。蒴果不反折，三棱状扁圆形或三棱状圆形，长 1.2 ~ 2 cm，宽 1.5 ~ 3 cm，外面有白粉；种子着生于每室中轴中部，四周有膜质翅。花期 6 ~ 9 月，果期 7 ~ 11 月。

| 生境分布 | 生于海拔 70 ~ 2 000 m 的山坡路边、山谷林下、灌丛中、溪边或杂草中。分布于湖北神农架、五峰、兴山、通山、通城、江夏、黄梅、罗田、英山，以及襄阳、恩施等。

| 资源情况 | 野生资源丰富，栽培资源丰富。

| 采收加工 | **块茎：** 秋、冬季采挖，洗净，除去须根，用火烤至七八成干后刨皮、切片，晒干或烤干。

| 功能主治 | 补脾胃，益肺肾。用于脾胃虚弱，食少体倦浮肿，肺虚咳喘，消渴，泄泻，遗精带下，肾虚尿频；外用于痈疽，瘰疬。

薯蓣科 Dioscoreaceae 薯蓣属 *Dioscorea*

黄山药 *Dioscorea panthaica* Prain et Burkill

| 药 材 名 | 姜黄草。

| 形态特征 | 缠绕草质藤本。根茎横生，圆柱形，不规则分枝，表面着生稀疏须根。茎左旋，光滑无毛，草黄色，有时带紫色。单叶互生，叶片三角状心形，先端渐尖，基部深心形或宽心形，全缘或呈微波状，干后表面栗褐色或黑色，背面灰白色，两面近无毛。花单性，雌雄异株。雄花无梗，新鲜时黄绿色，单生或 2 ~ 3 簇生并组成穗状花序，花序通常又分枝成圆锥花序，单生或 2 ~ 3 簇生于叶腋；苞片舟形，小苞片与苞片同形而较小；花被碟形，先端 6 裂，裂片卵圆形，内有黄褐色斑点，开放时平展；雄蕊 6，着生于花被管的基部，花药背着。雌花序与雄花序基本相似；雌花花被 6 裂，具 6 退化雄蕊，花药不全或仅花丝存在。蒴果三棱形，先端截形或微凹，基部狭圆，每棱翅状，

半月形，表面棕黄色或栗褐色，有光泽，密生紫褐色斑点，成熟时果实反曲下垂；种子每室通常 2，着生于中轴的中部。花期 5 ～ 7 月，果期 7 ～ 9 月。

| **生境分布** | 生于海拔 1 000 ～ 2 000 m 的山坡灌木林下。分布于湖北恩施。

| **资源情况** | 野生资源较少。

| **采收加工** | **根茎：** 夏、秋季采收，除去茎叶及须根，洗净，鲜用或切段晒干。

| **功能主治** | 理气止痛，解毒消肿。用于胃气痛，吐泻腹痛，跌打损伤，疮疡肿毒，蛇咬伤。

薯蓣科 Dioscoreaceae 薯蓣属 *Dioscorea*

五叶薯蓣 *Dioscorea pentaphylla* L.

| 药 材 名 | 五叶薯。

| 形态特征 | 缠绕草质藤本。块茎形状不规则，通常为长卵形，外皮有多数细长须根，断面刚切开时白色，不久变棕色。茎疏生短柔毛，后变无毛，有皮刺。掌状复叶有 3 ~ 7 小叶；小叶片常为倒卵状椭圆形、长椭圆形或椭圆形，最外侧的小叶片通常为斜卵状椭圆形，长 6.5 ~ 24 cm，宽 2.5 ~ 9 cm，先端短渐尖或凸尖，全缘，表面疏生贴伏短柔毛至近无毛，背面疏生短柔毛；叶腋内有珠芽。雄花无梗或梗极短，穗状花序排列成圆锥状，长可达 50 cm，花序轴密生棕褐色短柔毛；小苞片 2，近半圆形，稍有短柔毛；发育雄蕊 3。雌花序为穗状花序，单一或分枝；花序轴和子房密生棕褐色短柔毛；小苞片和花被外面有短柔毛。蒴果三棱状长椭圆形，薄革质，长

2 ～ 2.5 cm，宽 1 ～ 1.3 cm，成熟时黑色，疏生短柔毛；种子通常两两着生于每室中轴顶部，种翅向蒴果基部延伸。花期 8 ～ 10 月，果期 11 月至翌年 2 月。

| **生境分布** | 生于海拔 500 m 以下的林边或灌丛中。湖北有分布。

| **资源情况** | 野生资源较少。

| **采收加工** | **块茎**：夏、秋季采挖，除去茎叶及须根，洗净，鲜用或切片晒干。

| **功能主治** | 补脾益肾，利湿消肿。用于脾肾虚弱，浮肿，泄泻，产后瘦弱，缺乳，无名肿毒。

薯蓣科 Dioscoreaceae 薯蓣属 Dioscorea

山萆薢
Dioscorea tokoro Makino

| 药 材 名 |

萆薢。

| 形态特征 |

缠绕草质藤本。根茎横生,近圆柱形,有不规则分枝,向地的一面着生多数须根。茎光滑,有纵沟。单叶互生;茎下部的叶深心形,中部以上的叶渐成三角状浅心形,先端渐尖或尾状,全缘,有时浅波状,表面光滑,绿色,背面沿叶脉有时密生乳头状小突起。花单性,雌雄异株。雄花序为总状或圆锥状,通常 2 ～ 4 着生于基部的花集成伞状,中部以上的花常单生;苞片及小苞片各 1,短于花梗;花被片 6,基部结合成管,先端 6 裂,裂片长圆形,3 裂片较狭,3 裂片较宽;雄蕊 6,着生于花被基部,先端向外反曲。雌花序为穗状或圆锥状,单生,少数 2 雌花序着生。蒴果长大于宽,先端微凹,基部狭圆形,成熟时果柄下垂;种子扁圆形,着生于每室中轴的基部,种翅由两侧向上方渐扩大,上端翅宽于种子 1 倍以上。花期 6 ～ 8 月,果期 8 ～ 10 月。

| 生境分布 |

生于海拔 60 ～ 1 000 m 的稀疏杂木林或竹

林下。分布于湖北恩施，以及宜昌、十堰、襄阳、咸宁等。

| **资源情况** | 野生资源较丰富。

| **采收加工** | **根茎：**春、秋季采挖，除去残茎、须根，洗净泥土，切厚片，晒干。

| **功能主治** | 舒筋活络，祛风利湿，止痛。用于风湿性关节炎，腰腿酸痛，牙周疼痛，支气管炎，尿路感染，乳糜尿，尿路结石，慢性盆腔炎，毒蛇咬伤，丹毒等。

薯蓣科 Dioscoreaceae 薯蓣属 Dioscorea

盾叶薯蓣 *Dioscorea zingiberensis* C. H. Wright

| 药 材 名 |　黄姜。

| 形 态 特 征 |　缠绕草质藤本。根茎横生，近圆柱形，指状或不规则分枝，新鲜时外皮棕褐色，断面黄色，干后除去须根常留有白色点状痕迹。茎左旋，光滑无毛，有时分枝或叶柄基部两侧微凸起或有刺。单叶互生；叶片厚纸质，三角状卵形、心形或箭形，通常 3 浅裂至 3 深裂，中间裂片三角状卵形或披针形，两侧裂片圆耳状或长圆形，两面光滑无毛，表面绿色，常有不规则斑块，干时呈灰褐色；叶柄盾状着生。花单性，雌雄异株或同株。雄花无梗，常 2 ~ 3 簇生，再排列成穗状，花序单一或分枝，1 或 2 ~ 3 花序簇生于叶腋，通常每簇仅 1 ~ 2 花发育，基部常有膜质苞片 3 ~ 4；花被片 6，长 1.2 ~ 1.5 mm，宽 0.8 ~ 1 mm，开放时平展，紫红色，干后黑色；雄蕊 6，着生于花

托的边缘，花丝极短，与花药几等长。雌花序与雄花序几相似；雌花具花丝状退化雄蕊。蒴果三棱形，每棱翅状，长 1.2 ~ 2 cm，宽 1 ~ 1.5 cm，干后蓝黑色，表面常有白粉；种子通常每室 2，着生于中轴中部，四周有薄膜状翅。花期 5 ~ 8 月，果期 9 ~ 10 月。

| 生境分布 |　生于海拔 100 ~ 1 500 m 的破坏过的杂木林间或森林、沟谷边缘的路旁。分布于湖北神农架，以及十堰、宜昌、襄阳、恩施等。

| 资源情况 |　野生资源较丰富，栽培资源丰富。

| 采收加工 |　**块根或根皮：**秋季采挖，除去须根，洗净，切片，晒干；或用木棒轻捶，剥下根皮，晒干。

| 功能主治 |　清肺止咳，利湿通淋，通络止痛，解毒消肿。用于肺热咳嗽，湿热淋痛，风湿腰痛，痈肿恶疮，跌打扭伤，蜂蜇伤，虫咬伤。

鸢尾科 Iridaceae 射干属 *Belamcanda*

射干

Belamcanda chinensis (L.) DC.

| 药 材 名 |

射干。

| 形态特征 |

多年生草本。根茎为不规则的块状，斜伸，黄色或黄褐色；须根多数，带黄色。茎高 1 ~ 1.5 m，实心。叶互生，嵌迭状排列，剑形，长 20 ~ 60 cm，宽 2 ~ 4 cm，基部鞘状抱茎，先端渐尖，无中脉。花序顶生，叉状分枝，每分枝的先端聚生有数朵花；花梗细，长约 1.5 cm；花梗及花序的分枝处均包有膜质的苞片，苞片披针形或卵圆形；花橙红色，散生紫褐色的斑点，直径 4 ~ 5 cm；花被裂片 6，2 轮排列，外轮花被裂片倒卵形或长椭圆形，长约 2.5 cm，宽约 1 cm，先端钝圆或微凹，基部楔形，内轮较外轮花被裂片略短而狭；雄蕊 3，长 1.8 ~ 2 cm，着生于外花被裂片的基部，花药条形，外向开裂，花丝近圆柱形，基部稍扁而宽；花柱上部稍扁，先端 3 裂，裂片边缘略向外卷，有细而短的毛，子房下位，倒卵形，3 室，中轴胎座，胚珠多数。蒴果倒卵形或长椭圆形，长 2.5 ~ 3 cm，直径 1.5 ~ 2.5 cm，先端无喙，常残存有凋萎的花被，成熟时室背开裂，果瓣外翻，中央有直立的果轴；种子圆球形，黑紫色，有光泽，直径约 5 mm，着生在果轴上。花期 6 ~ 8 月，果期 7 ~ 9 月。

| 生境分布 | 生于海拔 1 500 m 的林缘或山坡草地，大部分生于海拔较低处。分布于湖北新洲、浠水、蕲春、麻城、罗田、英山、安陆及随州等。湖北新洲、浠水、蕲春、罗田、麻城、英山、安陆及随州等有栽培。

| 采收加工 | **根茎：**栽培后 2 ~ 3 年收获，春初刚发芽或秋末茎叶枯萎时采挖根茎，洗净泥土，晒干，搓去须根，再晒至全干。

| 功能主治 | 清热解毒，散结消炎，消肿止痛，止咳化痰。用于热毒痰火郁结，咽喉肿痛，痰涎壅盛，咳嗽气喘。

鸢尾科 Iridaceae | 雄黄兰属 Crocosmia

雄黄兰

Crocosmia crocosmiflora (Nichols.) N. E. Br.

| 药 材 名 | 雄黄兰。

| 形态特征 | 多年生草本。高 50 ~ 120 cm。球茎扁圆球状，为棕褐色网状的膜质包被。叶多基生，剑形，长 40 ~ 60 cm，宽 1.4 ~ 1.7 cm，先端渐尖，基部鞘状，嵌叠状排成 2 列。花茎长 30 ~ 40 cm，上部具 2 ~ 4 分枝，多花组成疏散的穗状圆锥花序；每花基部有 2 膜质苞片；花橙黄色，两侧对称，直径 2.7 ~ 4 cm；花被裂片 6，2 轮排列，长约 2 cm，宽约 5 mm，花被管略弯曲，长 6 ~ 8 mm；雄蕊 3，偏向花的一侧，长 1.5 ~ 1.8 cm，花丝着生于花被管上；子房下位，绿色，长圆形，长约 5 mm，花柱长 2.8 ~ 3 cm，先端 3 裂。蒴果三棱状球形；种子椭圆形。花期 7 ~ 8 月，果期 8 ~ 10 月。

| 生境分布 | 栽培于花坛或庭院。湖北有分布。

| 采收加工 | **球茎**：地上部分枯萎后或早春萌芽前采挖，洗净泥土，鲜用或晒干。

| 功能主治 | 消肿，止痛。用于蛊毒，脘痛，筋骨痛，疟腮，疮疡，跌打伤肿，外伤出血。

鸢尾科 Iridaceae 唐菖蒲属 Gladiolus

唐菖蒲 *Gladiolus gandavensis* Van Houtte

| 药 材 名 | 唐菖蒲。

| 形态特征 | 多年生球茎植物。地下球茎呈扁圆形，内部实心，外被褐色膜质外皮。基生叶剑形，互生，排成 2 列。花茎自叶丛中抽出，高出叶丛；

穗状花序着花 12 ~ 24，侧向一边，排成 2 列；花冠由下向上逐渐变小，并由下向上依次开放，花冠筒呈膨大的漏斗状，花被片 6，花有白色、黄色、粉色、红色、青色、橙色、紫色、复色及杂色等。蒴果；种子扁平，具圆形膜翅，深褐色。花期夏、秋季。

| 生境分布 | 栽培于庭院。湖北有栽培。

| 采收加工 | **球茎：** 地上部分发黄时采挖，晚植者可于 11 月下旬采挖，如掘球时硬叶仍绿，可扎束式摊开晾干，除去叶片，取球贮藏。

| 功能主治 | 解毒散瘀，消肿止痛。用于跌打损伤，咽喉肿痛；外用于腮腺炎，疮毒，淋巴结炎。

单苞鸢尾

Iris anguifuga Y. T. Zhao ex X. J. Xue

| 药 材 名 | 蛇不见。

| 形态特征 | 多年生草本。根茎粗壮，肥厚，斜伸，棕红色或黄褐色，靠近地表处常膨大成球形，黄白色。叶条形，长 20～30 cm，宽 5～7 mm，先端渐尖或短渐尖，基部鞘状，有 3～6 纵脉。花茎高 30～50 cm，具 4～5 茎生叶，叶狭披针形，长 8～12 cm，宽约 5 mm；苞片 1，草质，狭披针形，长 10～13.5 cm，宽约 8 mm，先端渐尖，与上部的茎生叶相似，苞片内只有 1 花；花蓝紫色，直径约 10 cm；花梗长 2.5 cm；花被管细，长约 3 cm，上部略膨大，外花被裂片倒披针形，长 5～5.5 cm，宽约 8 mm，有褐色的条纹及斑点，先端微凹，爪部狭而长，内花被裂片狭倒披针形，长 4.5～5 cm，宽约 3 mm，有蓝褐色的条纹；雄蕊长约 2.5 cm，花药鲜黄色，较花丝长，花丝扁平，

与花药等宽；花柱扁平，长 4.5 ~ 5 cm，宽约 6 mm，呈拱形弯曲，先端的裂片细长，狭三角形。蒴果三棱状纺锤形，长 5.5 ~ 7 cm，直径 1.5 ~ 2 cm，外被稀疏的黄褐色柔毛，先端有长喙，果柄长约 5 cm；种子圆球形，直径 4 ~ 5 mm。花期 3 月末至 4 月初，果期 5 ~ 7 月。

| 生境分布 | 生于灌木林缘、向阳坡地及水边湿地。湖北有分布。

| 采收加工 | **根茎：**春、夏季采收，鲜用或切片晒干。

| 功能主治 | 清热解毒，散瘀消肿。用于毒蛇咬伤，毒蜂蜇伤，痈肿疮毒，跌打瘀肿等。

鸢尾科 Iridaceae 鸢尾属 Iris

扁竹兰 *Iris confusa* Sealy

| **药 材 名** | 扁竹兰。

| **形态特征** | 多年生草本。根茎横走，直径 4 ~ 7 mm，黄褐色，节明显，节间较长；须根多分枝，黄褐色或浅黄色。地上茎直立，高 80 ~ 120 cm，扁圆柱形，节明显，节上常残留有老叶的叶鞘。叶 10 余，密集于茎顶，基部鞘状，互相嵌叠，排列成扇状；叶片宽剑形，长 28 ~ 80 cm，宽 3 ~ 6 cm，黄绿色，两面略带白粉，先端渐尖，无明显的纵脉。花茎长 20 ~ 30 cm，总状分枝，每个分枝处着生 4 ~ 6 膜质的苞片；苞片卵形，长约 1.5 cm，具钝头，其中包含 3 ~ 5 花；花浅蓝色或白色，直径 5 ~ 5.5 cm；花梗与苞片等长或略长于苞片；花被管长约 1.5 cm，外花被裂片椭圆形，长约 3 cm，宽约 2 cm，先端微凹，边缘波状折皱，有疏牙齿，爪部楔形，内花被裂片倒宽披针形，长约 2.5 cm，

宽约 1 cm，先端微凹；雄蕊长约 1.5 cm，花药黄白色；花柱分枝淡蓝色，长约 2 cm，宽约 8 mm，先端裂片呈缝状，子房绿色，柱状纺锤形，长约 6 mm。蒴果椭圆形，长 2.5 ~ 3.5 cm，直径 1 ~ 1.4 cm，表面有网状的脉纹及 6 明显的肋；种子黑褐色，长 3 ~ 4 mm，宽约 2.5 mm，无附属物。花期 4 月，果期 5 ~ 7 月。

| 生境分布 |　生于林缘、疏林下、沟谷湿地或山坡草地。湖北有分布。

| 采收加工 |　**根茎：**秋后采挖，除去杂质，切段，晒干。

| 功能主治 |　清热解毒，止血消肿。

鸢尾科 Iridaceae 鸢尾属 Iris

蝴蝶花

Iris japonica Thunb.

药 材 名

蝴蝶花。

形态特征

多年生草本。根茎可分为较粗的直立根茎和纤细的横走根茎，直立根茎扁圆形，具多数较短的节间，棕褐色，横走根茎节间长，黄白色；须根生于根茎的节上，分枝多。叶基生，暗绿色，有光泽，近地面处带红紫色，剑形，长 25 ~ 60 cm，宽 1.5 ~ 3 cm，先端渐尖，无明显的中脉。花茎直立，高于叶片，顶生稀疏总状聚伞花序，分枝 5 ~ 12，与苞片等长或略超出苞片；苞片 3 ~ 5，叶状，宽披针形或卵圆形，长 0.8 ~ 1.5 cm，先端钝，其中包含 2 ~ 4 花；花淡蓝色或蓝紫色，直径 4.5 ~ 5 cm；花梗伸出苞片外，长 1.5 ~ 2.5 cm；花被管明显，长 1.1 ~ 1.5 cm，外花被裂片倒卵形或椭圆形，长 2.5 ~ 3 cm，宽 1.4 ~ 2 cm，先端微凹，基部楔形，边缘波状，有细齿裂，中脉上有隆起的黄色鸡冠状附属物，内花被裂片椭圆形或狭倒卵形，长 2.8 ~ 3 cm，宽 1.5 ~ 2.1 cm，爪部楔形，先端微凹，边缘有细齿裂，花盛开时向外展开；雄蕊长 0.8 ~ 1.2 cm，花药长椭圆形，白色；花柱分枝较内花被裂片略短，中肋处淡蓝色，先端裂片缝状丝裂，子房纺锤形，长 0.7 ～ 1 cm。蒴果椭圆状柱形，长 2.5 ～ 3 cm，直径 1.2 ～ 1.5 cm，先端微尖，基部钝，无喙，6 纵肋明显，成熟时自先端开裂至中部；种子黑褐色，为不规则的多面体，无附属物。花期 3 ～ 4 月，果期 5 ～ 6 月。

| 生境分布 |　生于山坡背阴而湿润的草地、疏林下或林缘草地。湖北有分布。

| 资源情况 |　野生资源稀少。药材主要来源于栽培。

| 采收加工 |　**根茎：**春、夏季采收，切段，晒干。

| 功能主治 |　消肿止痛，清热解毒。用于肝炎，肝大，肝区疼痛，胃痛，咽喉肿痛，便血。

鸢尾科 Iridaceae 鸢尾属 Iris

白蝴蝶花

Iris japonica Thunb. f. *pallescens* P. L. Chiu et Y. T. Zhao

| 药 材 名 | 白蝴蝶花。

| 形态特征 | 本种与蝴蝶花的区别在于本种叶片及苞片均为黄绿色；花白色，直
径约 5.5 cm；外花被裂片的中肋上有淡黄色斑纹及淡黄褐色的条状

斑纹；花柱分枝的中肋上略带淡蓝色。

| **生境分布** | 生于山坡背阴而湿润的草地、疏林下或林缘草地。湖北有分布。

| **功能主治** | 清热解毒、消瘀逐水。用于小儿发热，肺病咯血，喉痛，外伤瘀血。

鸢尾科 Iridaceae 鸢尾属 *Iris*

鸢尾

Iris tectorum Maxim.

| 药 材 名 |

川射干。

| 形态特征 |

多年生草本。根茎粗壮，二叉分枝，直径约 1 cm，斜伸；须根较细而短。植株基部围有老叶残留的膜质叶鞘及纤维。叶基生，黄绿色，稍弯曲，中部略宽，宽剑形，长 15 ~ 50 cm，宽 1.5 ~ 3.5 cm，先端渐尖或短渐尖，基部鞘状，有数条不明显的纵脉。花茎光滑，高 20 ~ 40 cm，顶部常有 1 ~ 2 短侧枝，中、下部有 1 ~ 2 茎生叶；苞片 2 ~ 3，绿色，草质，边缘膜质，色淡，披针形或长卵圆形，先端渐尖或长渐尖，内包含有 1 ~ 2 花；花蓝紫色，直径约 10 cm；花梗甚短；花被管细长，长约 3 cm，上端膨大成喇叭形，外花被裂片圆形或宽卵形，先端微凹，爪部狭楔形，中脉上有不规则的鸡冠状附属物，呈不整齐的缝状裂，内花被裂片椭圆形，花盛开时向外平展，爪部突然变细；雄蕊长约 2.5 cm，花药鲜黄色，花丝细长，白色；花柱分枝扁平，淡蓝色，先端裂片近四方形，有疏齿，子房纺锤状圆柱形。蒴果长椭圆形或倒卵形，具假种皮，有 6 明显的肋，成熟时自上而下 3 瓣裂；种子黑褐色，梨形，无附属物。花期 4 ~ 5 月，果期 6 ~ 8 月。

| **生境分布** | 生于向阳坡地、林缘及水边湿地。湖北有分布。

| **功能主治** | 活血祛瘀，祛风利湿，解毒消积。用于癥瘕积聚，水臌肿胀，血积，跌打损伤，咽喉肿痛，痈疖肿毒等。

鸢尾科 Iridaceae 鸢尾属 Iris

黄花鸢尾
Iris wilsonii C. H. Wright

| 药 材 名 | 黄花鸢尾。

| 形态特征 | 多年生草本。根茎粗壮，斜展，须根较多，黄白色，具皱缩横纹。叶基生，绿色或灰绿色，条形，长 25 ～ 55 cm，宽 0.5 ～ 0.8 cm，先端渐尖。花茎中空，高 50 ～ 60 cm，茎生叶 1 ～ 2；苞片 3，草质，绿色，披针形，长 6 ～ 16 cm，宽 0.8 ～ 1 cm，先端渐尖，通常包含 2 花；花黄色，直径 6 ～ 7 cm；花梗较细，长 3 ～ 11 cm；花被管长 0.5 ～ 1.2 cm，花被片 6，排成 2 轮，外轮花被片倒卵形，长 6 ～ 6.5 cm，宽约 1.5 cm，具紫褐色条纹及斑点，爪部狭楔形，两侧边缘具紫色耳状突起，中间下陷成沟状，内轮花被片倒披针形，长 4.5 ～ 5 cm，宽约 0.7 cm，向外倾斜；雄蕊长约 3.5 cm，花药与花丝近等长；花柱分枝深黄色，长 4.5 ～ 6 cm，先端裂片钝三角形

或半圆形，子房下位，绿色，长 1.2 ~ 1.5 cm。蒴果椭圆形，长 3 ~ 4 cm，直径 1.5 ~ 2 cm，具 6 肋，开裂至中部；种子扁平，半圆形，棕褐色。花果期 5 ~ 8 月。

| 生境分布 | 生于海拔 1 800 ~ 2 800 m 的河流、湖泊、沟边的湿地、浅水中、林缘草地、潮湿的山坡草丛中等。湖北有分布。

| 采收加工 | **根茎**：夏、秋季采收，除去茎叶及须根，洗净，切段，晒干。

| 功能主治 | 清热利咽，行气止痛，导滞消胀。用于气滞引起的上腹部气痛，腹部胀痛，咽喉肿痛，毒蛇咬伤等。

高良姜
Alpinia officinarum Hance.

| **药 材 名** | 高良姜。

| **形态特征** | 多年生草本。高 30 ~ 110 cm。根茎圆柱形，横生，棕红色，直径 1 ~ 1.5 cm，具节，节上有环形膜质鳞片，节上生根。茎丛生，直立。叶无柄或近无柄；叶片线状披针形，长 15 ~ 30 cm，宽 1.5 ~ 2.5 cm，先端渐尖或尾尖，基部渐窄，全缘，两面无毛；叶鞘开放，抱茎，具膜质边缘；叶舌膜质，长 2 ~ 3 cm，不开裂。总状花序顶生，直立，长 6 ~ 15 cm，花序轴被绒毛；花萼筒状，管长 8 ~ 14 mm，先端不规则 3 浅圆裂；花冠管漏斗状，长约 1 cm，花冠裂片 3，长圆形，唇瓣卵形，白色而有红色条纹，长约 2 cm；侧生退化雄蕊锥状；发育雄蕊 1，长约 1.6 cm，生于花冠管喉部上方；子房 3 室，密被绒毛，花柱细长，基部下方具 2 合生的圆柱形蜜腺，柱头 2 唇状。蒴果球形，

不开裂，直径约 1.2 cm，被绒毛，成熟时橙红色；种子具假种皮，有钝棱角，棕色。花期 4 ~ 9 月，果期 8 ~ 11 月。

| **生境分布** | 生于荒坡灌丛或疏林中。湖北有分布。

| **采收加工** | 夏末秋初采挖 4 ~ 6 年的根茎，除去地上茎及须根，洗净，切段，晒干。

| **功能主治** | 温中散寒，理气止痛。用于脘腹冷痛，呕吐，嗳气。

姜黄
Curcuma longa L.

| 药 材 名 | 姜黄。

| 形态特征 | 多年生草本。高 1 ～ 1.5 m。根茎发达，成丛，分枝呈椭圆形或圆柱状，橙黄色，极香。根粗壮，末端膨大成块根。叶基生，5 ～ 7，2列；叶柄长 20 ～ 45 cm；叶片长圆形或窄椭圆形，长 20 ～ 50 cm，宽 5 ～ 15 cm，先端渐尖，基部楔形，下延至叶柄，上面黄绿色，下面浅绿色，无毛。花葶由叶鞘中抽出，总花梗长 12 ～ 20 cm；穗状花序圆柱状，长 12 ～ 18 cm；上部无花的苞片粉红色或淡红紫色，长椭圆形，长 4 ～ 6 cm，宽 1 ～ 1.5 cm，中、下部有花的苞片嫩绿色或绿白色，卵形至近圆形，长 3 ～ 4 cm；花萼筒绿白色，具 3 齿；花冠管漏斗形，长约 1.5 cm，淡黄色，喉部密生柔毛，裂片 3；能育雄蕊 1，花丝短而扁平，花药长圆形，基部有距；子房下位，外

被柔毛，花柱细长，基部有 2 棒状腺体，柱头稍膨大，略呈唇形。花期 8 月。

| **生境分布** | 栽培于向阳、土壤肥厚质松的田园中。湖北有栽培。

| **采收加工** | 12 月下旬采挖根茎，洗净，放入开水中焯熟，烘干，撞去粗皮；或将根茎切成 0.7 cm 厚的薄片，晒干。

| **功能主治** | 破血行气，通经止痛。用于血瘀气滞诸症，胸腹胁痛，痛经，闭经，产后瘀滞腹痛，风湿痹痛，跌打损伤，痈肿。

姜科 zingiberaceae 姜花属 Hedychium

姜花
Hedychium coronarium Koen.

| 药 材 名 |

姜花。

| 形态特征 |

茎高 1 ~ 2 m。叶片长圆状披针形或披针形，长 20 ~ 40 cm，宽 4.5 ~ 8 cm，先端长渐尖，基部急尖，叶面光滑，叶背被短柔毛；无柄；叶舌薄膜质，长 2 ~ 3 cm。穗状花序顶生，椭圆形，长 10 ~ 20 cm，宽 4 ~ 8 cm；苞片呈覆瓦状排列，卵圆形，长 4.5 ~ 5 cm，宽 2.5 ~ 4 cm，每苞片内有花 2 ~ 3；花芬芳，白色，花萼管长约 4 cm，先端一侧开裂；花冠管纤细，长 8 cm，裂片披针形，长约 5 cm，后方的 1 裂片呈兜状，先端具小尖头；侧生退化雄蕊长圆状披针形，长约 5 cm；唇瓣倒心形，长和宽均约 6 cm，白色，基部稍黄，先端 2 裂；花丝长约 3 cm，花药室长 1.5 cm；子房被绢毛。花期 8 ~ 12 月。

| 生境分布 |

生于林中。湖北有分布。

| 采收加工 |

根茎： 冬季采收，除去泥土及茎叶，晒干。
果实： 秋、冬季采收，剪下果穗，晒干。

| 功能主治 | 温中健胃，解表，祛风散寒，温经止痛，散寒。用于风寒表证，风湿痹痛，外感头痛，身痛，脘腹冷痛，跌打损伤等。

姜科 zingiberaceae 姜属 Zingiber

蘘荷

Zingiber mioga (Thunb.) Rosc.

| 药 材 名 |

蘘荷。

| 形态特征 |

株高 0.5 ~ 1 m。根茎淡黄色。叶片披针状椭圆形或线状披针形，长 20 ~ 37 cm，宽 4 ~ 6 cm，叶面无毛，叶背无毛或被稀疏的长柔毛，先端尾尖；叶柄长 0.5 ~ 1.7 cm 或无柄；叶舌膜质，2 裂，长 0.3 ~ 1.2 cm。穗状花序椭圆形，长 5 ~ 7 cm；总花梗长不超过 17 cm，被长圆形鳞片状鞘；苞片覆瓦状排列，椭圆形，红绿色，具紫脉；花萼长 2.5 ~ 3 cm，一侧开裂；花冠管较花萼长，裂片披针形，长 2.7 ~ 3 cm，宽约 7 mm，淡黄色；唇瓣卵形，3 裂，中裂片长 2.5 cm，宽 1.8 cm，中部黄色，边缘白色，侧裂片长 1.3 cm，宽 4 mm；花药、药隔附属体各长 1 cm。果实倒卵形，成熟时裂成 3 瓣，果皮内面鲜红色；种子黑色，被白色假种皮。花期 8 ~ 10 月。

| 生境分布 |

栽培于向阳、土壤肥厚质松的田园中。湖北有栽培。

| **功能主治** | 温中理气，祛风止痛，消肿，活血，散瘀。用于腹痛气滞，痈疽肿毒，跌打损伤，颈淋巴结结核，大叶性肺炎，指头炎，腰痛，荨麻疹，草乌中毒。

姜科 zingiberaceae 姜属 Zingiber

姜
Zingiber officinale Rosc.

| 药 材 名 | 姜。

| 形态特征 | 多年生草本。高 50 ~ 80 cm。根茎肥厚,断面黄白色。叶互生,排成 2 列,无柄,几抱茎;叶舌长 2 ~ 4 mm;叶片披针形至线状披针形,长 15 ~ 30 cm,宽 1.5 ~ 2.2 cm,先端渐尖,基部狭,叶基鞘状抱茎,无毛。花葶自根茎中抽出,长 15 ~ 25 cm;穗状花序椭圆形,长 4 ~ 5 cm;苞片卵形,长约 2.5 cm,淡绿色,边缘淡黄色,先端有小尖头;花萼管长约 1 cm,具 3 短尖齿;花冠黄绿色,花冠管长 2 ~ 2.5 cm,裂片 3,披针形,长不及 2 cm,唇瓣的中间裂片长圆状倒卵形,较花冠裂片短,有紫色条纹和淡黄色斑点,两侧裂片卵形,黄绿色,具紫色边缘;雄蕊 1,暗紫色,花药长约 9 mm,

药隔附属体包裹住花柱；子房 3 室，无毛，花柱 1，柱头近球形。蒴果；种子多数，黑色。花期 8 月。

| **生境分布** | 栽培于田野、坡地上。湖北有栽培。

| **采收加工** | 10 ～ 12 月茎叶枯黄时采收，去掉茎叶、须根。

| **功能主治** | 散寒解表，降逆止呕，化痰止咳。用于风寒感冒，恶寒发热，头痛鼻塞，呕吐，痰饮喘咳，胀满，泄泻。

阳荷
Zingiber striolatum Diels

| 药 材 名 | 阳荷。

| 形态特征 | 植株高 1 ~ 1.5 m。根茎白色，微有芳香味。叶片披针形或椭圆状披针形，长 25 ~ 35 cm，宽 3 ~ 6 cm，先端具尾尖，基部渐狭，叶背被极疏柔毛至无毛；叶柄长 0.8 ~ 1.2 cm；叶舌 2 裂，膜质，长4 ~ 7 mm，具褐色条纹。总花梗长 1.5 ~ 2 cm 或更长，被 2 ~ 3 鳞片；花序近卵形，苞片红色，宽卵形或椭圆形，长 3.5 ~ 5 cm，被疏柔毛；花萼长 5 cm，膜质；花冠管白色，长 4 ~ 6 cm，裂片长圆状披针形，长 3 ~ 3.5 cm，白色或稍带黄色，有紫褐色条纹；唇瓣倒卵形，长 3 cm，宽 2.6 cm，浅紫色，侧裂片长约 5 mm；花丝极短，花药室披针形，长 1.5 cm，药隔附属体喙状，长 1.5 cm。蒴果

长 3.5 cm，成熟时开裂成 3 瓣，内果皮红色；种子黑色，被白色假种皮。花期 7 ～ 9 月，果期 9 ～ 11 月。

| **生境分布** | 生于海拔 300 ～ 1 900 m 的林荫下、溪边。湖北有分布。

| **功能主治** | 祛风散寒，止咳平喘，活血止痛，解毒。

美人蕉科 Cannaceae 美人蕉属 Canna

粉美人蕉 *Canna glauca* L.

| 药 材 名 | 粉美人蕉。

| 形态特征 | 多年生草本植物，株高 1.5 ~ 2 m。茎绿色。叶片披针形，长达 50 cm，宽 10 ~ 15 cm，先端急尖，基部渐狭，绿色，被白粉，边缘绿白色，透明；总状花序疏花，单生或分叉，稍高出叶上；苞片圆形，褐色，花黄色，无斑点；萼片卵形，长 1.2 cm，绿色；花冠管长 1 ~ 2 cm；花冠裂片线状披针形，长 2.5 ~ 5 cm，宽 1 cm，直立，外轮退化雄蕊 3，倒卵状长圆形，长 6 ~ 7.5 cm，宽 2 ~ 3 cm，全缘；唇瓣狭，倒卵状长圆形，先端 2 裂，中部卷曲，淡黄色；发育雄蕊倒卵状近镰形，先端急尖，内卷；花柱狭披针形。蒴果长圆形，长 3.5 cm。花期夏、秋季。

| **生境分布** | 栽培于庭院。湖北有栽培。

| **功能主治** | 清热利湿，安神，降血压。

兰科 Orchidaceae 无柱兰属 Amitostigma

无柱兰

Amitostigma gracile (Bl.) Schltr.

| **药 材 名** | 独叶一枝枪。

| **形态特征** | 植株高 7 ~ 30 cm。块茎卵形或长圆状椭圆形，长 1 ~ 2.5 cm，直径约 1 cm，肉质。茎纤细，直立或近直立，光滑，基部具 1 ~ 2 筒状鞘，近基部具 1 大叶，叶上具 1 ~ 2 苞片状小叶。叶片狭长圆形、长圆形、椭圆状长圆形或卵状披针形，直立伸展，长 5 ~ 12 cm，宽 1 ~ 3.5 cm，先端钝或急尖。总状花序具 5 ~ 20 花，偏向一侧；花苞片小，直立伸展，卵状披针形或卵形，先端渐尖，较子房短；子房圆柱形，稍扭转，无毛，连花梗长 7 ~ 10 mm；花小，粉红色或紫红色；花瓣斜椭圆形或卵形，长 2.5 ~ 3 mm，宽约 2 mm，先端急尖，具 1 脉；唇瓣较萼片和花瓣大，倒卵形，长 3.5 ~ 5（~ 7）mm，具 5 ~ 7（~ 9）不隆起的细脉，基部楔形，具距，

中部之上 3 裂，侧裂片镰状线形、长圆形或三角形，先端钝或截形，中裂片较侧裂片大，倒卵状楔形，先端截形、圆形或圆形而具短小或中间凹缺；花药稍向后倾，先端稍凹陷，药室并行；花粉团卵球形，具花粉团柄和黏盘，黏盘小，椭圆形。花期 6 ~ 7 月。果期 9 ~ 10 月。

| 生境分布 | 生于山坡沟谷边、林下阴湿处覆有土的岩石上或山坡灌丛下。分布于湖北随州等。

| 资源情况 | 野生资源一般，栽培资源一般。药材来源于野生和栽培。

| 采收加工 | **全草：**夏季采收，洗净，鲜用或晒干。

| 功能主治 | 解毒消肿，活血止血。用于无名肿毒，毒蛇咬伤，跌打损伤，吐血。

兰科 Orchidaceae 开唇兰属 Anoectochilus

金线兰

Anoectochilus roxburghii (Wall.) Lindl

| **药 材 名** | 金线兰。

| **形态特征** | 植株高 10 ~ 20 cm。根茎匍匐，伸长。茎肉质，圆柱形，具 4 ~ 5
叶。叶片卵形，互生，长 1.5 ~ 5 cm，宽 1 ~ 3 cm，最上面的 1 叶
最小，肉质，上面呈鹅绒状暗绿色，具金红色带丝绒光泽的美丽网
脉，背面暗紫色，先端急尖，基部近截形或钝，骤狭成柄；叶柄长 1 ~
2.5 cm，基部扩大成鞘，抱茎。总状花序具 4 ~ 5 花，长约 5.5 cm，
花序轴直径 1.6 ~ 3 mm，被柔毛，花茎被柔毛及一些头状、腺状毛，
具 2 鞘状苞片；花苞片披针形，淡紫色，长 7 ~ 9 mm，先端渐尖；
花淡紫色，外面被短柔毛；中萼片卵形，向内凹陷，长 6 mm，
先端钝；侧萼片矩圆状椭圆形，稍偏斜，较长而稍狭，先端稍尖；
花瓣近镰形，短于萼片并和中萼片合成兜状；唇瓣基部具圆锥状

的距，前部扩大成"Y"字形且 2 裂，裂片三角状卵形，长 5 mm，基部宽 2 mm，先端稍钝，外侧边缘波状，中部收狭成长 5 ~ 6 mm、两侧边缘各具 5 ~ 6 长约 4 mm 的流苏状细条；距上举，指向唇瓣，末端 2 浅裂，其内侧在近中部处具 2 胼胝体。

| **生境分布** | 生于海拔 50 ~ 1 600 m 的常绿阔叶林下或沟谷阴湿处。湖北有分布。

| **资源情况** | 野生资源稀少，栽培资源一般。药材主要来源于栽培。

| **采收加工** | **全草**：夏、秋季采收，鲜用或晒干。

| **功能主治** | 清热凉血，除湿解毒。用于肺热咳嗽，肺结核咯血，尿血，小儿惊风，破伤风，肾炎性水肿，风湿痹痛，跌打损伤，毒蛇咬伤。

兰科 Orchidaceae 白及属 *Bletilla*

白及

Bletilla striata (Thunb. ex Murray) Rchb. f.

| 药 材 名 | 白及。

| 形态特征 | 多年生草本。假鳞茎扁球形，上面具荸荠似的环带，富黏性。茎粗壮，劲直。叶 4 ~ 6，狭长圆形或披针形，长达 29 cm，宽 1.5 ~ 4 cm，先端渐尖，基部收狭成鞘并抱茎。总状花序，具 3 ~ 10 花，常不分枝，极罕分枝；花序轴或多或少呈 "之" 字状曲折；花苞片长圆状披针形，长 2 ~ 2.5 cm，开花时常凋落；花大，紫红色或粉红色；萼片与花瓣近等长，狭长圆形，长 2.5 ~ 3 cm，宽 0.6 ~ 0.8 cm，先端急尖；花瓣较萼片稍宽，唇瓣较萼片和花瓣稍短，倒卵状椭圆形，长 2 ~ 3 cm，白色带紫红色，具紫色脉；唇盘上面具 5 纵褶片，从基部伸至中裂片近顶部，仅在中裂片上面为波状；蕊柱长 1.8 ~ 2 cm，柱状，具狭翅，稍弓曲。

| 生境分布 | 生于海拔 100 ～ 3 200 m 的常绿阔叶林下或路边草丛、岩石缝中。分布于湖北黄冈、宜昌、十堰、恩施、荆门等。湖北房县、保康、五峰、鹤峰、随县、英山、通城等有栽培。

| 采收加工 | **块茎：** 夏、秋季采挖，除去须根，洗净，置沸水中煮或蒸至无白心，晒至半干，除去外皮，晒干。

| 功能主治 | 收敛止血，消肿生肌。用于咯血，吐血，外伤出血，疮疡肿毒，皮肤皲裂。

兰科 Orchidaceae 石豆兰属 *Bulbophyllum*

广东石豆兰
Bulbophyllum kwangtungense Schltr.

| 药 材 名 |

广石豆兰。

| 形态特征 |

根茎直径约 2 mm，假鳞茎直立，圆柱状，长 1 ~ 2.5 cm，中部直径 2 ~ 5 mm，顶生 1 叶，幼时被膜质鞘。叶革质，长圆形，通常长约 2.5 cm，中部宽 5 ~ 14 mm，先端圆钝并且稍凹入，基部具长 1 ~ 2 mm 的柄。总状花序缩短成伞状，具 2 ~ 4（~ 7）花；花序梗直径约 0.5 mm，疏生 3 ~ 5 鞘；鞘膜质，筒状，长约 5 mm；花苞片狭披针形；花淡黄色；萼片离生，狭披针形，长 8 ~ 10 mm，基部上方宽 1 ~ 1.3 mm，中部以上（长约占整个萼片的 3/5）两侧边缘内卷，具 3 脉；侧萼片比中萼片稍长，基部约 1/5 ~ 2/5 贴生于蕊柱足上，萼囊极不明显；花瓣狭卵状披针形，长 4 ~ 5 mm，中部宽约 0.4 mm，具 1 脉或不明显的 3 脉，仅中肋到达先端，全缘；唇瓣肉质，狭披针形，向外伸展，长约 1.5 mm，中部宽 0.4 mm，先端钝，中部以下具凹槽，上面具 2 ~ 3 小的龙骨脊；蕊柱长约 0.5 mm；蕊柱齿牙齿状，长约 0.2 mm；蕊柱足长约 0.5 mm，其分离部分长约 0.1 mm；药帽前端稍伸长，先端截形且多少向上翘起，上面密生细乳突。花期5~6月，果期8~10月。

| **生境分布** | 生于海拔约800 m的山地阴湿的岩壁或树干上。分布于湖北巴东、鹤峰等。

| **资源情况** | 野生资源较丰富，栽培资源一般。药材来源于野生和栽培。

| **采收加工** | **全草：**夏、秋季采收，鲜用或晒干。

| **功能主治** | 清热滋阴，润肺止咳。用于肺热咳嗽，肺痨咯血，咽喉疼痛，热病烦渴，风湿痹痛，月经不调，跌打损伤。

兰科 Orchidaceae 石豆兰属 Bulbophyllum

毛药卷瓣兰
Bulbophyllum omerandrum Hayata

| 药 材 名 | 麦斛。

| 形态特征 | 根茎匍匐，直径约 2 mm。根出自生有假鳞茎的根茎节上。假鳞茎在根茎上彼此相距 1.5 ~ 4 cm，卵状球形，长 1 ~ 2 cm，中部直径 5 ~ 8 mm，顶生 1 叶。叶厚革质，长圆形，长 1.5 ~ 8.5 cm，中部宽 8 ~ 14 mm，先端钝且稍凹入，基部楔形，具短柄或无柄。花葶从假鳞茎基部抽出，直立，通常长 5 ~ 6 cm，伞形花序具 1 ~ 3 花；花序梗纤细，直径约 1 mm，疏生 2 ~ 3 筒状鞘；花苞片卵形、舟状，长 7 ~ 8 mm；花梗和子房长 1.5 ~ 2 cm；花黄色；中萼片卵形，长 1 ~ 1.4 cm，中部宽 7 mm，先端稍钝且具 2 ~ 3 髯毛，全缘，具 5 脉；侧萼片披针形，长约 3 cm，先端稍钝，基部贴生在蕊柱足上，全缘，基部上方扭转而两侧萼片呈 "八" 字形叉开；花瓣卵状三角形，

长约 5 mm，先端紫褐色，钝且具细尖，中部以上边缘具流苏，近先端处尤甚，具 3 脉；唇瓣肉质，舌形，长约 7 mm，向外下弯，基部与蕊柱足末端连接而形成活动关节，后半部两侧对折，先端钝，边缘多少具睫毛，近先端处两侧面疏生细乳突。花期 3 ~ 4 月。

| **生境分布** | 生于海拔 1 600 ~ 2 100 m 的山地林中树干上或山坡、沟谷的岩石上。分布于湖北兴山、巴东等。

| **资源情况** | 野生资源稀少，栽培资源一般。药材主要来源于栽培。

| **采收加工** | **全草：** 除去须根，鲜用或开水烫后晒干。

| **功能主治** | 润肺止咳，活血止痛。用于肺热咳嗽，胸胁疼痛，风湿关节痛，肝炎，食欲不振，月经不调，跌打损伤，疔疮。

兰科 Orchidaceae 石豆兰属 Bulbophyllum

斑唇卷瓣兰

Bulbophyllum pectenveneris (Gagnep.) Seidenf.

| **药 材 名** | 斑唇卷瓣兰。

| **形态特征** | 根茎匍匐，直径 1 ~ 2 mm。根出自生有假鳞茎的节上，长而弯曲。假鳞茎生于直径 1 ~ 2 mm 的根茎上，彼此相距 0.5 ~ 1 cm，卵球形，顶生 1 叶，干后表面常皱曲。叶厚革质，椭圆形、长圆状披针形或卵形，长 1 ~ 6 cm，先端稍钝或具凹缺，基部几无柄。花葶丛生有假鳞茎的根茎节上发出，直立，远高出叶外，长约 10 cm，伞形花序具 3 ~ 9 花；花序梗纤细，疏生 2 ~ 3 紧抱的筒状膜质鞘；花苞片小，披针形，长 3 ~ 4 mm；花梗和子房纤细，长 7 ~ 10 mm；花黄绿色或黄色稍带褐色；中萼片卵形，长约 5 mm，中部宽约 2.5 mm，先端急尖为细尾状，基部以上边缘具流苏状缘毛，具 5 脉；侧萼片狭披针形，先端长尾状，基部贴生在蕊柱足上，基部上方扭转而上、下侧边缘

分别彼此黏合，边缘内卷，向先端渐狭为长尾状筒，仅近先端处开始分开；花瓣斜卵形，先端急尖，基部约 2/5 贴生在蕊柱足上，具 3 脉；唇瓣肉质，舌状，向外下弯，先端近急尖，无毛；蕊柱齿钻状，长约 1 mm；药帽前端近截形，边缘具乳突。花期 4 ~ 9 月。

| 生境分布 | 生于山地林中树干上或林下岩石上。分布于湖北房县、秭归等。

| 资源情况 | 野生资源较丰富，栽培资源一般。药材来源于野生和栽培。

| 采收加工 | **根茎：**全年均可采收，洗净，鲜用或蒸后晒干。

| 功能主治 | 润肺止咳，疏肝通络。用于肺痨，肝炎。

兰科 Orchidaceae 石豆兰属 Bulbophyllum

伞花石豆兰 *Bulbophyllum shweliense* W. W. Smith

| 药 材 名 | 伞花石豆兰。

| 形态特征 | 根茎纤细，直径约 1 mm，分枝。根丛生于生有假鳞茎的节上。假鳞茎直立，彼此相距 2 ～ 5 cm，近圆柱形或狭椭圆状长圆柱形，长 10 ～ 15 mm，中部直径 4 ～ 5 mm，顶生 1 叶。叶革质，长圆形，长 2 ～ 3 cm，中部宽 5 ～ 10 mm，先端圆钝且稍凹入，基部收窄为长 1 ～ 2 mm 的柄。花葶 1 ～ 2，直立，纤细，长 3 ～ 4.5 cm；总状花序缩短成伞状，具 4 ～ 10 花；花序梗直径约 0.5 mm，被 3 ～ 4 膜质鞘；鞘筒状，长 4 ～ 5 mm，紧抱于花序梗；花苞片披针形；花梗和子房长 2 mm；花橙黄色，具微香；萼片离生，等长，披针形，长 7.5 ～ 8 mm，基部宽约 2 mm，先端长渐尖，具 3 脉；中萼片近先端两侧边缘稍内卷；花瓣卵状披针形，长 3 ～ 3.5 mm，中部宽

1.4 ~ 2 mm，先端短急尖，基部收窄，全缘；唇瓣肉质，光滑无毛，近先端处下弯，摊平后为卵状披针形，长约 2 mm，基部具凹槽，向先端急尖；蕊柱长约 1 mm；蕊柱齿钻状，与药帽等高，长约 0.5 mm；蕊柱足向上弯曲，长 2 mm，其分离部分长 0.8 ~ 1 mm；药帽前端稍收窄为先端钝的三角形。花期 6 月。

| 生境分布 | 生于海拔 1 500 ~ 2 000 m 的山地林中树干上或阴湿的岩石上。湖北有分布。

| 采收加工 | **全草**：夏、秋采收，洗净，鲜用或蒸后晒干。

| 功能主治 | 清热润燥，生津止渴。用于肺炎，胃炎，咯血，痨咳，咽喉肿痛，阴虚盗汗。

兰科 Orchidaceae 虾脊兰属 Calanthe

泽泻虾脊兰
Calanthe alismaefolia Lindl.

| 药 材 名 | 棕叶七。

| 形态特征 | 陆生植物，高 35 ~ 40 cm。茎短。叶 3 ~ 6，近基生，形似泽泻叶；叶片椭圆形，长 20 cm 左右，宽 4 ~ 10 cm，先端急尖或锐尖，基部收窄为长柄，边缘波状；叶柄细长，通常比叶片长；花葶 1 ~ 2，腋生，纤细，与叶近等长，下部具数枚膜质鳞片；总状花序顶生；花序轴和子房被短柔毛；花苞片稍外弯，宽卵状披针形，比花梗（连子房）短，先端渐尖或稍钝，边缘波状；花白色；萼片近相等，斜卵形，直立，开展，长约 1 cm，宽约 6 mm，先端稍钝，背面被紫色糙伏毛；花瓣近菱形，比萼片小；唇瓣比萼片长，3 深裂，中裂片扇形，基部具 1 黄色胼胝体，先端 2 深裂；距纤细，与子房近平行，长约 1 cm；合蕊柱很短。花期 4 月。

| 生境分布 | 生于海拔 500 ~ 1 000 m 的林下或灌丛阴湿处。分布于湖北宣恩、巴东、神农架、秭归等。

| 资源情况 | 野生资源较丰富，栽培资源一般。药材来源于野生和栽培。

| 采收加工 | **全草**：夏、秋季采收，洗净，晒干。

| 功能主治 | 活血止痛。用于跌打损伤，腰痛。

兰科 Orchidaceae 虾脊兰属 *Calanthe*

流苏虾脊兰 *Calanthe alpina* Hook. f. ex Lindl.

| 药 材 名 |

马牙七。

| 形态特征 |

植株高达 50 cm。假鳞茎短小，狭圆锥状，直径约 7 mm，去年生的假鳞茎密被残留纤维。假茎不明显或长达 7 cm，具 3 鞘。叶 3，在花期全部展开，椭圆形或倒卵状椭圆形，长 11 ~ 26 cm，宽 3 ~ 6（~ 9）cm，先端圆钝并具短尖或锐尖，基部收狭为鞘状短柄，两面无毛。花苞片宿存，狭披针形，比花梗和子房短，长约 1.5 cm，先端渐尖，无毛；萼片和花瓣白色，先端带绿色或浅紫堇色，先端急尖或渐尖而呈芒状，无毛；中萼片近椭圆形，长 1.5 ~ 2 cm，中部宽 5 ~ 6 mm，具 5 脉；花瓣狭长圆形至卵状披针形，长 12 ~ 13 mm，中部宽 4 ~ 4.5 mm，具 3 脉；唇瓣浅白色，后部黄色，前部具紫红色条纹，与蕊柱中部以下的蕊柱翅合生，半圆状扇形，长约 8 mm，基部宽截形，宽约 1.5 cm，前端边缘具流苏，先端微凹并具细尖；距浅黄色或浅紫堇色，圆筒形，与花梗和子房等长或长于花梗和子房，长 1.5 ~ 3.5 cm，中部宽 3 ~ 4 mm，基部较粗，末端钝；花粉团倒卵球形，长 1.3 mm，具短的花粉团柄。

蒴果倒卵状椭圆形，长 2 cm，宽约 1.5 cm。花期 7 月，果期 7 ~ 8 月。

| 生境分布 | 生于海拔 1 600 ~ 2 800 m 的山坡林下。分布于湖北宣恩、建始、神农架等。

| 资源情况 | 野生资源较丰富，栽培资源一般。药材来源于野生和栽培。

| 采收加工 | **根、假鳞茎：**夏季采挖，洗净，鲜用或晒干。

| 功能主治 | 清热解毒，散瘀止痛。用于咽喉肿痛，牙痛，脘腹疼痛，腰痛，关节痛，跌打损伤，瘰疬疮疡，毒蛇咬伤。

兰科 Orchidaceae　虾脊兰属 Calanthe

剑叶虾脊兰 *Calanthe davidii* Franch.

药材名

马牙七。

形态特征

陆生植物，高达 75 cm。植株紧密聚生，无明显的假鳞茎和根茎。假茎通常长 4 ~ 10 cm，具数鞘和 3 ~ 4 叶。叶近基生，在花期全部展开，剑形或带状，连叶柄长达 65 cm，宽 1 ~ 2（~ 5）cm，先端急尖，基部收窄，具 3 主脉，两面无毛；叶柄不明显或长可达 20 cm。花葶出自叶腋，直立，粗壮，长达 120 cm，密被细花；总状花序长 8 ~ 20（~ 30）cm，密生许多小花；花黄绿色、白色或带紫色；萼片和花瓣反折；萼片相似，近椭圆形，长 6 ~ 9 mm，中部宽约 4 mm，先端锐尖或稍钝，具 5 脉，中央 3 脉较明显，背面近无毛或密被短毛；花瓣狭长圆状倒披针形，与萼片等长，中部以上宽 1.8 ~ 2.2 mm，先端钝或锐尖，具 3 脉，基部收窄为爪，无毛；蕊柱粗短，长约 3 mm，上端扩大，近无毛或被疏毛；蕊喙 2 裂；裂片近方形，长约 1 mm，先端近浑圆；药帽在前端不收窄，先端圆形；花粉团近梨形或倒卵形，等大，长约 1 mm，具短的花粉团柄；黏盘小，颗粒状。蒴果卵球形，长约 13 mm，宽 7 mm。花期 6 ～ 7 月，果期 8 ～ 10 月。

| **生境分布** | 生于海拔 600 ～ 1 700 m 的山坡林下、沟边或山谷。分布于湖北保康、宣恩、利川、鹤峰、兴山、神农架等。

| **资源情况** | 野生资源较丰富，栽培资源一般。药材来源于野生和栽培。

| **采收加工** | **根、假鳞茎：** 夏季采挖，洗净，鲜用或晒干。

| **功能主治** | 清热解毒，散瘀止痛。用于咽喉肿痛，牙痛，脘腹疼痛，腰痛，关节痛，跌打损伤，瘰疬疮疡，毒蛇咬伤。

兰科 Orchidaceae 虾脊兰属 Calanthe

虾脊兰 *Calanthe discolor* Lindl.

| 药 材 名 |

九子连环草。

| 形态特征 |

根茎不甚明显。假鳞茎粗短，近圆锥形，直径约 1 cm，具 3 ~ 4 鞘和 3 叶。叶近基生，通常 3，倒卵状长圆形至椭圆状长圆形，长 25 cm，宽 4 ~ 9 cm，先端急尖或锐尖，基部收狭为长 4 ~ 9 cm 的柄，背面密被短毛。花葶从初生叶的叶丛中抽出，长 18 ~ 30 cm，密被短毛，总状花序长 6 ~ 8 cm，疏生约 10 花；花序轴被短柔毛；花苞片宿存，膜质，卵状披针形，长 4 ~ 7 mm，先端渐尖或急尖，近无毛；花梗和子房长 6 ~ 13 mm，弧曲，密被短毛；萼片和花瓣褐紫色；中萼片呈稍斜的椭圆形，长 11 ~ 13 mm，中部宽 6 ~ 7 mm，先端急尖，具 5 脉，背面中部以下被短毛；侧萼片与中萼片相似；花瓣近长圆形或倒披针形，与萼片等长，或稍短于萼片，中部宽 3.5 ~ 5 mm，先端稍钝，基部收狭，具 3 脉，两侧的 2 脉常分枝，无毛；中裂片倒卵状楔形，先端深凹缺，前端边缘有时具不整齐的齿；唇盘上具 3 膜片状褶片；矩圆筒形，伸直或稍弯曲，长 5 ~ 10 mm，向末端变狭，外面疏被短毛。

花期 4 ~ 6 月，果期 7 ~ 9 月。

| **生境分布** | 生于低海拔的常绿阔叶林下或沟谷阴湿处。分布于湖北赤壁、五峰等。

| **资源情况** | 野生资源较丰富，栽培资源一般。药材来源于野生和栽培。

| **采收加工** | **全草**：春、夏季花后采收，洗净，鲜用或晒干。

| **功能主治** | 清热解毒，活血止痛。用于瘰疬，痈肿，咽喉肿痛，痔疮，风湿痹痛，跌打损伤。

兰科 Orchidaceae 虾脊兰属 Calanthe

钩距虾脊兰 Calanthe graciliflora Hayata

| **药 材 名** | 四里麻。

| **形态特征** | 陆生植物。茎短，幼时叶基围抱形成假茎，长 5 ~ 15 cm，被 3 鞘状叶。叶在花期尚未完全展开，椭圆形或椭圆状披针形，长达 33 cm，宽 5.5 ~ 10 cm，先端急尖或锐尖，基部收狭为长达 10 cm 的柄，两面无毛。花葶出自假茎上端的叶丛间，长达 70 cm，高出 叶层外，密被短毛；花张开；萼片和花瓣在背面褐色，在内面淡黄 色；中萼片近椭圆形，长 10 ~ 15 mm，宽 5 ~ 6 mm，先端锐尖， 基部收狭，具（3 ~）4 ~ 5 脉，无毛或背面疏被短毛；花瓣倒卵状 披针形，长 9 ~ 13 mm，宽 3 ~ 4 mm，先端锐尖，基部具短爪， 具 3 ~ 4 脉，无毛；唇瓣浅白色，3 裂；侧裂片呈稍斜的卵状楔形， 长约 4 mm，基部约 1/3 与蕊柱翅的外侧边缘合生，先端圆钝或斜截

形；龙骨状脊肉质，终止于中裂片的中部，其末端呈三角形隆起；距圆筒形，长 10 ~ 13 mm，常钩曲，末端变狭，外面疏被短毛，内面密被短毛；蕊柱长约 4 mm，无毛；花粉团棒状，等大，长约 2 mm，具明显的花粉团柄；黏盘近长圆形，长约 1 mm。花期 5 ~ 6 月，果期 7 ~ 8 月。

| **生境分布** | 生于海拔 1 500 ~ 2 100 m 的山坡林下阴湿草丛中或溪边湿地。分布于湖北利川、鹤峰、兴山、神农架等。

| **资源情况** | 野生资源较丰富，栽培资源一般。药材来源于野生和栽培。

| **采收加工** | **全草**：夏、秋季采收，洗净，鲜用或晒干。

| **功能主治** | 清热解毒，活血止痛。用于咽喉肿痛，痔疮，脱肛，风湿痹痛，跌打损伤。

兰科 Orchidaceae 头蕊兰属 Cephalanthera

银兰
Cephalanthera erecta (Thunb. ex A. Murray) Bl.

| 药材名 |

银兰。

| 形态特征 |

地生草本，高 10 ~ 30 cm。茎纤细，直立，下部具 2 ~ 4 鞘，中部以上具 2 ~ 4 叶。叶片椭圆形至卵状披针形，长 2 ~ 8 cm，宽 0.7 ~ 2.3 cm，先端急尖或渐尖，基部收狭并抱茎。总状花序长 2 ~ 8 cm，具 3 ~ 10 花；花序轴有棱；花苞片通常较小，狭三角形至披针形，长 1 ~ 3 mm，但最下面 1 花苞片常为叶状，有时长可达花序的一半或与花序等长；花白色；萼片长圆状椭圆形，长 8 ~ 10 mm，宽 2.5 ~ 3.5 mm，先端急尖或钝，具 5 脉；花瓣与萼片相似，但稍短；唇瓣长 5 ~ 6 mm，3 裂，基部有距；侧裂片卵状三角形或披针形，多少围抱蕊柱；中裂片近心形或宽卵形，长约 3 mm，宽 4 ~ 5 mm，上面有 3 纵褶片，纵褶片向前方逐渐为乳突所代替；距圆锥形，长约 3 mm，末端稍锐尖，伸出侧萼片基部外；蕊柱长 3.5 ~ 4 mm。蒴果狭椭圆形或宽圆筒形，长约 1.5 cm，宽 3.5 ~ 4.5 mm。花期 4 ~ 6 月，果期 8 ~ 9 月。

| **生境分布** | 生于海拔 850 ～ 2 300 m 的林下、灌丛中或沟边土层厚且向阳处。分布于湖北兴山、保康、神农架等。 |

| **资源情况** | 野生资源较丰富，栽培资源一般。药材来源于野生和栽培。 |

| **采收加工** | **全草：** 全年均可采收，洗净，鲜用。 |

| **功能主治** | 清热利尿。用于高热不退，口干，小便不通。 |

兰科 Orchidaceae 头蕊兰属 Cephalanthera

金兰 *Cephalanthera falcata* (Thunb. ex A. Murray) Bl.

| 药 材 名 |

金兰。

| 形态特征 |

地生草本。高 20 ~ 50 cm。茎直立，下部具 3 ~ 5 长 1 ~ 5 cm 的鞘。叶 4 ~ 7。叶片椭圆形、椭圆状披针形或卵状披针形，长 5 ~ 11 cm，宽 1.5 ~ 3.5 cm，先端渐尖或钝，基部收狭并抱茎。总状花序长 3 ~ 8 cm，通常有 5 ~ 10 花；花苞片很小，长 1 ~ 2 mm，最下面 1 花苞片非叶状，长度不超过花梗和子房；花黄色，直立，稍微张开；萼片菱状椭圆形，长 1.2 ~ 1.5 cm，宽 3.5 ~ 4.5 mm，先端钝或急尖，具 5 脉；花瓣与萼片相似，但较短，长 1 ~ 1.2 cm；唇瓣长 8 ~ 9 mm，3 裂，基部有距；侧裂片三角形，多少围抱蕊柱；中裂片近扁圆形，长约 5 mm，宽 8 ~ 9 mm，上面具 5 ~ 7 纵褶片，中央的 3 纵褶片较高（0.5 ~ 1 mm），近先端处密生乳突；距圆锥形，长约 3 mm，明显伸出侧萼片基部外，先端钝；蕊柱长 6 ~ 7 mm，先端稍扩大。蒴果狭椭圆状，长 2 ~ 2.5 cm，宽 5 ~ 6 mm。花期 4 ~ 5 月，果期 8 ~ 9 月。

| **生境分布** | 生于海拔 700 ~ 1 600 m 的林下、灌丛中、草地上或沟谷旁。分布于湖北罗田、崇阳、钟祥、鹤峰等。 |

| **资源情况** | 野生资源较丰富，栽培资源丰富。药材主要来源于栽培。 |

| **采收加工** | **全草**：夏、秋季采收，洗净，鲜用或晒干。 |

| **功能主治** | 清热泻火，解毒。用于咽喉肿痛，牙痛，毒蛇咬伤。 |

独花兰
Changnienia amoena S. S. Chien

| **药 材 名** | 长年兰。

| **形态特征** | 假鳞茎近椭圆形或宽卵球形，长 1.5 ~ 2.5 cm，宽 1 ~ 2 cm，肉质，近淡黄白色，有 2 节，被膜质鞘。叶 1，宽卵状椭圆形至宽椭圆形，长 6.5 ~ 11.5 cm，宽 5 ~ 8.2 cm，先端急尖或短渐尖，基部圆形或近截形，背面紫红色；叶柄长 3.5 ~ 8 cm。花葶长 10 ~ 17 cm，紫色，具 2 鞘；鞘膜质，下部抱茎，长 3 ~ 4 cm；花苞片小，凋落；花梗和子房长 7 ~ 9 mm；花大，白色而带肉红色或淡紫色晕，唇瓣有紫红色斑点；萼片长圆状披针形，长 2.7 ~ 3.3 cm，宽 7 ~ 9 mm，先端钝，有 5 ~ 7 脉；侧萼片稍歪斜。花瓣狭倒卵状披针形，歪斜，长 2.5 ~ 3 cm，宽 1.2 ~ 1.4 cm，先端钝，具 7 脉；唇瓣短于花瓣，3 裂，基部有距；侧裂片直立，斜卵状三角形，较大，宽 1 ~ 1.3 cm；

中裂片平展，宽倒卵状方形，先端和上部边缘具不规则波状缺刻；唇盘上在
2 侧裂片间具 5 褶片状附属物；距角状，稍弯曲，长 2 ~ 2.3 cm，基部宽 7 ~
10 mm，向末端渐狭，末端钝；蕊柱长 1.8 ~ 2.1 cm，两侧有宽翅。花期 4 月。

| **生境分布** | 生于海拔 700 ~ 1 500 m 的山坡草丛、岩石旁阴湿处或疏林下腐殖质丰富的土壤上。分布于湖北崇阳、广水、竹溪、利川、鹤峰、建始等。

| **资源情况** | 野生资源稀少，栽培资源一般。药材主要来源于栽培。

| **采收加工** | **全草：** 夏、秋季采收，洗净，鲜用或晒干。

| **功能主治** | 清热，凉血，解毒。用于咳嗽，痰中带血，热疖疔疮。

兰科 Orchidaceae 隔距兰属 Cleisostoma

蜈蚣兰

Cleisostoma scolopendrifolium (Makino) Garay

| **药 材 名** | 蜈蚣兰。

| **形态特征** | 植物体匍匐，茎细长，直径约 1.5 mm，多节，具分枝。叶革质，2
列互生，彼此疏离，两侧对折为半圆柱形，长 5 ~ 8 mm，直径约
1.5 mm，先端钝，基部具长约 5 mm 的叶鞘。花序侧生，常比叶短；
花苞片卵形，长约 0.5 mm，先端稍钝；花梗和子房长约 3 mm；花
质薄，开展，萼片和花瓣浅肉色；中萼片卵状长圆形，长 3 mm，宽
1.5 mm，先端钝，具 3 脉；侧萼片斜卵状长圆形，与中萼片等长而
较宽，具 3 脉；花瓣近长圆形，比中萼片小，具 1 脉；唇瓣白色带黄
色斑点，3 裂；侧裂片直立，近三角形，上端钝且稍向前弯；中裂片
舌状三角形或箭头状三角形，长约 3 mm，先端长急尖，基部中央具
1 通向距内的褶脊；侧裂片角状，下弯；中裂片基部 2 裂，呈马蹄状，

其下部密被细乳突状毛；距内隔膜不发达，远离 3 裂的胼胝体；蕊柱粗短，长 1.5 mm，上端扩大，基部具短的蕊柱足；蕊喙 2 裂，裂片近方形，宽而厚；药帽前端收窄，先端截形并且凹缺；黏盘柄宽卵形，基部折叠，黏盘马鞍形。花期 4 月。

| **生境分布** | 生于海拔 1 000 m 的崖石上或山地林中树干上。分布于湖北罗田等。

| **资源情况** | 野生资源较丰富，栽培资源一般。药材来源于野生和栽培。

| **采收加工** | **全草**：全年均可采收，鲜用或晒干。

| **功能主治** | 清热解毒，润肺止血。用于气管炎，咯血，口腔炎，慢性鼻窦炎，咽喉炎，急性扁桃体炎，胆囊炎，肾盂肾炎，小儿惊风。

杜鹃兰 *Cremastra appendiculata* (D. Don) Makino

| **药 材 名** | 山慈菇。

| **形态特征** | 通常于假鳞茎先端抽出 1 ~ 2 叶。叶狭椭圆形，先端渐尖，基部收狭，长 8 ~ 30 cm，宽 2.5 ~ 8 cm。假鳞茎为不规则扁球形、卵圆形或圆锥形，先端逐渐凸起，基部有须根痕，长 1.8 ~ 3 cm，膨大部分直径为 1 ~ 2 cm，中部有微凸起环节，外被撕裂成纤维状残存鞘。花葶从假鳞茎上部节间抽出，近直立，长 27 ~ 70 cm；总状花序长 10 ~ 25 cm，具 5 ~ 22 花；花苞片呈披针形或卵状披针形，长 5 ~ 22 mm；花常偏向花序一侧，下垂，狭钟形，不完全开放，有香气，淡紫褐色；萼片倒披针形，从中部向基部骤然收狭而成近狭线形、倒披针形或狭披针形，长 1.8 ~ 2.6 cm，上部宽 3 ~ 3.5 mm，先端渐尖；唇瓣与花瓣近等长，线形，上部 1/4 处 3 裂；侧裂片近线形，

长 4 ~ 5 mm，宽约 1 mm；中裂片卵形或狭长圆形，长 6 ~ 8 mm，宽 3 ~ 5 mm，在基部 2 侧裂片间有 1 肉质突起；近椭圆形，下垂，长 2.5 ~ 3 cm，宽 1 ~ 1.3 cm，花期 5 ~ 6 月，果期 10 ~ 11 月。

| 生境分布 | 生于 500 ~ 2 000 m 的林下草地、沟边湿地或山谷。分布于湖北宣恩、利川、鹤峰、巴东、恩施、长阳、兴山、神农架等。

| 资源情况 | 野生资源稀少，栽培资源一般。药材主要来源于栽培。

| 采收加工 | **假鳞茎：** 夏、秋季采挖，除去茎叶、须根，洗净，蒸后，晾至半干，再晒干。

| 功能主治 | 清热解毒，化痰散结。用于痈肿疗毒，瘰疬痰核，蛇虫咬伤，癥瘕痞块。

兰科 Orchidaceae 兰属 Cymbidium

建兰

Cymbidium ensifolium (L.) Sw.

| 药 材 名 |

兰花、兰花叶、兰花根。

| 形态特征 |

地生植物。假鳞茎卵球形，长 1.5 ~ 2.5 cm，宽 1 ~ 1.5 cm，包藏于叶基内。叶 2 ~ 4 (~ 6)，带形，有光泽，长 30 ~ 60 cm，宽 1 ~ 1.5 (~ 2.5) cm。花葶从假鳞茎基部发出，长 20 ~ 35 cm 或更长，但一般短于叶；总状花序具 3 ~ 9 (~ 13) 花；花苞片除最下面的 1 花苞片长可达 1.5 ~ 2 cm 外，其余的长 5 ~ 8 mm，一般不及花梗和子房长度的 1/3，至多不超过 1/2；花梗和子房长 2 ~ 2.5 (~ 3) cm；花常有香气，色泽变化较大，通常为浅黄绿色而具紫斑；萼片近狭长圆形或狭椭圆形，长 2.3 ~ 2.8 cm，宽 5 ~ 8 mm；侧萼片常向下斜展。花瓣狭椭圆形或狭卵状椭圆形，长 1.5 ~ 2.4 cm，宽 5 ~ 8 mm，近平展；唇瓣近卵形，长 1.5 ~ 2.3 cm，3 裂；侧裂片直立，多少围抱蕊柱，上面有小乳突；中裂片较大，卵形，外弯，边缘波状，亦具小乳突；唇盘上 2 纵褶片从基部延伸至中裂片基部，上半部向内倾斜并靠合，形成短管；蕊柱长 1 ~ 1.4 cm，稍向前弯曲，两侧具狭翅；花粉团 4，成 2 对，宽卵形。蒴果狭椭圆形，长 5 ~ 6 cm，宽约 2 cm。花期 6 ~ 10 月。

| **生境分布** | 生于海拔 600 ~ 1 800 m 的疏林下、灌丛、山谷或草丛。湖北各地均有分布。

| **资源情况** | 野生资源稀少，栽培资源一般。药材主要来源于栽培。

| **采收加工** | **兰花**：花将开放时采收，鲜用或晒干。
兰花叶：全年均可采收，将叶齐根剪下，洗净，切段，鲜用或晒干。
兰花根：全年均可采挖，除去叶，洗净，鲜用或晒干。

| **功能主治** | **兰花**：调气和中，止咳，明目。用于胸闷，腹泻，久咳，青盲内障。
兰花叶：清肺止咳，凉血止血，利湿解毒。用于肺痈，支气管炎，咳嗽，咯血，吐血，尿血，白浊，带下，尿路感染，疮毒疔肿。
兰花根：润肺止咳，清热利湿，活血止血，解毒杀虫。用于肺结核咯血，百日咳，急性胃肠炎，热淋，带下，白浊，月经不调，崩漏，便血，跌打损伤，疮疖肿毒，痔疮，蛔虫腹痛，狂犬咬伤。

蕙兰
Cymbidium faberi Rolfe

| 药 材 名 | 兰花、化气兰、蕙实。

| 形态特征 | 地生草本。假鳞茎不明显。叶 5 ~ 8，带形，近直立，长 25 ~ 80 cm，宽（4 ~）7 ~ 12 mm，基部常对折而呈 "V" 形，叶脉透亮，边缘常有粗锯齿。花葶从叶丛基部最外面的叶腋抽出，近直立或稍外弯，长 35 ~ 50（~ 80）cm，被多枚长鞘；总状花序具 5 ~ 11 或更多花；花苞片线状披针形，最下面的 1 花苞片长于子房，中、上部的花苞片长 1 ~ 2 cm，约为花梗和子房长度的 1/2，至少超过 1/3；花梗和子房长 2 ~ 2.6 cm；花常为浅黄绿色，唇瓣有紫红色斑，有香气；萼片近披针状长圆形或狭倒卵形，长 2.5 ~ 3.5 cm，宽 6 ~ 8 mm；花瓣与萼片相似，常略短而宽；唇瓣长圆状卵形，长 2 ~ 2.5 cm，3 裂；侧裂片直立，具小乳突或细毛；中裂片较长，强

烈外弯，有明显、发亮的乳突，边缘常皱波状；唇盘上 2 纵褶片从基部上方延伸至中裂片基部，上端向内倾斜并汇合，多少形成短管；蕊柱长 1.2 ～ 1.6 cm，稍向前弯曲，两侧有狭翅；花粉团 4，成 2 对，宽卵形。蒴果近狭椭圆形，长 5 ～ 5.5 cm，宽约 2 cm。花期 3 ～ 5 月。

| 生境分布 | 生于海拔 700 ～ 1 000 m 的山坡、林下、林缘、林中透光处。分布于湖北麻城、崇阳、钟祥、巴东、神农架，以及宜昌等。

| 资源情况 | 野生资源稀少，栽培资源一般。药材主要来源于栽培。

| 采收加工 | **兰花**：花将开放时采收，鲜用或晒干。
化气兰：秋季采挖，抽出木心，晒干。
蕙实：果实成熟时采收，晒干。

| 功能主治 | **兰花**：调气和中，止咳，明目。用于胸闷，腹泻，久咳，青盲内障。
化气兰：润肺止咳，清利湿热，杀虫。用于咳嗽，小便淋浊，赤白带下，鼻衄，蛔虫病，头虱病。
蕙实：明目，补中。

兰科 Orchidaceae 兰属 Cymbidium

多花兰

Cymbidium floribundum Lindl.

| 药 材 名 | 兰花、牛角三七。

| 形态特征 | 附生植物。假鳞茎近圆柱形，长 1.5 ~ 2.5 cm，宽约 1 cm，包
藏于宿存的叶基内。叶 2 ~ 4，近直立，矩圆状倒披针形，长
22 ~ 27 cm，宽 3.5 ~ 4.7 cm，先端急尖或钝，具明显中脉，基部
明显具柄；叶柄纤细，长 15 ~ 23 cm，腹面有槽，关节位于近中部。
花葶发自假鳞茎基部，下垂或外弯，长 36 ~ 50 cm，近基部具数鞘；
花序长 20 ~ 30 cm，具 20 ~ 40 花；花苞片卵状披针形，长 4 ~ 5 mm；
花浅褐色，直径 3 ~ 3.5 cm；萼片与花瓣有浅紫色脉和细斑点；唇
瓣有浅紫色晕，基部有浅紫色细斑点，在中部两侧有 2 深紫色斑块，
唇瓣 3 裂，约与花瓣等长，上面具乳突，侧裂片近半圆形，中裂片
近圆形，稍反折，唇盘从基部至中部具 2 平行的黄色褶片；萼片狭

椭圆形至卵状披针形，长 20 ~ 22 mm，先端渐尖，红褐色，边缘稍向后反卷；花瓣狭椭圆状披针形，先端渐尖；唇瓣近菱形或倒卵状菱形，长 13 ~ 15 mm，不裂或不明显 3 裂，沿先端边缘皱波状；蕊柱长 1 ~ 1.2 cm，稍弧曲，有短的蕊柱足；花粉团 2，有裂隙。花期 3 ~ 4 月。

| 生境分布 | 生于海拔 100 ~ 3 100 m 的林中、林缘树上、溪谷旁透光的岩石、岩壁上或石缝沉积的腐殖壤土中。分布于湖北鹤峰、利川等。

| 资源情况 | 野生资源稀少，栽培资源一般。药材主要来源于栽培。

| 采收加工 | **兰花：**花将开放时采收，鲜用或晒干。
牛角三七：全年均可采收，挖出全株，洗净，切段，鲜用或晾干。

| 功能主治 | **兰花：**调气和中，止咳，明目。用于胸闷，腹泻，久咳，青盲内障。
牛角三七：清热解毒，滋阴润肺，化痰止咳。用于瘰疬，石淋，小儿夜啼，淋浊，带下病，疮疖。

兰科 Orchidaceae 兰属 Cymbidium

春兰

Cymbidium goeringii (Reichb. f.) Reichb. f.

| 药 材 名 | 兰花。

| 形态特征 | 地生植物。假鳞茎较小，卵球形，长 1 ~ 2.5 cm，宽 1 ~ 1.5 cm，包藏于叶基内。叶 4 ~ 7，通常较短小，长 20 ~ 40（~ 60）cm，宽 5 ~ 9 mm，下部常多少对折而呈 "V" 形，边缘无齿或具细齿。花葶从假鳞茎基部外侧叶腋中抽出，长 3 ~ 15（~ 20）cm，明显短于叶；花序具单花，少有 2 花；花苞片长而宽，长 4 ~ 5 cm，多少围抱子房；花梗和子房长 2 ~ 4 cm；花色泽变化较大，通常为绿色或淡褐黄色而有紫褐色脉纹，有香气；萼片近长圆形至长圆状倒卵形，长 2.5 ~ 4 cm，宽 8 ~ 12 mm；花瓣倒卵状椭圆形至长圆状卵形，长 1.7 ~ 3 cm，与萼片近等宽；唇瓣近卵形，长 1.4 ~ 2.8 cm，不明显 3 裂；侧裂片直立，具小乳突，在内侧靠近纵褶片处各有 1

肥厚折皱状物；中裂片较大，强烈外弯，上面有乳突，边缘略呈波状；唇盘上
2 纵褶片从基部上方延伸至中裂片基部以上，上部向内倾斜并靠合，多少形成
短管状；蕊柱长 1.2 ~ 1.8 cm，两侧有较宽的翅；花粉团 4，成 2 对。蒴果狭椭
圆形，长 6 ~ 8 cm，宽 2 ~ 3 cm。花期 1 ~ 3 月。

| **生境分布** | 生于海拔 300 ~ 2 200 m 的多石山坡、林缘、林中透光处。分布于湖北鹤峰、巴东、
兴山、利川等。

| **资源情况** | 野生资源稀少，栽培资源一般。药材主要来源于栽培。

| **采收加工** | **花**：将开放时采收，鲜用或晒干。

| **功能主治** | 调气和中，止咳，明目。用于胸闷，腹泻，久咳，青盲内障。

兰科 Orchidaceae 兰属 Cymbidium

兔耳兰

Cymbidium lancifolium Hook.

| **药 材 名** | 兔耳兰。

| **形态特征** | 半附生植物。假鳞茎近扁圆柱形或狭梭形，长 2 ~ 7（~ 15）cm，宽 5 ~ 10（~ 15）mm，有节，多少裸露，先端聚生 2 ~ 4 叶。叶倒披针状长圆形至狭椭圆形，长 6 ~ 17 cm 或更长，宽 1.9 ~ 4（~ 6）cm，先端渐尖，上部边缘有细齿，基部收狭为柄；叶柄长 3 ~ 18 cm。花葶从假鳞茎下部侧面节上发出，直立，长 8 ~ 20 cm 或更长；花序具 2 ~ 6 花，较少减退为单花或具更多的花；花苞片披针形，长 1 ~ 1.5 cm；花梗和子房长 2 ~ 2.5 cm；花通常白色至淡绿色，花瓣上有紫栗色中脉，唇瓣上有紫栗色斑；萼片倒披针状长圆形，长 2.2 ~ 2.7（~ 3）cm，宽 5 ~ 7 mm。花瓣近长圆形，长 1.5 ~ 2.3 cm，宽 5 ~ 7 mm；唇瓣近卵状长圆形，长 1.5 ~ 2 cm，

稍 3 裂；侧裂片直立，多少围抱蕊柱；中裂片外弯；唇盘上 2 纵褶片从基部上方延伸至中裂片基部，上端向内倾斜并靠合，多少形成短管；蕊柱长约 1.5 cm；花粉团 4，成 2 对。蒴果狭椭圆形，长约 5 cm，宽约 1.5 cm。花期 5 ~ 8 月。

| 生境分布 | 生于海拔 300 ~ 2 200 m 的疏林、竹林、林缘、阔叶林下、溪谷旁的岩石、树上或地上。分布于湖北巴东、神农架等。

| 资源情况 | 野生资源一般，栽培资源一般。药材主要来源于栽培。

| 采收加工 | **全草**：夏、秋季采收，洗净，晒干。

| 功能主治 | 补肝肺，祛风除湿，强筋骨，清热解毒，消肿。

兰科 Orchidaceae 杓兰属 Cypripedium

杓兰

Cypripedium calceolus L.

| 药 材 名 |

杓兰。

| 形态特征 |

植株高 20 ~ 45 cm，具较粗壮的根茎。茎直立，被腺毛，基部具数鞘，近中部以上具 3 ~ 4 叶。叶片椭圆形或卵状椭圆形，较少卵状披针形，长 7 ~ 16 cm，宽 4 ~ 7 cm，先端急尖或短渐尖，背面疏被短柔毛，毛以脉上与近基部处为多，边缘具细缘毛。花序顶生，通常具 1 ~ 2 花；花苞片叶状，椭圆状披针形或卵状披针形，长 4 ~ 6（~ 10）cm，宽 1.5 ~ 4 cm；花梗和子房长约 3 cm，具短腺毛；花具栗色或紫红色萼片和花瓣，唇瓣黄色；中萼片卵形或卵状披针形，长 2.5 ~ 5 cm，宽 8 ~ 15 mm，先端渐尖或尾状渐尖，背面中脉疏被短柔毛；合萼片与中萼片相似，先端 2 浅裂；花瓣线形或线状披针形，长 3 ~ 5 cm，宽 4 ~ 6 mm，扭转，内表面基部与背面脉上被短柔毛；唇瓣深囊状，椭圆形，长 3 ~ 4 cm，宽 2 ~ 3 cm，囊底具毛，囊外无毛；内折侧裂片宽 3 ~ 4 mm；退化雄蕊近长圆状椭圆形，长 7 ~ 10 mm，宽 5 ~ 7 mm，先端钝，基部有长约 1 mm 的柄，下面有龙骨状突起。花期 6 ~ 7 月。

| **生境分布** | 生于海拔 500 ～ 1 000 m 的林下、林缘、灌丛中或林间草地上。分布于湖北恩施、神农架等。 |

| **资源情况** | 野生资源稀少，栽培资源一般。药材主要来源于栽培。 |

| **采收加工** | **根茎**：夏、秋季采收，洗净，晒干。 |

| **功能主治** | 解热，镇静，利尿。用于感冒高热，神经衰弱，水肿。 |

兰科 Orchidaceae 杓兰属 Cypripedium

大叶杓兰
Cypripedium fasciolatum Franch.

| 药 材 名 | 蜈蚣七。

| 形态特征 | 植株高 30 ~ 45 cm，具粗短的根茎。茎直立，无毛或在上部近关节处具短柔毛，基部具数鞘，鞘上方具 3 ~ 4 叶。叶片椭圆形或宽椭圆形，长 15 ~ 20 cm，宽 6 ~ 12 cm，先端短渐尖，两面无毛，具缘毛。花序顶生，通常具 1 花，极稀 2 花；花序梗上端被短柔毛；花苞片叶状，椭圆形或卵形，长 7 ~ 10 cm，宽 3 ~ 6.5 cm，先端渐尖；子房长 1.5 ~ 3 cm，密被淡红褐色腺毛；花大，直径达 12 cm，有香气，黄色，萼片与花瓣上具明显的栗色纵脉纹，唇瓣有栗色斑点；中萼片卵状椭圆形或卵形，长 5 ~ 6 cm，宽 2.8 ~ 3.5 cm，先端渐尖，边缘有时略呈波状，背面脉上略被微柔毛；合萼片与中萼片相似，但宽仅 2 ~ 2.5 cm，先端 2 浅裂；花瓣线状披针形或宽线

形，长 5.5 ～ 8 cm，宽 8 ～ 15 mm，先端渐尖，内表面基部和背面中脉被短柔毛；唇瓣深囊状，近球形，长 5 ～ 7 cm，常多少上举，囊口边缘多少呈齿状，囊底具毛，外面无毛；退化雄蕊卵状椭圆形，长 1.5 ～ 2 cm，宽约 1 cm，边缘略内弯，基部有耳并具短柄，下面有龙骨状突起。花期 4 ～ 5 月。

| 生境分布 | 生于海拔 1 600 ～ 2 900 m 的疏林中、山坡灌丛下或草坡上。分布于湖北巴东、兴山、神农架等。

| 资源情况 | 野生资源稀少，栽培资源一般。药材主要来源于栽培。

| 采收加工 | **根及根茎：**秋季采挖，洗净，晒干。

| 功能主治 | 利水消肿，活血祛瘀，祛风湿，镇痛。用于全身浮肿，下肢水肿，风湿疼痛，带下过多，淋证，咳嗽，胸胁疼痛，跌打损伤，劳伤。

兰科 Orchidaceae 杓兰属 Cypripedium

绿花杓兰 *Cypripedium henryi* Rolfe

| 药 材 名 | 龙舌箭。

| 形态特征 | 植株高 30 ~ 60 cm，具较粗短的根茎。茎直立，被短柔毛，基部具数枚鞘，鞘上方具 4 ~ 5 叶。叶片椭圆状至卵状披针形，长 10 ~ 18 cm，宽 6 ~ 8 cm，先端渐尖，无毛或在背面近基部被短柔毛。花序顶生，通常具 2 ~ 3 花；花苞片叶状，卵状披针形或披针形，长 4 ~ 10 cm，宽 1 ~ 3 cm，先端尾状渐尖，通常无毛，偶见背面脉上被疏柔毛；花梗和子房长 2.5 ~ 4 cm，密被白色腺毛；花绿色至绿黄色；中萼片卵状披针形，长 3.5 ~ 4.5 cm，宽 1 ~ 1.5 cm，先端渐尖，背面脉上和近基部处稍有短柔毛；合萼片与中萼片相似，先端 2 浅裂；花瓣线状披针形，长 4 ~ 5 cm，宽 5 ~ 7 mm，先端渐尖，通常稍扭转，内表面基部和背面中脉上有短柔毛；唇瓣深囊

状，椭圆形，长 2 cm，宽 1.5 cm，囊底有毛，囊外无毛；退化雄蕊椭圆形或卵状椭圆形，长 6 ～ 7 mm，宽 3 ～ 4 mm，基部具长 2 ～ 3 mm 的柄，背面有龙骨状突起。蒴果近椭圆形或狭椭圆形，长达 3.5 cm，宽约 1.2 cm，被毛。花期 4 ～ 5 月，果期 7 ～ 9 月。

| 生境分布 | 生于海拔 800 ～ 2 800 m 的疏林下、林缘、灌丛坡地上湿润和腐殖质丰富的地方。分布于湖北神农架、鹤峰、利川、兴山、房县、保康等。

| 资源情况 | 野生资源稀少，栽培资源一般。药材主要来源于栽培。

| 采收加工 | **根**：秋季采挖，洗净，晒干。

| 功能主治 | 理气止痛。用于胃寒腹痛，腰腿疼痛，疝气痛，跌打损伤。

兰科 Orchidaceae 杓兰属 Cypripedium

扇脉杓兰
Cypripedium japonicum Thunb.

| 药 材 名 | 扇子七。

| 形态特征 | 植株高 35 ～ 55 cm，具较细长、横走的根茎，直径 3 ～ 4 mm，有较长的节间。茎直立，被褐色长柔毛，基部具数鞘，先端生叶。叶通常为 2，近对生，位于植株近中部处；叶片扇形，长 10 ～ 16 cm，宽 10 ～ 21 cm，上半部边缘呈钝波状，基部近楔形，具扇形辐射状脉直达边缘，两面在近基部处均被长柔毛，边缘具细缘毛。花序顶生，具 1 花；花序梗被褐色长柔毛；花苞片叶状，菱形或卵状披针形，长 2.5 ～ 5 cm，宽 1 ～ 2（～ 3）cm，边缘具细缘毛；花梗和子房长 2 ～ 3 cm，密被长柔毛；萼片和花瓣淡黄绿色；中萼片狭椭圆形或狭椭圆状披针形，长 4.5 ～ 5.5 cm，宽 1.5 ～ 2 cm，先端渐尖，无毛；花瓣斜披针形，长 4 ～ 5 cm，宽 1 ～ 1.2 cm，先端渐尖，内表面基

部具长柔毛；唇瓣下垂，囊状，近椭圆形或倒卵形，长 4 ～ 5 cm，宽 3 ～ 3.5 cm；囊口略狭长并位于前方，周围有明显凹槽并呈波浪状齿缺；退化雄蕊椭圆形，长约 1 cm，宽 6 ～ 7 mm，基部有短耳。蒴果近纺锤形，长 4.5 ～ 5 cm，宽 1.2 cm，疏被微柔毛。花期 4 ～ 5 月，果期 6 ～ 10 月。

| 生境分布 | 生于海拔 800 ～ 2 000 m 的林下、溪谷旁、竹林里或沟谷边。分布于湖北鹤峰、利川、恩施、巴东、建始、五峰、兴山、神农架、竹溪、广水、罗田、英山等。

| 资源情况 | 野生资源稀少，栽培资源一般。药材主要来源于栽培。

| 采收加工 | **全草：** 夏、秋季采收，洗净，晒干。

| 功能主治 | 理气活血，截疟，解毒。用于劳伤腰痛，跌打损伤，风湿痹痛，月经不调，间日疟，无名肿毒，毒蛇咬伤，皮肤瘙痒。

兰科 Orchidaceae 杓兰属 Cypripedium

大花杓兰
Cypripedium macranthum Sw.

| 药 材 名 | 敦盛草。

| 形态特征 | 植株高 25 ~ 50 cm，具粗短根茎。茎直立，稍被短柔毛或无毛，基部具数鞘，鞘上方具 3 ~ 4 叶。叶片椭圆形或椭圆状卵形，长 10 ~ 15 cm，宽 6 ~ 8 cm，先端渐尖或近急尖，两面脉上略被短柔毛或无毛，边缘有细缘毛。花序顶生，具 1 花，极稀 2 花；花序梗被短柔毛或无毛；花苞片叶状，通常椭圆形，较少椭圆状披针形，长 7 ~ 9 cm，宽 4 ~ 6 cm，先端短渐尖，两面脉上通常被微柔毛；花梗和子房长 3 ~ 3.5 cm，无毛；花大，紫色、红色或粉红色，通常有暗色脉纹，极稀白色；中萼片宽卵状椭圆形或卵状椭圆形，长 4 ~ 5 cm，宽 2.5 ~ 3 cm，先端渐尖，无毛；合萼片卵形，长 3 ~ 4 cm，宽 1.5 ~ 2 cm，先端 2 浅裂；花瓣披针形，长 4.5 ~ 6 cm，

宽 1.5 ~ 2.5 cm，先端渐尖，不扭转，内表面基部具长柔毛；唇瓣深囊状，近球形或椭圆形，长 4.5 ~ 5.5 cm；囊口较小，直径约 1.5 cm，囊底有毛；退化雄蕊卵状长圆形，长 1 ~ 1.4 cm，宽 7 ~ 8 mm，基部无柄，背面无龙骨状突起。蒴果狭椭圆形，长约 4 cm，无毛。花期 6 ~ 7 月，果期 8 ~ 9 月。

| 生境分布 |　生于海拔 400 ~ 2 400 m 的林下、山坡林间草地、灌丛下或沟谷河滩草丛中。分布于湖北宜昌及恩施等。

| 资源情况 |　野生资源稀少，栽培资源一般。药材主要来源于栽培。

| 采收加工 |　**根：**夏、秋季采收，洗净，晒干。

| 功能主治 |　利尿消肿，活血止痛。用于下肢水肿，淋证，带下，风湿痹痛，跌打损伤。

兰科 Orchidaceae 石斛属 Dendrobium

钩状石斛

Dendrobium aduncum Lindl.

丨药材名丨

黄草钗斛。

丨形态特征丨

茎下垂，圆柱形，长 50 ~ 100 cm，直径 2 ~ 5 mm，有时上部多少弯曲，不分枝，具多个节，节间长 3 ~ 3.5 cm。叶长圆形或狭椭圆形，长 7 ~ 10.5 cm，宽 1 ~ 3.5 cm，先端急尖且钩转，基部具抱茎的鞘。总状花序通常数个，花序轴纤细，长 1.5 ~ 4 cm，多少回折状弯曲，疏生 1 ~ 6 花；花序梗长 5 ~ 10 mm，基部被 3 ~ 4 长 2 ~ 3 mm 的膜质鞘；花苞片膜质，卵状披针形，长 5 ~ 7 mm，先端急尖；花梗和子房长约 1.5 cm；花开展，萼片和花瓣淡粉红色；中萼片长圆状披针形，长 1.6 ~ 2 cm，宽 7 mm，先端锐尖，具 5 脉；侧萼片斜卵状三角形，与中萼片等长但较之宽，先端急尖，具 5 脉，基部歪斜；花瓣长圆形，长 1.4 ~ 1.8 cm，宽 7 mm，先端急尖，具 5 脉；唇瓣白色，朝上，凹陷，呈舟状，展开时为宽卵形，长 1.5 ~ 1.7 cm，前部骤然收狭而先端为短尾状并且反卷，基部具长约 5 mm 的爪，上面除爪和唇盘两侧外密布白色短毛，近基部具一绿色方形的胼胝体；蕊柱白色，长约 4 mm，下部扩大，先端两侧具耳状的蕊柱齿，正面密布紫色长毛。花期 5 ~ 6 月。

| **生境分布** | 生于海拔 700 ~ 1 000 m 的山地林中树干上或山谷岩石上。湖北有分布。

| **资源情况** | 野生资源稀少，栽培资源一般。药材主要来源于栽培。

| **采收加工** | **茎：** 全年均可采收，除去须根及杂质，鲜用；或除去根，洗净，搓去薄膜状叶鞘，晒干或烘干。

| **功能主治** | 滋阴，清热，益胃，生津，止渴。用于口干烦渴，热病伤津，食欲不振，病后虚热等。

兰科 Orchidaceae 石斛属 Dendrobium

流苏石斛 Dendrobium fimbriatum Hook.

| 药 材 名 | 石斛。

| 形态特征 | 茎粗壮，斜立或下垂，质硬，圆柱形或基部上方稍呈纺锤形，长 50 ~ 100 cm，不分枝，具多数节，节间长 3.5 ~ 4.8 cm，具多数纵 槽。叶 2 列，革质，长圆形或长圆状披针形，先端急尖，有时稍 2 裂。 总状花序长 5 ~ 15 cm，疏生 6 ~ 12 花；花序轴较细，多少弯曲； 花序梗长 2 ~ 4 cm，基部被数枚套叠的鞘；鞘膜质，筒状，位于基 部的鞘最短，长约 3 mm，先端的鞘最长可达 1 cm；花苞片膜质， 卵状三角形，长 3 ~ 5 mm，先端锐尖；花金黄色，质薄；中萼片长 圆形，长 1.3 ~ 1.8 cm，宽 6 ~ 8 mm，先端钝，全缘，具 5 脉；侧 萼片卵状披针形，与中萼片等长但稍较狭，先端钝，基部歪斜，全 缘，具 5 脉；花瓣长圆状椭圆形，长 1.2 ~ 1.9 cm，宽 7 ~ 10 mm，

先端钝，具 5 脉；唇瓣近圆形，长 15 ~ 20 mm，基部两侧具紫红色条纹且收狭为长约 3 mm 的爪，边缘具复流苏，唇盘具 1 新月形横生的深紫色斑块，上面密布短绒毛；蕊柱黄色，长约 2 mm，具长约 4 mm 的蕊柱足；药帽黄色，圆锥形，光滑，前端边缘具细齿。花期 4 ~ 6 月。

| **生境分布** | 生于海拔 600 ~ 1 700 m 的密林中树干上或山谷阴湿岩石上。湖北有分布。

| **资源情况** | 野生资源稀少，栽培资源一般。药材主要来源于栽培。

| **采收加工** | **茎**：全年均可采收，洗净，切段，鲜用；或除去杂质，用开水略烫或烘软，再边搓边烘晒至叶鞘干净，干燥。

| **功能主治** | 益胃生津，滋阴清热。用于热病津伤，口干烦渴，胃阴不足，食少干呕，病后虚热不退，阴虚火旺，骨蒸劳热，目暗不明，筋骨痿软。

兰科 Orchidaceae 石斛属 *Dendrobium*

细叶石斛
Dendrobium hancockii Rolfe

| 药 材 名 |　黄草石斛。

| 形态特征 |　茎直立，质较硬，圆柱形或基部上方有数个节间膨大成纺锤形，长80 cm，直径 2 ~ 20 mm，通常分枝，节间长达 4.7 cm。叶通常 3 ~ 6，狭长圆形，长 3 ~ 10 cm，宽 3 ~ 6 mm，先端钝且不等侧 2 裂，基部具革质鞘。总状花序长 1 ~ 2.5 cm，具 1 ~ 2 花，花序梗长 5 ~ 10 mm；花苞片膜质，卵形，长约 2 mm；花梗和子房淡黄绿色，长 12 ~ 15 mm，子房稍扩大；花质较厚，稍具香气，开展，金黄色；中萼片卵状椭圆形，长（1 ~ ）1.8 ~ 2.4 cm，宽（3.5 ~ ）5 ~ 8 mm，先端急尖，具 7 脉；侧萼片卵状披针形，与中萼片等长，较狭，先端急尖，具 7 脉。花瓣先端锐尖，具 7 脉，唇瓣长、宽相等，1 ~ 2 cm，基部具 1 胼胝体，中部 3 裂；侧裂片围抱蕊柱，近半圆形，先端圆

形；中裂片近扁圆形或肾状圆形，先端锐尖；唇盘通常浅绿色，从两侧裂片间至中裂片上密布短乳突状毛；蕊柱长约 5 mm，基部稍扩大，具长约 6 mm 的蕊柱足；蕊柱齿近三角形，先端短而钝；药帽斜圆锥形，表面光滑，前面具 3 脊，前端边缘具细齿。花期 5 ~ 6 月。

| **生境分布** | 生于海拔 700 ~ 1 500 m 的山地林中树干上或山谷岩石上。分布于湖北利川、兴山、神农架等。

| **资源情况** | 野生资源稀少，栽培资源一般。药材主要来源于栽培。

| **采收加工** | **茎**：夏季采收，鲜用或晒干。

| **功能主治** | 养阴益胃，生津止渴。用于热病津伤，口干烦渴，病后虚热，食欲不振。

兰科 Orchidaceae 石斛属 Dendrobium

霍山石斛

Dendrobium huoshanense C. Z. Tang et S. J. Cheng

| 药 材 名 |　霍山石斛。

| 形态特征 |　茎直立，肉质，长 3 ~ 9 cm，从基部上方向上逐渐变细，基部上方直径 3 ~ 18 mm，不分枝，具 3 ~ 7 节，节间长 3 ~ 8 mm，淡黄绿色，有时带淡紫红色斑点，干后淡黄色。叶革质，2 ~ 3 叶互生于茎的上部，斜出，舌状长圆形，长 9 ~ 21 cm，宽 5 ~ 7 mm，先端钝且微凹，基部具抱茎的鞘；叶鞘膜质，宿存。总状花序 1 ~ 3，具 1 ~ 2 花；花序梗长 2 ~ 3 mm，基部被 1 ~ 2 鞘；鞘纸质，卵状披针形，长 3 ~ 4 mm，先端锐尖；花苞片浅白色带栗色，卵形，长 3 ~ 4 mm，先端锐尖；花梗和子房浅黄绿色，长 2 ~ 2.7 cm；花淡黄绿色，开展；中萼片卵状披针形，长 12 ~ 14 mm，宽 4 ~ 5 mm，先端钝，具 5 脉；侧萼片镰状披针形，长 12 ~ 14 mm，宽 5 ~ 7 mm，

先端钝，基部歪斜。花瓣卵状长圆形，长 12 ~ 15 mm，宽 6 ~ 7 mm，先端钝，具 5 脉；唇瓣近菱形，长和宽均 1 ~ 1.5 cm，基部楔形且具 1 胼胝体，上部稍 3 裂，两侧裂片之间密生短毛，近基部处密生长白毛；中裂片半圆状三角形，基部密生长白毛并且具 1 黄色横椭圆形的斑块。花期 5 月。

| **生境分布** | 生于海拔 1 000 m 以下的岩石上。分布于湖北黄梅、罗田等。

| **资源情况** | 野生资源稀少，栽培资源一般。药材主要来源于栽培。

| **采收加工** | **茎**：11 月至翌年 3 月采收，除去叶、根须及泥沙等杂质，洗净，鲜用；或加热，除去叶鞘，制成干条；或边加热边扭成螺旋状或弹簧状，干燥（习称霍山石斛枫斗）。

| **功能主治** | 滋补肝肾，补气养阴，清热生津，益精明目。用于阴伤津亏，口干烦渴，食少干呕，病后虚热，目暗不明。

兰科 Orchidaceae 石斛属 Dendrobium

罗河石斛

Dendrobium lohohense Tang & F. T. Wang

| 药 材 名 | 环钗斛。

| 形态特征 | 茎稍硬，圆柱形，长达 80 cm，直径 3 ~ 5 mm，具多节，节间长 13 ~ 23 mm，上部节上常生根而分出新枝条，干后金黄色，具数条

纵条棱。叶薄革质，2 列，长圆形，长 3 ~ 4.5 cm，宽 5 ~ 16 mm，先端急尖，基部具抱茎的鞘，叶鞘干后疏松抱茎，鞘口常张开。花蜡黄色，稍肉质，总状花序减退为单花，侧生于具叶的茎端或叶腋，直立；花序梗无；花苞片蜡质，小，阔卵形，长约 3 mm，先端急尖；花梗和子房长达 15 mm，子房常棒状肿大；花开展；中萼片椭圆形，长约 15 mm，宽 9 mm，先端圆钝，具 7 脉；侧萼片斜椭圆形，比中萼片稍长，但较窄，先端钝，具 7 脉；萼囊近球形，长约 5 mm；花瓣椭圆形，长 17 mm，宽约 10 mm，先端圆钝，具 7 脉；唇瓣不裂，倒卵形，长 20 mm，宽 17 mm，基部楔形而两侧围抱蕊柱，前端边缘具不整齐的细齿；蕊柱长约 3 mm，先端两侧各具 2 蕊柱齿；药帽近半球形，光滑，前端近截形而向上反折，其边缘具细齿。蒴果椭圆状球形，长 4 cm，宽 1.2 cm。花期 6 月，果期 7 ~ 8 月。

| **生境分布** | 生于海拔 980 ~ 1 500 m 的山谷或林缘的岩石上。分布于湖北巴东等。

| **资源情况** | 野生资源稀少，栽培资源一般。药材主要来源于栽培。

| **采收加工** | **茎**：夏季采收，鲜用或晒干。

| **功能主治** | 滋阴益胃，生津止渴。用于热病津伤，口干烦渴，病后虚热，食欲不振。

兰科 Orchidaceae 石斛属 Dendrobium

细茎石斛

Dendrobium moniliforme (L.) Sw.

| **药 材 名** | 环草石斛。

| **形态特征** | 茎直立，细圆柱形，通常长 10 ~ 20 cm，直径 3 ~ 5 mm，具多节，节间长 2 ~ 4 cm，干后金黄色或黄色带深灰色。叶数枚，2 列，常互生于茎的中部以上，披针形或长圆形，长 3 ~ 4.5 cm，宽 5 ~ 10 mm。总状花序 2 至数个，生于茎中部以上具叶和落了叶的老茎上，通常具 1 ~ 3 花；花序梗长 3 ~ 5 mm；花苞片干膜质，浅白色带褐色斑块，卵形，长 3 ~ 4 (~ 8) mm，宽 2 ~ 3 mm，先端钝；花黄绿色、白色或白色带淡紫红色；萼片和花瓣相似，卵状长圆形或卵状披针形，先端锐尖或钝，具 5 脉；侧萼片基部歪斜而贴生于蕊柱足；唇瓣白色、淡黄绿色或绿白色，带淡褐色或紫红色至浅黄色斑块，基部楔形，3 裂；中裂片卵状披针形，先端锐尖或稍钝，全缘，

无毛；唇盘在两侧裂片间密布短柔毛，基部常具 1 椭圆形胼胝体，近中裂片基部通常具一紫红色、淡褐色或浅黄色的斑块；蕊柱白色，长约 3 mm；药帽白色或淡黄色，圆锥形，先端不裂，有时被细乳突；蕊柱足基部常具紫红色条纹，无毛或具毛。花期 3 ~ 5 月。

| 生境分布 | 生于海拔 590 ~ 3 000 m 的阔叶林中树干上或山谷岩壁上。分布于湖北利川等。

| 资源情况 | 野生资源稀少，栽培资源一般。药材主要来源于栽培。

| 采收加工 | **茎**：夏季采收，鲜用或晒干。

| 功能主治 | 滋阴益胃，生津止渴。用于热病伤津，痨伤咯血，口干烦渴，病后虚热，食欲不振。

兰科 Orchidaceae 石斛属 Dendrobium

金钗石斛 *Dendrobium nobile* Lindl.

药材名

石斛。

形态特征

茎直立，肉质状肥厚，稍扁的圆柱形，长10 ~ 60 cm，直径达 1.3 cm，上部多少回折状弯曲，基部明显收狭，不分枝，具多节，节有时稍肿大；叶革质，长圆形，长6 ~ 11 cm，宽 1 ~ 3 cm，基部具抱茎的鞘。总状花序长 2 ~ 4 cm，具 1 ~ 4 花；花序梗长 5 ~ 15 mm，基部被数枚筒状鞘；花苞片膜质，卵状披针形，长 6 ~ 13 mm，先端渐尖；花梗和子房淡紫色，长 3 ~ 6 mm；花大，先端白色带淡紫色，有时全体淡紫红色或除唇盘上具 1 紫红色斑块外，余均为白色；中萼片长圆形，长 2.5 ~ 3.5 cm，宽1 ~ 1.4 cm，先端钝，具 5 脉；侧萼片先端锐尖，基部歪斜，具 5 脉；花瓣多少斜宽卵形，长 2.5 ~ 3.5 cm，宽 1.8 ~ 2.5 cm，先端钝，基部具短爪，具 3 主脉和许多支脉；唇瓣宽卵形，长 2.5 ~ 3.5 cm，宽 2.2 ~ 3.2 cm，先端钝，基部两侧具紫红色条纹且收狭为短爪，中部以下两侧围抱蕊柱，边缘具短睫毛，两面密布短绒毛；蕊柱绿色，长5 mm，基部稍扩大，具绿色的蕊柱足；药帽紫红色，圆锥形，密布细乳突，前端边缘具不整齐的尖齿。花期 4 ~ 5 月。

| 生境分布 | 生于海拔 480 ~ 1 700 m 的山地林中树干上或山谷岩石上。分布于湖北宜昌等。

| 资源情况 | 野生资源稀少，栽培资源一般。药材主要来源于栽培。

| 采收加工 | **茎**：栽种 2 ~ 3 年后采收，除去须根及杂质，鲜用；或除去根，洗净，搓去薄膜状叶鞘，晒干或烘干。

| 功能主治 | 益胃生津，滋阴清热。用于热病津伤，口干烦渴，胃阴不足，食少干呕，病后虚热不退，阴虚火旺，骨蒸劳热，目暗不明，筋骨痿软。

兰科 Orchidaceae 石斛属 Dendrobium

铁皮石斛 Dendrobium officinale Kimura et Migo

| 药 材 名 |

铁皮石斛。

| 形态特征 |

多年生附生草本。茎丛生，圆柱形，长9～35 cm，直径2～4 mm，不分枝，具多节，上部茎节上有时生根，长出新植株，节间长1.3～1.7 cm，常在中部以上互生3～5叶。叶2列，纸质，长圆状披针形，长4～7 cm，宽1～1.5 cm，先端钝且略钩转，基部下延为抱茎的鞘，边缘和中脉常带淡紫色；叶鞘常具紫斑，老时其上缘与茎松离而张开，并且与节留下1环状铁青间隙。总状花序常从落了叶的老茎上部发出，具2～3花；花序梗长5～10 mm，基部具2～3短鞘；花序轴回折状弯曲，长2～4 cm；花苞片干膜质，浅白色，卵形，长5～7 mm，先端稍钝；花梗和子房长2～2.5 cm；萼片和花瓣黄绿色，近相似，长圆状披针形，长约1.8 cm，宽4～5 mm，先端锐尖，具5脉；侧萼片基部较宽阔，宽约1 cm；萼囊圆锥形，长约5 mm，末端圆形；唇瓣白色，基部具1绿色或黄色胼胝体，卵状披针形，比萼片稍短，中部反折，先端急尖，不裂或不明显3裂，中部以下两侧具紫红色条纹，边缘多少波状；唇盘密布细乳突状的毛，并且在中部以上具 1 紫红色斑块；蕊柱黄绿色，长约 3 mm，先端两侧各具 1 紫点；蕊柱足黄绿色带紫红色条纹，疏生毛；药帽白色，长卵状三角形，长约 2.3 mm，先端近锐尖并且 2 裂。花期 2 ~ 6 月。

| **生境分布** | 生于海拔 1 600 m 的山地半阴湿的岩石上。分布于湖北恩施等。

| **资源情况** | 野生资源稀少，栽培资源一般。药材主要来源于栽培。

| **采收加工** | **茎**：11 月至翌年 3 月采收，除去须根及杂质，鲜用；或除去杂质，剪去部分须根，边加热边扭成螺旋形或弹簧状，烘干（习称铁皮枫斗或耳环石斛）；或切段，干燥或低温烘干（习称铁皮石斛）。

| **功能主治** | 生津养胃，滋阴清热，润肺益肾，明目强腰。用于热病伤津，口干烦渴，胃阴不足，胃痛干呕，肺燥干咳，虚热不退，阴伤目暗，腰膝软弱。

兰科 Orchidaceae 石斛属 Dendrobium

广东石斛 *Dendrobium wilsonii* Rolfe

| 药 材 名 | 环钗斛。

| 形态特征 | 茎直立或斜立，细圆柱形，长 10 ~ 30 cm，直径 4 ~ 6 mm，不分枝，具少数至多数节，节间长 1.5 ~ 2.5 cm。叶革质，互生于茎的上部，狭长圆形，长 3 ~ 7 cm，宽 6 ~ 15 mm，基部具抱茎的鞘；叶鞘革质，干后鞘口常呈杯状张开。花序梗长 3 ~ 5 mm，基部被 3 ~ 4 宽卵形的膜质鞘；花苞片干膜质，浅白色，长 4 ~ 7 mm，先端渐尖；花梗和子房白色，长 2 ~ 3 cm；花瓣近椭圆形，长 2.5 ~ 4 cm，宽 1 ~ 1.5 cm，先端锐尖，具 5 ~ 6 主脉和许多支脉；唇瓣卵状披针形，3 裂或不明显 3 裂，基部楔形，其中央具 1 胼胝体；侧裂片直立，半圆形；中裂片卵形，先端急尖。叶形变化较大，心形、心状三角形、心状长圆形或心状戟形，长 6 ~ 25 cm，宽 2.5 ~ 7.5 cm，表面绿色

或暗绿色，背面淡绿色或红紫色，先端长渐尖或尾状，基部心形，后裂片圆形或锐尖，稍外展；叶柄长 12 ~ 25 cm，紫色或绿色具紫斑，几无鞘，下部及顶部各有 1 珠芽。花序梗短于叶柄，长 3.7 ~ 18 cm；佛焰苞淡绿色、淡黄色带紫色或青紫色，长 3 ~ 7 cm，直径 4 ~ 7 mm；花期 3 ~ 6 月，果期 6 ~ 8 月。

| **生境分布** | 生于海拔 1 000 ~ 1 300 m 的山地阔叶林中树干上或林下岩石上。分布于湖北巴东、恩施、咸丰、宣恩、来凤、利川、鹤峰、神农架等。

| **资源情况** | 野生资源稀少，栽培资源一般。药材主要来源于栽培。

| **采收加工** | 茎：夏季采收，鲜用或晒干。

| **功能主治** | 滋阴益胃，生津止渴。用于热病伤津，口干烦躁，病后虚弱，食欲不振。

兰科 Orchidaceae 厚唇兰属 Epigeneium

单叶厚唇兰 *Epigeneium fargesii* (Finet) Gagnep.

| 药 材 名 |　单叶厚唇兰。

| 形 态 特 征 |　多年生草本。根茎匍匐，直径 2 ~ 3 mm，密被栗色筒状鞘，在每相距约 1 cm 处生 1 假鳞茎。假鳞茎斜立，中部以下贴伏于根茎，近卵形，长约 1 cm，宽 3 ~ 5 mm，顶生 1 叶，基部被膜质栗色鞘。叶厚革质，干后栗色，卵形或宽卵状椭圆形，长 1 ~ 2.3 cm，宽 7 ~ 11 mm，先端圆形而中央凹入，基部收狭，近无柄或楔形收窄成短柄。花序生于假鳞茎先端，具单花；花序梗长约 1 cm，基部被 2 ~ 3 膜质鞘；花苞片膜质，卵形，长约 3 mm；花梗和子房长约 7 mm；花不甚张开，萼片和花瓣淡粉红色；中萼片卵形，长约 1 cm，宽 6 mm，先端急尖，具 5 脉；侧萼片斜卵状披针形，长约 1.5 cm，宽 6 mm，先端急尖，基部贴生在蕊柱足上而形成明显的

萼囊，萼囊长约 5 mm。花瓣卵状披针形，比侧萼片小，先端急尖，具 5 脉；唇瓣几白色，小提琴状，长约 2 cm，前、后唇等宽，宽约 11 mm；后唇两侧直立；前唇伸展，近肾形，先端深凹，边缘多少波状；唇盘具 2 纵向的龙骨脊，其末端终止于前唇的基部且增粗呈乳头状；蕊柱粗壮，长约 5 mm；蕊柱足长约 1.5 mm。花期通常 4 ~ 5 月。

| 生境分布 | 生于海拔 400 ~ 2 400 m 的沟谷岩石上或山地林中树干上。分布于湖北恩施、鹤峰。

| 资源情况 | 药材来源于野生和栽培。

| 采收加工 | **全草：** 春、秋季采收，洗净，鲜用或晒干。

| 功能主治 | 滋阴养胃，润肺化痰，清热利湿。用于跌打损伤，腰肌劳损，骨折，肺热咳嗽，肺痨咯血，风热咽喉痛，小儿身热惊风，四肢抽搐，百日咳。

兰科 Orchidaceae 火烧兰属 Epipactis

火烧兰
Epipactis helleborine (L.) Crantz

| 药 材 名 | 野竹兰。

| 形态特征 | 陆生草本植物，高 20 ～ 70 cm。根茎粗短。茎上部被短柔毛，下部无毛，具 2 ～ 3 鳞片状鞘。叶 4 ～ 7，互生；叶片卵圆形或卵形至椭圆状披针形，稀披针形，长 3 ～ 13 cm，宽 1 ～ 6 cm，先端通常渐尖至长渐尖；向上叶逐渐变窄而成披针形或线状披针形。总状花序长 10 ～ 30 cm，通常具 3 ～ 40 花；花苞片叶状，线状披针形，下部的花苞片比花长 2 ～ 3 倍或更多，向上逐渐变短；花梗和子房长 1 ～ 1.5 cm，具黄褐色绒毛；花绿色或淡紫色，下垂，较小；中萼片卵状披针形，较少椭圆形，舟状，长 8 ～ 13 mm，宽 4 ～ 5 mm，先端渐尖；侧萼片斜卵状披针形，长 9 ～ 13 mm，宽约 4 mm，先端渐尖。花瓣椭圆形，长 6 ～ 8 mm，宽 3 ～ 4 mm，先端急尖或钝；唇

瓣长 6 ~ 8 mm，中部明显缢缩；下唇兜状，长 3 ~ 4 mm；上唇近三角形或近扁圆形，长约 3 mm，宽 3 ~ 4 mm，先端锐尖，在近基部两侧各有 1 长约 1 mm 的半圆形褶片，近先端有时脉稍呈龙骨状；蕊柱长 2 ~ 5 mm（不包括花药）。蒴果倒卵状椭圆状，长约 1 cm，具极疏的短柔毛。花期 7 月，果期 9 月。

| 生境分布 | 生于海拔 250 ~ 3 100 m 的山坡林下、草丛或沟边。湖北各地均有分布。

| 资源情况 | 药材来源于野生和栽培。

| 采收加工 | **根及根茎：**秋季采挖，除去茎叶，洗净，晒干。

| 功能主治 | 清肺止咳，活血，解毒。用于肺热咳嗽，咽喉肿痛，牙痛，目赤肿痛，胸胁满闷，腹泻，腰痛，跌打损伤，毒蛇咬伤。

兰科 Orchidaceae 火烧兰属 *Epipactis*

大叶火烧兰 *Epipactis mairei* Schltr.

药材名

大叶火烧兰。

形态特征

地生草本，高 30 ~ 70 cm。根茎粗短，有时不明显，具多条细长的根，根多少呈"之"字形曲折，幼时密被黄褐色柔毛，后期毛脱落。茎直立，上部和花序轴被锈色柔毛，下部无毛，基部具 2 ~ 3 鳞片状鞘。叶 5 ~ 8，互生，中部叶较大；叶片卵圆形、卵形至椭圆形，长 7 ~ 16 cm，宽 3 ~ 8 cm，先端短渐尖至渐尖，基部延伸成鞘状，抱茎，茎上部的叶多为卵状披针形，向上逐渐过渡为花苞片。总状花序长 10 ~ 20 cm，具 10 ~ 20 花，有时花更多；花苞片椭圆状披针形，下部的花苞片与花等长或稍长于花，向上逐渐变为短于花；子房和花梗长 1.2 ~ 1.5 cm，被黄褐色或锈色柔毛；花黄绿色带紫色、紫褐色或黄褐色，下垂；中萼片椭圆形或倒卵状椭圆形，舟形，长 13 ~ 17 mm，宽 4 ~ 7.5 mm，先端渐尖，背面疏被短柔毛或无毛；侧萼片斜卵状披针形或斜卵形，长 14 ~ 20 mm，宽 5 ~ 9 mm，先端渐尖并具小尖头；花瓣长椭圆形或椭圆形，长 11 ~ 17 mm，宽 5 ~ 9 mm，先端渐尖；唇瓣中部稍缢缩而成上、下唇；下唇长 6 ～ 9 mm，两侧裂片近斜三角形，近直立，高 56 mm，先端钝圆，中央具 23 鸡冠状褶片；褶片基部稍分开且较低，往上靠合且逐渐增高；上唇肥厚，卵状椭圆形、长椭圆形或椭圆形，长 5 ～ 9 mm，宽 3 ～ 6 mm，先端急尖；蕊柱连花药长 7 ～ 8 mm；花药长 3 ～ 4 mm。蒴果椭圆状，长约 2.5 cm，无毛。花期 6 ～ 7 月，果期 9 月。

| 生境分布 | 生于海拔 1 200 ～ 3 100 m 的山坡灌丛中、草丛中、河滩阶地或冲积扇等。分布于湖北兴山、恩施、利川、建始、巴东、宣恩、神农架。

| 资源情况 | 药材来源于野生和栽培。

| 采收加工 | **全草或根及根茎**：春、秋季采收，洗净，鲜用或晒干。

| 功能主治 | 理气活血，消肿解毒。用于风湿痹痛，肢体麻木，关节屈伸不利，跌打损伤。

兰科 Orchidaceae 火烧兰属 Epipactis

细毛火烧兰 *Epipactis papillosa* Franch. et Sav.

| 药 材 名 | 鸡嗉子花。

| 形态特征 | 地生草本，高 30 ~ 70 cm。根茎短。茎明显具柔毛和棕色乳头状突起，基部具数枚鞘。叶 5 ~ 7；叶片椭圆状卵圆形到宽椭圆形，长

7 ~ 12 cm，宽 2 ~ 4 cm，先端短渐尖，上面及边缘具白色的毛状乳突。总状花序长 10 ~ 20 cm，具多花；花苞片通常较花长；花平展或下垂，青绿色；萼片窄卵圆形，先端急尖，长 9 ~ 12 mm，宽 3 ~ 5 mm；花瓣卵圆形，与萼片近等长，先端急尖；唇瓣淡绿色，与花瓣等长，近中部明显缢缩；下唇圆形，呈兜状；上唇窄心形或三角形，先端急尖；蕊柱与唇瓣下唇近等长。蒴果椭圆状，长约 1 cm。花期 8 月。

| **生境分布** | 生于海拔 250 ~ 3 100 m 的山坡林下、草丛或沟边。湖北各地均有分布。

| **资源情况** | 药材来源于野生和栽培。

| **采收加工** | **全草**：春、秋季采收，洗净，鲜用或晒干。

| **功能主治** | 补中益气，疏郁，和中。用于病后虚弱，吐泻，疝气。

兰科 Orchidaceae 山珊瑚属 *Galeola*

毛萼山珊瑚

Galeola lindleyana (Hook. f. et Thoms.) Rchb. f.

| 药 材 名 |

毛萼山珊瑚。

| 形态特征 |

高大植物，半灌木状。根茎粗厚，直径 2 ～ 3 cm，疏被卵形鳞片。茎直立，红褐色，基部多少木质化，高 1 ～ 3 m，多少被毛或老时变为秃净，节上具宽卵形鳞片。圆锥花序由顶生与侧生总状花序组成；侧生总状花序一般较短，长 2 ～ 5（～ 10）cm，具数至 10 余花，通常具很短的总花梗；总状花序基部的不育苞片卵状披针形，长 1.5 ～ 2.5 cm，近无毛；花苞片卵形，长 5 ～ 6 mm，背面密被锈色短绒毛；花梗和子房长 1.5 ～ 2 cm，常多少弯曲，密被锈色短绒毛；花黄色，开放后直径可达 3.5 cm；萼片椭圆形至卵状椭圆形，长 1.6 ～ 2 cm，宽 9 ～ 11 mm，背面密被锈色短绒毛并具龙骨状突起；侧萼片常比中萼片略长；花瓣宽卵形至近圆形，略短于中萼片，宽 12 ～ 14 mm，无毛；唇瓣凹陷成杯状，近半球形，不裂，直径约 1.3 cm，边缘具短流苏，内面被乳突状毛，近基部处有一平滑的胼胝体；蕊柱棒状，长约 7 mm；药帽上有乳突状小刺。果实近长圆形，外形似厚荚果，淡棕色，长 8 ~ 12（~ 20）cm，宽 1.7 ~ 2.4 cm；果柄长 1 ~ 1.5 cm；种子周围有宽翅，连翅宽 1 ~ 1.3 mm。花期 5 ~ 8 月，果期 9 ~ 10 月。

| 生境分布 | 生于海拔 740 ~ 2 200 m 的疏林下、稀疏灌丛中、沟谷边腐殖质丰富的湿润多石处。分布于湖北巴东、宣恩、鹤峰、神农架。

| 资源情况 | 药材来源于野生和栽培。

| 采收加工 | **全草**：春、秋季采收，洗净，鲜用或晒干。

| 功能主治 | 祛风除湿，润肺止咳，利尿通淋，消肿，止血开窍。用于风湿骨痛，头痛，眩晕，肢体麻木，肺痨咳嗽，血崩，血痢，肾炎等。

兰科 Orchidaceae 盆距兰属 Gastrochilus

台湾盆距兰 *Gastrochilus formosanus* (Hayata) Hayata

| **药 材 名** | 蜈蚣还阳。

| **形态特征** | 茎常匍匐、细长，长达 37 cm，直径 2 mm，常分枝，节间约 5 mm。叶绿色，常两面带紫红色斑点，2 列互生，稍肉质，长圆形或椭圆形，长 2 ~ 2.5 cm，宽 3 ~ 7 mm，先端急尖。总状花序缩短成伞状，具 2 ~ 3 花；花序梗通常长 1 ~ 1.5 cm；花苞片膜质，长 2 ~ 3 mm，先端急尖；花梗连同子房淡黄色带紫红色斑点；花淡黄色带紫红色斑点；中萼片凹，椭圆形，长 4.8 ~ 5.5（~ 7）mm，宽 2.5 ~ 3.2（~ 4）mm，先端钝；侧萼片与中萼片等大，斜长圆形，先端钝；花瓣倒卵形，长 4 ~ 5 mm，宽 2.8 ~ 3 mm，先端圆形；前唇白色，宽三角形或近半圆形，长 2.2 ~ 3.2 mm，宽 7 ~ 9 mm，先端近截形或圆钝，全缘或稍波状，上面中央的垫状物黄色且密布

乳突状毛；后唇近杯状，长约 5 mm，宽 4 mm，上端的口缘截形并且与前唇几在同一水平面上；蕊柱长 1.5 mm；药帽前端收狭。

| **生境分布** | 生于海拔 500 ~ 2 500 m 的山地林中树干上。分布于湖北神农架。

| **资源情况** | 药材来源于野生和栽培。

| **采收加工** | **全草**：春、秋季采收，洗净，鲜用或晒干。

| **功能主治** | 清热生津，滋阴养胃。用于风湿骨痛，头痛，眩晕，肢体麻木，肺痨咳嗽，血崩，血痢，肾炎等。

兰科 Orchidaceae 天麻属 Gastrodia

天麻 *Gastrodia elata* Bl.

| 药 材 名 |

天麻。

| 形 态 特 征 |

多年生草本。叶互生，嵌迭状排列，剑形，长 20 ～ 60 cm，宽 2 ～ 4 cm，基部鞘状抱茎，先端渐尖，无中脉。花序顶生，叉状分枝，每分枝的先端聚生有数朵花；花梗细，长约 1.5 cm；花梗及花序的分枝处均包有膜质的苞片，苞片披针形或卵圆形；花橙红色，散生紫褐色的斑点，直径 4 ～ 5 cm；花被裂片 6，2 轮排列，外轮花被裂片倒卵形或长椭圆形，长约 2.5 cm，宽约 1 cm，先端钝圆或微凹，基部楔形，内轮花被裂片较外轮花被裂片略短而狭；雄蕊 3，长 1.8 ～ 2 cm，着生于外花被裂片的基部，花药条形，外向开裂，花丝近圆柱形，基部稍扁而宽；花柱上部稍扁，先端 3 裂，裂片边缘略向外卷，有细而短的毛，子房下位，倒卵形，3 室，中轴胎座，胚珠多数。蒴果倒卵形或长椭圆形，黄绿色，长 2.5 ～ 3 cm，直径 1.5 ～ 2.5 cm，先端无喙，常残存有凋萎的花被，成熟时室背开裂，果瓣外翻，中央有直立的果轴；种子圆球形，黑紫色，有光泽，直径约 5 mm，着生在果轴上。花期

6 ~ 8 月，果期 7 ~ 9 月。

| 生境分布 |　生于海拔 400 ~ 3 200 m 的疏林下、林中空地、林缘、灌丛边缘。分布于湖北宜昌、黄冈、恩施、襄阳及神农架等。湖北宜昌、黄冈、襄阳、恩施等有栽培。

| 采收加工 |　**块茎：**冬栽的第 2 年冬季或第 3 年春季采挖，春栽的当年冬季或第 2 年春季采挖。收获后要及时加工，趁鲜先除去泥砂，按大小分级，水煮，150 g 以上的大天麻，煮 10 ~ 15 min，100 ~ 150 g 者煮 7 ~ 10 min，100 g 以下者煮 5 ~ 8 min，等外的煮 5 min，以能透心为度，煮好后放入熏房，用硫黄熏 20 ~ 30 min，后用文火烘烤，炕上温度开始以 50 ~ 60 ℃为宜，至 7 ~ 8 成干时，取出用手压扁，继续上炕，此时温度应在 70 ℃左右，待天麻全干后，立即出炕。

| 功能主治 |　息风止痉，平抑肝阳，祛风通络。用于小儿惊风，癫痫抽搐，破伤风，头痛眩晕，半身不遂，肢体麻木，风湿痹痛。

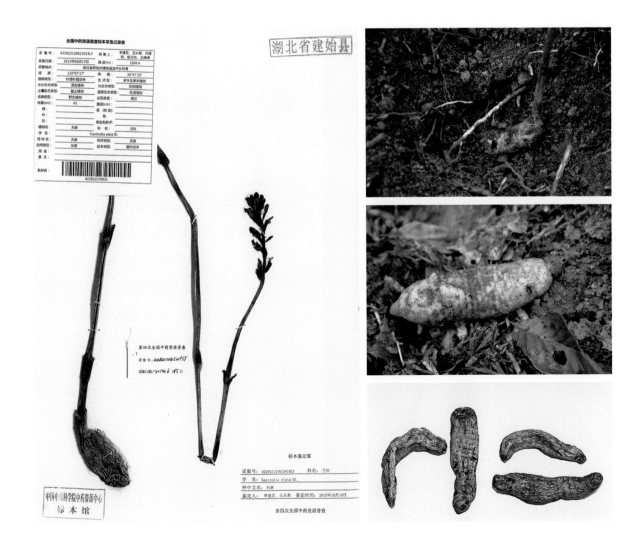

兰科 Orchidaceae 斑叶兰属 Goodyera

小斑叶兰

Goodyera repens (L.) R. Br.

药材名

小斑叶兰。

形态特征

植株高 10 ~ 25 cm。根茎伸长，茎状，匍匐，具节。茎直立，绿色，具 5 ~ 6 叶。叶片卵形或卵状椭圆形，长 1 ~ 2 cm，宽 5 ~ 15 mm，上面深绿色，具白色斑纹，下面淡绿色，先端急尖，基部钝或宽楔形，具柄，叶柄长 5 ~ 10 mm，基部扩大成抱茎的鞘。花茎直立或近直立，被白色腺状柔毛，具 3 ~ 5 鞘状苞片；总状花序具数至 10 余、密生、多少偏向一侧的花，长 4 ~ 15 cm；花苞片披针形，长 5 mm，先端渐尖；子房圆柱状纺锤形，连花梗长 4 mm，被疏腺状柔毛；花小，白色、带绿色或带粉红色，半张开；萼片背面被腺状柔毛，具 1 脉，中萼片卵形或卵状长圆形，长 3 ~ 4 mm，宽 1.2 ~ 1.5 mm，先端钝，与花瓣黏合，呈兜状；侧萼片斜卵形、卵状椭圆形，长 3 ~ 4 mm，宽 1.5 ~ 2.5 mm，先端钝；花瓣斜匙形，无毛，长 3 ~ 4 mm，宽 1 ~ 1.5 mm，先端钝，具 1 脉；唇瓣卵形，长 3 ~ 3.5 mm，基部凹陷呈囊状，宽 2 ~ 2.5 mm，内面无毛，前部短的唇瓣舌状，略外弯；蕊柱短，长

1 ~ 1.5 mm；蕊喙直立，长 1.5 mm，叉状 2 裂；柱头 1，较大，位于蕊喙下。花期 7 ~ 8 月。

| 生境分布 | 生于海拔 700 ~ 3 100 m 的山坡、沟谷林下。分布于湖北竹溪。

| 资源情况 | 药材来源于野生和栽培。

| 采收加工 | **全草**：春、秋季采收，洗净，鲜用或晒干。

| 功能主治 | 补脾益肾，散肿止痛。用于肺痨咳嗽，瘰疬，肺肾虚弱，喘咳，头晕目眩，遗精，阳痿，肾虚腰膝酸痛；外用于痈肿疮毒，毒蛇咬伤。

斑叶兰

Goodyera schlechtendaliana Rchb. f.

| **药 材 名** | 斑叶兰。

| **形态特征** | 植株高 15 ~ 35 cm。根茎伸长，茎状，匍匐，具节。茎直立，绿色，具 4 ~ 6 叶。叶片卵形或卵状披针形，长 3 ~ 8 cm，宽 0.8 ~ 2.5 cm，上面绿色，具白色不规则的点状斑纹，下面淡绿色，先端急尖，基部近圆形或宽楔形，具柄，叶柄长 4 ~ 10 mm，基部扩大成抱茎的鞘。花茎直立，长 10 ~ 28 cm，被长柔毛，具 3 ~ 5 鞘状苞片；总状花序具数至 20 余疏生、近偏向一侧的花；长 8 ~ 20 cm；花苞片披针形，长约 12 mm，宽 4 mm，背面被短柔毛；子房圆柱形，连花梗长 8 ~ 10 mm，被长柔毛；花较小，白色或带粉红色，半张开；萼片背面被柔毛，具 1 脉，中萼片狭椭圆状披针形，长 7 ~ 10 mm，宽 3 ~ 3.5 mm，舟状，先端急尖，与花瓣黏合，呈兜状；侧萼片卵

状披针形，长 7 ~ 9 mm，宽 3.5 ~ 4 mm，先端急尖；花瓣菱状倒披针形，无毛，长 7 ~ 10 mm，宽 2.5 ~ 3 mm，先端钝或稍尖，具 1 脉；唇瓣卵形，长 6 ~ 8.5 mm，基部凹陷呈囊状，宽 3 ~ 4 mm，内面具多数腺毛，前部舌状，略向下弯；蕊柱短，长 3 mm；花药卵形，渐尖；花粉团长约 3 mm；蕊喙直立，长 2 ~ 3 mm，叉状 2 裂；柱头 1，位于蕊喙下。花期 8 ~ 10 月。

| 生境分布 |　生于海拔 500 ~ 2 800 m 的山坡或沟谷阔叶林下。分布于湖北秭归、通城、利川、神农架。

| 资源情况 |　药材来源于野生和栽培。

| 采收加工 |　**全草**：春、秋季采收，洗净，鲜用或晒干。

| 功能主治 |　润肺止咳，补肾益气，行气活血，消肿解毒。用于肺痨咳嗽，气管炎，头晕乏力，神经衰弱，阳痿，跌打损伤，骨节疼痛，咽喉肿痛，乳痈，疮疖，瘰疬，毒蛇咬伤。

兰科 Orchidaceae 手参属 Gymnadenia

西南手参

Gymnadenia orchidis Lindl.

|药材名|

西南手参。

|形态特征|

植株高 17 ~ 35 cm。块茎卵状椭圆形，长 1 ~ 3 cm，肉质，下部掌状分裂，裂片细长。茎直立，较粗壮，圆柱形，基部具 2 ~ 3 筒状鞘，其上具 3 ~ 5 叶，上部具 1 至数枚苞片状小叶。叶片椭圆形或椭圆状长圆形，长 4 ~ 16 cm，宽（2.5 ~）3 ~ 4.5 cm，先端钝或急尖，基部收狭成抱茎的鞘。总状花序具多数密生的花，圆柱形，长 4 ~ 14 cm；花苞片披针形，直立伸展，先端渐尖，不成尾状，最下部的花苞片明显长于花；子房纺锤形，顶部稍弧曲，连花梗长 7 ~ 8 mm；花紫红色或粉红色，极稀带白色；中萼片直立，卵形，长 3 ~ 5 mm，宽 2 ~ 3.5 mm，先端钝，具 3 脉；侧萼片反折，斜卵形，较中萼片稍长和宽，边缘向外卷，先端钝，具 3 脉，前面 1 脉常具支脉；花瓣直立，斜宽卵状三角形，与中萼片等长且较宽，较侧萼片稍狭，边缘具波状齿，先端钝，具 3 脉，前面的 1 脉常具支脉；唇瓣向前伸展，宽倒卵形，长 3 ~ 5 mm，前部 3 裂，中裂片较侧裂片稍大或等大，三角形，先端钝或稍尖；

距细而长，狭圆筒形，下垂，长 7 ~ 10 mm，稍向前弯，向末端略增粗或稍渐狭，通常长于或等长于子房；花粉团卵球形，具细长的柄和黏盘，黏盘披针形。花期 7 ~ 9 月。

| 生境分布 | 生于海拔 3 000 ~ 3 100 m 的山坡林下东北部草地上。分布于湖北兴山。

| 资源情况 | 药材来源于野生和栽培。

| 采收加工 | **全草或根及根茎：**春、秋季采收，洗净，鲜用或晒干。

| 功能主治 | 滋养，生津，止血。用于久病体虚，肺虚咳嗽，失血，久泻，阳痿。

兰科 Orchidaceae 玉凤花属 Habenaria

毛葶玉凤花

Habenaria ciliolaris Kraenzl.

| **药 材 名** | 毛葶玉凤花。

| **形态特征** | 植株高 25 ~ 60 cm。块茎肉质，长椭圆形或长圆形，长 3 ~ 5 cm，直径 1.5 ~ 2.5 cm。茎粗，直立，圆柱形，近中部具 5 ~ 6 叶，向上有 5 ~ 10 疏生的苞片状小叶。叶片椭圆状披针形、倒卵状匙形或长椭圆形，长 5 ~ 16 cm，宽 2 ~ 5 cm，先端渐尖或急尖，基部收狭抱茎。总状花序具 6 ~ 15 花，长 9 ~ 23 cm，花葶具棱，棱上具长柔毛；花苞片卵形，长 13 ~ 15 mm，先端渐尖，边缘具缘毛，较子房短；子房圆柱状纺锤形，扭转，具棱，棱上有细齿，连花梗长 23 ~ 25 mm，先端弯曲，具喙；花白色或绿白色，稀带粉色，中等大；中萼片宽卵形，凹陷，兜状，长 6 ~ 9 mm，宽 5.5 ~ 8 mm，先端急尖或稍钝，近顶部边缘具睫毛，具 5 脉，背面具 3 片状具细

齿或近全缘的龙骨状突起，与花瓣靠合，呈兜状；侧萼片反折，强烈偏斜，卵形，长 6.5 ～ 10 mm，宽 4 ～ 7 mm，具 3 ～ 4 弯曲的脉，前部边缘凸出，宽圆形，先端急尖；花瓣直立，斜披针形，不裂，长 6 ～ 7 mm，基部宽 2 ～ 3 mm，先端渐尖或长渐尖，具 1 脉，外侧增厚；唇瓣较萼片长，基部 3 深裂，裂片极狭窄，丝状，并行，向上弯曲，中裂片长 16 ～ 18 mm，下垂，基部无胼胝体；侧裂片长 20 ～ 22 mm；距圆筒状棒形，长 21 ～ 27 mm，向末端逐渐或突然膨大，下垂，中部明显向前弯曲或前部稍弯曲，稍长于或短于子房，末端钝；药室基部伸长的沟与蕊喙臂伸长的沟靠合成细的管，管前伸，长约 2 mm，稍向上弯；柱头 2，隆起，长圆形，长约 1.5 mm。花期 7 ～ 9 月。

| 生境分布 | 生于海拔 140 ～ 1 800 m 的山坡或沟边林下背阴处。湖北有分布。

| 资源情况 | 药材来源于野生和栽培。

| 采收加工 | **块茎：**春、秋季采收，去净茎叶和须根，洗净，晒干。

| 功能主治 | 补肾壮阳，解毒消肿。用于阳痿，遗精，小便涩痛，疝气；外用于毒蛇咬伤。

兰科 Orchidaceae 玉凤花属 Habenaria

长距玉凤花 *Habenaria davidii* Franch.

| 药 材 名 |

双肾草。

| 形态特征 |

植株高 65 ~ 75 cm，干后变成黑色。块茎肉质，长圆形，长 2 ~ 5 cm，直径 0.8 ~ 1.5 cm。茎粗壮，直立，圆柱形，直径 4 ~ 6 mm，具 5 ~ 7 叶。叶片卵形或卵状长圆形至长圆状披针形，长 5 ~ 12 cm，宽 1.5 ~ 4.5 cm，先端渐尖，基部抱茎，向上逐渐变小。总状花序具 4 ~ 15 花，长 4 ~ 21 cm；花苞片披针形，长达 4.5 cm，宽约 1 cm，先端渐尖，下部的花苞片长于子房；子房圆柱形，扭转，无毛，连花梗长 2.5 ~ 3.5 cm；花大，绿白色或白色；萼片淡绿色或白色，边缘具缘毛，中萼片长圆形，直立，凹陷呈舟状，长 1.5 ~ 1.8 mm，宽 6 ~ 7 mm，先端钝，具 5 脉；侧萼片反折，斜卵状披针形，长 1.7 ~ 2 cm，宽 6 ~ 8 mm，先端渐尖，具 5 ~ 7脉；花瓣白色，直立，斜披针形，近镰状，不裂，外侧边缘不凸出，长 1.4 ~ 1.7 cm，宽 3 ~ 4 mm，先端近急尖，具 3 ~ 5 脉，边缘具缘毛，与中萼片靠合，呈兜状；唇瓣白色或淡黄色，长 2.5 ~ 3 cm，基部不裂，在基部以上 3 深裂，裂片具缘毛；中裂片线形，长 20 ~ 25 mm，先端急尖，与侧裂片近等长；侧裂片线形，外侧边缘为篦齿状深裂，细裂片 7 ~ 10，丝状；距细圆筒状，下垂，长 4.5 ~ 6.5 cm，稍弯曲，末端稍膨大而钝，较子房长，甚至超出子房近 1 倍；花药直立；药隔顶部平截，宽 4 mm，药室叉开，伸长；花粉团狭椭圆形，长 4 mm，具线形、长 5 mm 且向上弯的柄和黏盘，黏盘小，近圆形；柱头的突起物细长，棒状，长 5 mm，约与药室等长，前部镰状膨大，且向上弯曲；退化雄蕊小，长椭圆形。花期 6 ~ 8 月。

| 生境分布 | 生于海拔 800 ~ 3 100 m 的山坡林下、灌丛下或草地。湖北有分布。

| 资源情况 | 药材来源于野生和栽培。

| 采收加工 | **块茎：**春、秋季采收，去净茎叶和须根，洗净，晒干。

| 功能主治 | 补肾，止带，活血。用于肾虚腰痛，带下过多，跌打损伤。

兰科 Orchidaceae 玉凤花属 Habenaria

裂瓣玉凤花
Habenaria petelotii Gagnep.

| 药 材 名 |

单肾草。

| 形 态 特 征 |

植株高 35 ~ 60 cm。块茎长圆形，肉质，长 3 ~ 4 cm，直径 1 ~ 2 cm。茎粗壮，圆柱形，直立，中部集生 5 ~ 6 叶，向下具多枚筒状鞘，向上具多枚苞片状小叶。叶片椭圆形或椭圆状披针形，长 3 ~ 15 cm，宽 2 ~ 4 cm，先端渐尖，基部收狭成抱茎的鞘。花茎无毛；总状花序具 3 ~ 12 疏生的花，长 4 ~ 12 cm；花苞片狭披针形，长达 15 mm，宽 3 ~ 4 mm，先端渐尖；子房圆柱状纺锤形，扭转，稍弧曲，无毛，连花梗长 1.5 ~ 3 cm；花淡绿色或白色，中等大；中萼片卵形，凹陷，呈兜状，长 10 ~ 12 mm，宽约 6 mm，先端渐尖，具 3 脉；侧萼片极张开，长圆状卵形，长 11 ~ 13 mm，宽约 6 mm，先端渐尖，具 3 脉；花瓣从基部 2 深裂，裂片线形，近等宽，宽 1.5 ~ 2 mm，叉开，边缘具缘毛，上裂片直立，与中萼片并行，长 14 ~ 16 mm；下裂片与唇瓣的侧裂片并行，长达 20 mm；唇瓣基部之上 3 深裂，裂片线形，近等长，长 15 ~ 20 mm，宽 1.5 ~ 2 mm，边缘具缘毛；距圆筒状棒形，下垂，长 1.3 ~ 2.5 cm，稍向前弯曲，中部以下向末端增粗，末端钝；药室基部伸长的沟与蕊喙臂伸长的沟靠合成细的管，管劲直，长约 3 mm；柱头 2 突起，长圆形，长 2 mm。花期 7 ~ 9 月。

| 生境分布 | 生于海拔 320 ~ 1 600 m 的山坡或沟谷林下。湖北有分布。

| 资源情况 | 药材来源于野生和栽培。

| 采收加工 | **块茎：** 夏、秋季采收，除去茎叶及须根，洗净，晒干。

| 功能主治 | 补肾清肺。用于肾虚腰痛，阳痿，小儿遗尿，疝气，肺热咳嗽。

兰科 Orchidaceae 瘦房兰属 *Ischnogyne*

瘦房兰
Ischnogyne mandarinorum (Kraenzl.) Schltr.

| 药 材 名 | 瘦房兰。

| 形态特征 | 多年生草本。假鳞茎近圆柱形，上部稍变细，长 1.5 ~ 3 cm，直径 2.5 ~ 3.5 mm，上部 1/3 弯曲成钩状，干后褐色，有许多纵皱纹。叶近直立，狭椭圆形，薄革质，长 4 ~ 7 cm，宽 1.2 ~ 1.5 cm，先端钝或急尖；叶柄长 1 ~ 2 cm。花葶（连花）长 5 ~ 7 cm，抽出时其所着生的假鳞茎尚幼嫩，先端具 1 花；花苞片膜质，卵形，长 5 ~ 7 mm；花梗和子房长 1 ~ 2 cm；花白色，较大；萼片线状披针形，长 2.8 ~ 3.2 cm，宽 3 ~ 3.5 mm；侧萼片基部延伸的囊长约 3 mm；花瓣与萼片相似，但稍短，宽约 2.5 mm；唇瓣长约 3 cm，上部宽

约 8 mm，向基部渐狭，先端 3 裂而略似肩状；侧裂片小；中裂片近方形，先端截形而略有凹缺和细尖，基部有 2 紫色小斑块；唇瓣基部的距长约 3 mm，宽约 1.5 mm，蕊柱长约 2.5 mm，下部的翅宽不到 0.5 mm，上部的翅一侧宽可达 2.5 mm。蒴果椭圆形，长 1.6 ~ 2 cm，宽 7 ~ 9 mm。花期 5 ~ 6 月，果期 7 ~ 8 月。

| **生境分布** | 生于海拔 700 ~ 1 500 m 的林下或沟谷旁的岩石上。分布于湖北西部。

| **资源情况** | 药材来源于野生和栽培。

| **采收加工** | **全草**：夏、秋季采收，鲜用或晒干。

| **功能主治** | 滋阴，清热，养胃生津，润肺止咳。用于阴虚燥热，咽干舌燥，小儿高热烦渴，咳嗽，跌打损伤，肺痨咳嗽，支气管炎。

兰科 Orchidaceae 羊耳蒜属 Liparis

镰翅羊耳蒜 *Liparis bootanensis* Griff

| 药 材 名 |

镰翅羊耳蒜。

| 形态特征 |

多年生附生草本。假鳞茎密集，卵形、卵状长圆形或狭卵状圆柱形，长 0.8 ~ 1.8（~ 3）cm，直径 4 ~ 8 mm，先端生 1 叶。叶片近革质，狭长圆状倒披针形、倒披针形至近狭椭圆状长圆形，长 12 ~ 25 cm，宽 2 ~ 3 cm，先端急尖，基部收狭成柄，有关节；叶柄长 1 ~ 7（~ 10）cm。花葶近等长于叶；花序梗略压扁，两侧具很狭的翅，下部无不育苞片；总状花序外弯或下垂，长 5 ~ 12 cm，具数至 20 余花；花苞片狭披针形，长 3 ~ 8（~ 13）mm；花梗和子房长 4 ~ 15 mm；花通常黄绿色，有时稍带褐色，较少近白色；中萼片近长圆形，长 3.5 ~ 6 mm，宽 1.3 ~ 1.8 mm，先端钝；侧萼片与中萼片近等长，但略宽；花瓣狭线形，长 3.5 ~ 6 mm，宽 0.4 ~ 0.7 mm；唇瓣近宽长圆状倒卵形，长 3 ~ 6 mm，上部宽 2.5 ~ 5.5 mm，先端近截形并有凹缺或短尖，通常整个前缘有不规则细齿，基部有 2 胼胝体，有时 2 胼胝体基部合生为一；蕊柱长约 3 mm，稍向前弯曲，上部两侧各有 1 翅；翅宽约 1 mm（一侧），通常在前部下弯成钩状或镰状，较少钩或镰不甚明显。蒴果倒卵状椭圆形，长 8 ~ 10 mm，宽 5 ~ 6 mm；果柄长 8 ~ 10 mm。花期 8 ~ 10 月，果期 3 ~ 5 月。

| **生境分布** | 生于海拔 800 ~ 2 300 m 的林缘、林中或山谷背阴处的树上或岩壁上。湖北有分布。

| **资源情况** | 药材来源于野生和栽培。

| **采收加工** | **全草**：夏、秋季采收，鲜用或切段晒干。

| **功能主治** | 解毒，利湿，润肺止咳。用于肺热咳嗽，月经过多，痰中带血，风湿腰腿痛等。

兰科 Orchidaceae 羊耳蒜属 Liparis

二褶羊耳蒜 *Liparis cathcartii* Hook. f.

| 药 材 名 | 二褶羊耳蒜。

| 形态特征 | 茎地生草本。高 15 cm 左右。假鳞茎较小，卵形，长 5 ~ 6 mm，宽 4 ~ 5 mm，外被白色的薄膜质鞘。叶 2，近对生，椭圆形、卵形或卵状长圆形，长 3.5 ~ 8 cm，宽 1.7 ~ 4 cm，先端急尖或钝，边缘稍皱波状或近全缘，基部收狭并下延成鞘状柄，无关节；鞘状柄长 2 ~ 5.5 cm，多少围抱花葶基部或下部。花葶长 7 ~ 25 cm；花序梗略呈扁圆柱形，两侧具狭翅；总状花序顶生，具数至 10 余花；花苞片很小，卵状三角形，长约 1 mm，直立；花梗和子房长 7 ~ 8 mm；花粉红色，偶见绿色与紫色；萼片狭长圆形，长 7 ~ 9 mm，宽约 2.5 mm，先端钝，具不明显的 3 脉；侧萼片稍斜歪；花瓣近丝状；长 7 ~ 9 mm，宽约 0.4 mm，具 1 脉；唇瓣倒卵形至椭圆状倒卵形，

长 8 ~ 9 mm，宽 7 ~ 8 mm，先端圆形，先端近截形并有短尖，边缘具不规则齿缺，基部收狭，通常有 2 短的纵褶片与不明显的胼胝体相连，较少纵褶片不明显；蕊柱长 3 ~ 3.5 mm，向前弯曲，先端有翅，基部扩大而肥厚。蒴果倒卵状长圆形，长 1.1 ~ 1.3 mm，宽约 5 mm；果柄长 6 ~ 9 mm。花期 6 ~ 7 月，果期 10 月。

| **生境分布** | 生于海拔 1 900 ~ 2 100 m 的山谷旁湿润处或草地上。湖北有分布。

| **资源情况** | 药材来源于野生和栽培。

| **采收加工** | **全草**：春、秋季采收，洗净，鲜用或晒干。

| **功能主治** | 凉血止血，清热解毒。用于咯血，吐血，肠风便血，血崩，小儿惊风，热毒疮疡，疮伤出血。

兰科 Orchidaceae 羊耳蒜属 Liparis

小羊耳蒜
Liparis fargesii Finet

| 药 材 名 | 小羊耳蒜。

| 形 态 特 征 | 附生草本。假鳞茎近圆柱形，长 7 ～ 14 mm，直径约 3 mm，平卧，新假鳞茎发自老假鳞茎近先端的下方，彼此相连接而匍匐于岩石上，先端具 1 叶。叶椭圆形或长圆形，坚纸质，长 1 ～ 2 (～ 3) cm，宽 5 ～ 8 mm，先端浑圆或钝，基部骤然收狭成柄，有关节；叶柄长 3 ～ 6 mm。花葶长 2 ～ 4 cm；花序梗扁圆柱形，两侧具狭翅；总状花序长 1 ～ 2 cm，通常具 2 ～ 3 花；花苞片很小，狭披针形，长 1 ～ 1.8 mm；花梗和子房长 8 ～ 9 mm；花淡绿色；萼片线状披针形，长 5 ～ 6 mm，宽 1.2 ～ 1.4 mm，先端钝，边缘常外卷，具 1 脉；花瓣狭线形，长 5 ～ 6 mm，宽约 0.3 mm；唇瓣近长圆形，中部略缢缩而呈提琴形，长 4 ～ 5 mm，上部宽 2.5 ～ 3 mm，先端近截形并微凹，

凹缺中央有时有细尖，基部无胼胝体但略增厚；蕊柱长 3 ~ 3.5 mm，稍向前弯曲，上端有狭翅。蒴果倒卵形，长 6 ~ 7 mm，宽 3 ~ 4 mm；果柄长 6 ~ 7 mm。花期 9 ~ 10 月，果期翌年 5 ~ 6 月。

| **生境分布** | 生于海拔 300 ~ 1 400 m 的林中或背阴处的石壁或岩石上。分布于湖北兴山、神农架。

| **资源情况** | 药材来源于野生和栽培。

| **采收加工** | **全草**：夏、秋季采收，洗净，鲜用或切段晒干。

| **功能主治** | 清热润肺，健脾消食，舒筋活血，止咳止血。用于肺结核咳嗽，风热咳嗽，百日咳，小儿惊风，低血糖，疳积，月经不调，外伤出血，风湿麻木，劳伤身痛，跌打损伤。

兰科 Orchidaceae 羊耳蒜属 Liparis

羊耳蒜 *Liparis japonica* (Miq.) Maxim.

| 药 材 名 | 羊耳蒜。

| 形态特征 | 多年生草本。全株无毛。假鳞茎卵球形，外被膜质的白色鞘，下部
具多数须根，如蒜头状，长 6 ~ 12 mm。基生叶 2，基部抱合而近对生；
叶片狭卵形或卵状椭圆形，长 7 ~ 13 cm，宽 4 ~ 6 cm，基部渐狭，
先端钝尖头，下延成鞘状抱茎。花葶有 2 叶轴具翅；苞片膜质，鳞
片状，钝头，长 1 ~ 1.5 mm；萼片长卵状披针形，长 8 ~ 9 mm，
先端稍钝；花淡绿色，花瓣线形，与萼片等长，唇瓣较大，倒卵形，
长 8 ~ 13 mm，不分裂，平坦，中部稍缢缩，其余花被片均较狭窄；
蕊柱稍弯曲，先端翅钝圆，基部膨大凸出；子房细长，基部渐狭缩
成柄，扭转，柱头长 2.5 mm。蒴果长倒卵状披针形，长达 1.2 cm，
果柄长约 1 mm。

| **生境分布** | 生于海拔 2 400 ~ 2 600 m 的常绿阔叶林、松林及灌丛中。湖北有分布。 |

| **资源情况** | 药材来源于野生和栽培。 |

| **采收加工** | **全草**：夏、秋季采收，洗净，鲜用或切段晒干。 |

| **功能主治** | 活血止血，消肿止痛。用于崩漏，产后腹痛，带下过多，扁桃体炎，跌打损伤，烧伤。 |

兰科 Orchidaceae 羊耳蒜属 *Liparis*

香花羊耳蒜 *Liparis odorata* (Willd.) Lindl.

| 药 材 名 | 二仙桃。

| 形态特征 | 地生草本。假鳞茎近卵形，长 1.3 ~ 2.2 cm，被白色薄膜质鞘。叶 2 ~ 3，近直立或斜立，窄椭圆形或长圆状披针形，膜质或草质，长 6 ~ 17 cm，宽 2.5 ~ 6 cm，基部为鞘状柄，无关节。花葶长达 40 cm，花序疏生数至 10 余花；苞片常平展，长 4 ~ 6 mm；花绿黄色或淡绿褐色；中萼片线形，长 7 ~ 8 mm，宽约 1.5 mm，边缘外卷，侧萼片卵状长圆形，稍斜歪，长 6 ~ 7 mm；花瓣近窄线形，长 6 ~ 7 mm，宽约 0.8 mm，边缘外卷，唇瓣倒卵状长圆形，长约 5.5 mm，先端近平截，微凹，上部有细齿，近基部有 2 三角形胼胝体，高约 0.8 mm；蕊柱长约 4.5 mm，两侧有窄翅，向上翅渐宽。蒴果倒卵状长圆形或椭圆形，长 1 ~ 1.5 cm。花期 4 ~ 7 月，果期 10 月。

| **生境分布** | 生于海拔 600 ~ 3 100 m 的林下、疏林下或山坡草丛中。分布于湖北巴东。 |

| **资源情况** | 药材来源于野生和栽培。 |

| **采收加工** | **全草**：夏、秋季采收，切段，晒干。 |

| **功能主治** | 清热解毒，消肿，祛风除湿。用于疮痈肿毒，风寒湿痹，带下，腰痛，咳嗽。 |

兰科 Orchidaceae 钗子股属 Luisia

纤叶钗子股 *Luisia hancockii* Rolfe

| 药 材 名 |

纤叶钗子股。

| 形态特征 |

茎直立或斜立，质坚硬，圆柱形，长达 20 cm，直径 3 ~ 4 mm，具多节，节间长 1.5 ~ 2 cm。叶肉质，疏生而斜立，圆柱形，长 5 ~ 9 cm，宽 2 ~ 2.5 mm，先端钝，基部具 1 关节和抱茎的鞘。总状花序与叶对生，近直立或斜立，长 1 ~ 1.5 cm，花序梗基部具 2 ~ 4 宽卵状的鳞片鞘；花序轴粗壮，通常具 2 ~ 3 花；花苞片肉质，宽卵形，长 1.5 ~ 2 cm，先端钝；花梗和子房长 1 ~ 1.2 cm；花肉质，开展，萼片和花瓣黄绿色；中萼片倒卵状长圆形，长约 6 mm，宽 3 mm，先端钝，具 3 脉，仅中脉到达先端；侧萼片长圆形，对折，长 7 mm，宽 3 mm，先端钝，具 3 脉，在背面龙骨状的中肋近先端处呈翅状；花瓣稍斜长圆形，长约 6 mm，宽 3 mm，先端钝，具 3 脉；唇瓣近卵状长圆形，长 7 mm，基部宽 4 mm，前、后唇无明显的界线；后唇稍凹，基部具长 0.5 mm 的圆耳；前唇紫色，先端凹缺，边缘具圆齿或波状，上面具 4 带疣状突起的纵脊；蕊柱长约 2 mm；药帽前端稍伸长成翘起的三角形；花粉团近球形，直径约 1 mm；黏盘质厚，横长圆形，长 1.6 mm；黏盘柄倒卵形，长约 1 mm。蒴果椭圆状圆柱形，长 1.5 ~ 2 cm。花期 5 ~ 6 月，果期 8 月。

| 生境分布 | 生于海拔 200 m 或更高的山谷崖壁上或山地疏林中树干上。分布于湖北远安。

| 资源情况 | 药材来源于野生和栽培。

| 采收加工 | **全草**：春、秋季采收，洗净，鲜用或晒干。

| 功能主治 | 散风祛痰，解毒消肿。用于风湿性关节炎，胸胁受伤，痈肿，喉头炎。

兰科 Orchidaceae 山兰属 Oreorchis

山兰

Oreorchis patens (Lindl.) Lindl.

|药材名|

冰球子。

|形态特征|

假鳞茎卵球形至近椭圆形，长 1 ~ 2 cm，直径 0.5 ~ 1.5 cm，具 2 ~ 3 节，常以短的根茎相连接，外被撕裂成纤维状的鞘。叶通常 1，稀 2，生于假鳞茎先端，线形或狭披针形，长 13 ~ 30 cm，宽（0.4 ~ ）1 ~ 2 cm，先端渐尖，基部收狭为柄；叶柄长 3 ~ 5（~ 8）cm。花葶从假鳞茎侧面发出，直立，长 20 ~ 52 cm，中下部有 2 ~ 3 筒状鞘；总状花序长 4.5 ~ 15.5 cm，疏生数至 10 余花；花苞片狭披针形，长 2.5 ~ 5 mm；花梗和子房长 8 ~ 12 mm；花黄褐色至淡黄色，唇瓣白色并有紫斑；萼片狭长圆形，长 7 ~ 9 mm，宽 1.5 ~ 2 mm，先端略钝；侧萼片稍镰状弯曲；花瓣狭长圆形，长 7 ~ 8 mm，宽 1.5 ~ 1.8 mm，稍状弯镰曲；唇瓣长 6.5 ~ 8.5 mm，3 裂，基部有短爪；侧裂片线形，稍内弯，长约 3 mm，宽约 0.7 mm，先端钝；中裂片近倒卵形，长 5.5 ~ 7 mm，上部宽 5 ~ 5.5 mm，边缘有不规则缺刻；唇盘上有 2 肥厚纵褶片，从近基部延伸至中部，亦即到达中裂片的下部

2/5 处；蕊柱长 4 ~ 5 mm，基部肥厚并多少扩大。蒴果长圆形，长约 1.5 cm，宽约 7 mm。花期 6 ~ 7 月，果期 9 ~ 10 月。

| **生境分布** | 生于海拔 1 000 ~ 3 000 m 的林下、林缘、灌丛中、草地上或沟谷旁。湖北有分布。

| **资源情况** | 药材来源于野生和栽培。

| **采收加工** | **假鳞茎：**春季采收，鲜用或晒干。

| **功能主治** | 清热解毒，消肿散结。用于痈疽疮肿，无名肿毒，瘰疬。

兰科 Orchidaceae 阔蕊兰属 *Peristylus*

阔蕊兰

Peristylus goodyeroides (D. Don) Lindl.

| 药 材 名 | 阔蕊兰。

| 形态特征 | 植株高 30 ~ 90 cm。块茎长圆形或长圆状倒卵形，长 2 ~ 4 cm，直径 1 ~ 2.5 cm。茎细长，无毛，近基部具 2 ~ 3 筒状鞘，仅中部具叶，在叶之上常具 1 至数枚披针形的苞片状小叶。叶 4 ~ 6，稍疏生或集生，叶片椭圆形或卵状披针形，干时边缘具狭的黄白色镶边，长 3.5 ~ 17 cm，宽 2.5 ~ 6.5 cm，先端钝尖或急尖，基部收狭成抱茎的鞘。总状花序具 20 ~ 40 或更多密生的花，圆柱状，长 7 ~ 21 cm；花苞片披针形，长 1 ~ 1.5 cm，先端渐尖，与子房等长，下部的花苞片有时长于花；子房细长，圆柱状，扭转，无毛，连花梗长 8 ~ 10 mm；花较小，绿色或淡绿色至白色；中萼片卵状披针形、卵形至阔卵形，直立，稍弧曲，凹陷，长 4 ~ 5.5（~ 5.75）mm，

宽 2.5 ~ 3 (~ 3.5) mm，先端钝，具 1 脉；侧萼片斜长圆形，张开，长 4 ~
5.5 mm，宽 2 ~ 2.8 mm，具 1 脉；花瓣直立，伸展或稍张开，斜宽卵形，稍肉质，
上部较厚，较萼片厚，长 4 ~ 5.5 mm，宽 3 ~ 4 (~ 5) mm，基部凹陷，先端钝，
具 2 ~ 3 脉，侧脉常有支脉；唇瓣倒卵状长圆形，向前伸展，中部以上常向后弯，
稍肉质，较厚，长 4 ~ 5 (~ 6.25) mm，宽 3.5 ~ 4 mm，3 浅裂，裂片三角形，
近等长，中裂片较侧裂片稍宽，基部具球状距，距口前缘具 1 色较深、纵向隆
起呈狭三角形的蜜腺；距长约 2 mm，直径约 1.5 mm，颈部收狭；蕊柱粗短，直
立；药室并行，下部不延长成沟；花粉团具短的花粉团柄和黏盘；黏盘小，椭圆
形，裸露，贴生于蕊喙的短臂上；蕊喙小，三角形，两侧稍延伸成短臂；柱头 2，
隆起，棒状，从蕊喙下向外斜伸，贴生于唇瓣基部两侧边缘上，叉开；退化雄
蕊 2，长圆形，具柄，长达 2 mm，先端膨大，向前伸展，张开，位于柱头的上方。
花期 6 ~ 8 月。

| 生境分布 | 生于海拔 500 ~ 2 300 m 的山坡阔叶林下、灌丛下、山坡草地或山脚路旁。湖
北有分布。

| 功能主治 | 清热消肿，补肾壮阳，利尿。用于眩晕，乳痈，阳痿，遗精，小儿疝气，劳伤。

兰科 Orchidaceae 鹤顶兰属 Phaius

黄花鹤顶兰 *Phaius flavus* (Bl.) Lindl

| **药 材 名** | 黄花鹤顶兰。

| **形态特征** | 假鳞茎卵状圆锥形，通常长 5 ~ 6 cm，直径 2.5 ~ 4 cm，具 2 ~ 3 节，被鞘。叶 4 ~ 6，紧密互生于假鳞茎上部，通常具黄色斑块，长椭圆形或椭圆状披针形，长 25 cm 以上，宽 5 ~ 10 cm，先端渐尖或急尖，基部收狭为长柄，具 5 ~ 7 在背面隆起的脉，两面无毛，叶柄以下为互相包卷而形成假茎的鞘。花葶 1 ~ 2，从假鳞茎基部或基部上方的节上发出，直立，粗壮，圆柱形或多少扁圆柱形，不高出叶层外，长达 75 cm，不分枝或基部偶具分枝，无毛，疏生数枚长约 3 cm 的膜质鞘；总状花序长达 20 cm，具数至 20 花；花苞片宿存，大而宽，披针形，长达 3 cm，先端钝，膜质，无毛；花梗和子房长约 3 cm；花柠檬黄色，上举，不甚张开，干后变靛蓝色；中

萼片长圆状倒卵形，长 3 ~ 4 cm，宽 8 ~ 12 mm，先端钝，基部收狭，具 7 脉，无毛；侧萼片斜长圆形，与中萼片等长，但稍狭，先端钝，具 7 脉，无毛；花瓣长圆状倒披针形，约等长于萼片，比萼片狭或稍宽，先端钝，具 7 脉，无毛；唇瓣贴生于蕊柱基部，与蕊柱分离，倒卵形，长 2.5 cm，宽约 2.2 cm，前端 3 裂，两面无毛；侧裂片近倒卵形，围抱蕊柱，先端圆形；中裂片近圆形，稍反卷，宽约 1.2 cm，先端微凹，前端边缘褐色并具波状折皱；唇盘具 3 ~ 4 稍隆起的脊突；脊突褐色；距白色，长 7 ~ 8 mm，直径约 2 mm，末端钝；蕊柱白色，纤细，长约 2 cm，上端扩大，正面两侧密被白色长柔毛；蕊喙肉质，半圆形，宽 2 ~ 2.5 mm；药帽白色，在前端不伸长，先端锐尖；药床宽大；花粉团卵形，近等大，长 2 mm。花期 4 ~ 10 月。

| **生境分布** | 生于海拔 300 ~ 2 500 m 的山坡林下阴湿处。湖北有分布。

| **资源情况** | 药材来源于野生和栽培。

| **采收加工** | **假鳞茎：**春、夏季采收，洗净，鲜用或晒干。

| **功能主治** | 清热止咳，活血止血。用于咳嗽，痰多咯血，外伤出血。

兰科 Orchidaceae 蝴蝶兰属 Phalaenopsis

蝴蝶兰
Phalaenopsis aphrodite H. G. Reichenbach

| 药 材 名 | 蝴蝶兰、扁竹根。

| 形态特征 | 茎很短，常被叶鞘所包；叶 3 ~ 4 或更多，椭圆形或镰状长圆形，长 10 ~ 20 cm，宽 3 ~ 6 cm；花葶长达 50 cm，花序梗直径 4 ~ 5 mm，花序轴稍回折状；花白色，美丽；中萼片近椭圆形，长约

3 cm，基部稍窄，侧萼片斜卵形，长 2.6 ～ 3.5 cm，基部贴生蕊柱足；花瓣菱状圆形，长 2.7 ～ 3.4 cm，先端圆，具短爪，唇瓣具长 7 ～ 9 mm 的爪，侧裂片倒卵形，长 2 cm，基部窄，具红色斑点或细纹，中裂片菱形，长 1.5 ～ 2.8 cm，宽 1.4 ～ 1.7 cm，先端渐尖，具 2 卷须，基部具黄色肉突：蕊柱长约 1 cm，蕊柱足宽；每个花粉团裂为不等大 2 片。花期 4 ～ 6 月。

| 生境分布 | 生于低海拔的热带和亚热带的丛林树干上。湖北有分布。

| 资源情况 | 药材来源于野生和栽培。

| 采收加工 | **蝴蝶兰**：夏、秋季采收，鲜用或晒干。
扁竹根：全年均可采收，洗净，晒干。

| 功能主治 | **蝴蝶兰**：疏风解表，舒筋活络，接骨止痛。用于感冒发热，头痛，风湿痹痛，跌打损伤，骨折。
扁竹根：消食，杀虫，清热，通便。用于食积腹胀，蛔虫腹痛，牙痛，喉蛾，大便不通。

兰科 Orchidaceae 石仙桃属 Pholidota

云南石仙桃 *Pholidota yunnanensis* Rolfe

| 药 材 名 |

云南石仙桃。

| 形态特征 |

根茎匍匐、分枝，直径 4 ~ 6 mm，密被箨状鞘，通常相距 1 ~ 3 cm 生假鳞茎；假鳞茎近圆柱状，向先端略收狭，长（1.5 ~）2 ~ 5 cm，宽 6 ~ 8 mm，幼嫩时为箨状鞘所包，先端生 2 叶。叶披针形，坚纸质，长 6 ~ 15 cm，宽 7 ~ 18（~ 25）mm，具折扇状脉，先端略钝，基部渐狭成短柄。花葶生于幼嫩假鳞茎先端，连同幼叶从靠近老假鳞茎基部的根茎上发出，长 7 ~ 9（~ 12）cm；总状花序具 15 ~ 20 花；花序轴有时在近基部处略左右曲折；花苞片在花期逐渐脱落，卵状菱形，长 6 ~ 8 mm，宽 4.5 ~ 5.5 mm；花梗和子房长 3.5 ~ 5 mm；花白色或浅肉色，直径 3 ~ 4 mm；中萼片宽卵状椭圆形或卵状长圆形，长 3.2 ~ 3.8 mm，宽 2 ~ 2.5 mm，稍凹陷，背面略有龙骨状突起；侧萼片宽卵状披针形，略狭于中萼片，凹陷成舟状，背面有明显的龙骨状突起；花瓣与中萼片相似，但不凹陷，背面无龙骨状突起；唇瓣长圆状倒卵形，略长于萼片，宽约 3 mm，先端近截形或钝，常有不明显的凹缺，近基部稍缢缩并凹陷成一杯状或半球形的囊，无附属物；蕊柱长 2 ～ 2.5 mm，先端有围绕药床的翅，翅的两端各有 1 不甚明显的小齿；蕊喙宽舌状。蒴果倒卵状椭圆形，长约 1 cm，宽约 6 mm，有 3 棱；果柄长 2 ～ 4 mm。花期 5 月，果期 9 ～ 10 月。

| 生境分布 | 生于海拔 1 200 ～ 1 700 m 的林中或山谷旁的树上或岩石上。分布于湖北兴山、巴东、宣恩、鹤峰、神农架。

| 资源情况 | 药材来源于野生和栽培。

| 采收加工 | **假鳞茎**：全年均可采收，洗净，鲜用或切片晒干。

| 功能主治 | 润肺止咳，散瘀止痛，清热利湿。用于肺痨咯血，肺热咳嗽，胸胁痛，胃腹痛，风湿疼痛，疮疡肿毒。

兰科 Orchidaceae 舌唇兰属 Platanthera

密花舌唇兰 Platanthera hologlottis Maxim.

药材名

密花舌唇兰。

形态特征

植株高 35 ~ 85 cm。根茎匍匐,圆柱形,肉质。茎细长,直立,下部具 4 ~ 6 大叶,向上渐小成苞片状。叶片线状披针形或宽线形,下部叶长 7 ~ 20 cm,宽 0.8 ~ 2 cm,上部叶长 1.5 ~ 3 cm,宽 2 ~ 3 mm,先端渐尖,基部成短鞘抱茎。总状花序具多数密生的花,长 5 ~ 20 cm;花苞片披针形或线状披针形,长 10 ~ 15 mm,宽 23 mm,先端渐尖;子房圆柱形,先端变狭,稍弯曲,连花梗长 10 ~ 13 mm;花白色,芳香;萼片先端钝,具 5 ~ 7 脉,全缘,中萼片直立,舟状,卵形或椭圆形,长 4 ~ 5 mm,宽 3 ~ 3.5 mm;侧萼片反折,偏斜,椭圆状卵形,长 5 ~ 6(~ 7)mm,宽 1.5 ~ 2.5(~ 3)mm;花瓣直立,斜卵形,长 4 ~ 5 mm,宽 1.5 ~ 2 mm,先端钝,具 5 脉,与中萼片靠合成兜状;唇瓣舌形或舌状披针形,稍肉质,长 6 ~ 7 mm,宽 2.5 ~ 3 mm,先端圆钝;距下垂,纤细,圆筒状,长 1 ~ 2 cm,长于子房,距口的突起物显著;蕊柱短;药室平行,药隔宽,顶部近截平;花粉团倒卵形,具长柄和披针形的黏盘；退化雄蕊显著，近半圆形；蕊喙矮，直立；柱头 1，大，凹陷，位于蕊喙之下穴内。花期 6 ~ 7 月。

| **生境分布** | 生于海拔 260 ~ 3 100 m 的山坡林下或山沟潮湿草地。湖北各地均有分布。

| **资源情况** | 药材来源于野生和栽培。

| **采收加工** | **全草**：春、秋季采收，洗净，鲜用或晒干。

| **功能主治** | 补肺生肌，化瘀止血。用于虚火牙痛，肺热咳嗽，带下，毒蛇咬伤，虚火牙痛；外用于疮伤出血，痛肿，烫火伤。

兰科 Orchidaceae 舌唇兰属 *Platanthera*

舌唇兰
Platanthera japonica (Thunb. ex A. Marray) Lindl.

| **药 材 名** | 观音竹。

| **形态特征** | 植株高 35 ~ 70 cm。根茎指状，肉质，近平展。茎粗壮，直立，无毛，具 4 ~ 6 叶。叶自下向上渐小，下部叶片椭圆形或长椭圆形。总状

花序长 10 ~ 18 cm，具 10 ~ 28 花；花大，白色；花瓣直立，线形，长 6 ~ 7 mm，宽约 1.5 mm，先端钝，具 1 脉，与中萼片靠合成兜状；唇瓣线形，长 1.3 ~ 1.5（~ 2）cm，不分裂，肉质，先端钝。花期 5 ~ 7 月。

| 生境分布 |　生于海拔 600 ~ 2 600 m 的山坡林下或草地。分布于湖北兴山、钟祥、建始、巴东、宣恩、神农架。

| 资源情况 |　药材来源于野生和栽培。

| 采收加工 |　**全草**：春、秋季采收，洗净，鲜用或晒干。

| 功能主治 |　补气润肺，化痰止咳，解毒。用于病后虚弱，肺热咳嗽，痰喘气壅，带下，虚火牙痛，毒蛇咬伤。

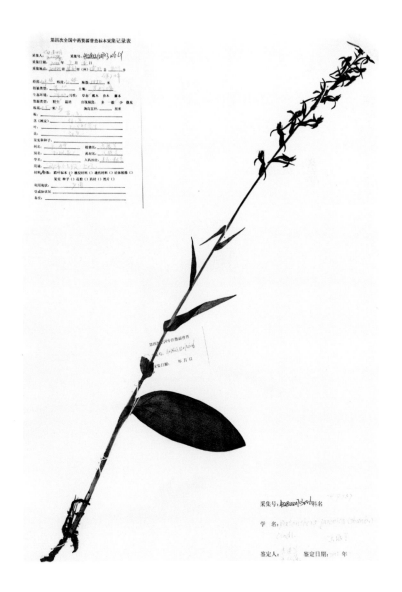

兰科 Orchidaceae 舌唇兰属 Platanthera

尾瓣舌唇兰
Platanthera mandarinorum Rchb. f.

| 药 材 名 | 尾瓣舌唇兰。

| 形态特征 | 植株高 18 ~ 45 cm。根茎指状或膨大成纺锤形，肉质，直径 5 ~ 6 mm。茎直立，细长，下部具 1 ~ 2 大叶，大叶之上具 2 ~ 4 小叶。大叶片椭圆形或长圆形，少为线状披针形，向上伸展。总状花序具 7 ~ 20 或更多较疏生的花，花黄绿色；花瓣淡黄色，长 5 ~ 6 mm，下半部为斜卵形，宽 2.8 ~ 3.2 mm，上半部骤狭成线形，尾状，增厚，向外张开，不与中萼片靠合，基部具 3 脉，有时中部具 4 脉；唇瓣淡黄色，下垂，披针形至舌状披针形。花期 4 ~ 6 月。

| 生境分布 | 生于海拔 300 ~ 2 100 m 的山坡林下或草地。分布于湖北建始。

| 资源情况 | 药材来源于野生和栽培。

| 采收加工 | **全草或块茎：**春、秋季采收，洗净，鲜用或晒干。

| 功能主治 | **全草：**理气止痛，补肾止咳。用于带下病，崩漏，遗尿，肺热咳嗽。

块茎：镇痛解痉，益肾安神，利尿，降血压，发汗。用于流产，避孕，精神障碍。

种子：用于癫痫。

小舌唇兰 *Platanthera minor* (Miq.) Rchb. f.

| **药 材 名** | 猪獠参。

| **形态特征** | 植株高 20 ~ 60 cm。块茎椭圆形，肉质，长 1.5 ~ 2 cm，直径 1 ~ 1.5 cm。茎粗壮，直立，下部具 1 ~ 2（~ 3）较大的叶，上部具 2 ~ 5

逐渐变小为披针形或线状披针形的苞片状小叶，基部具 1 ~ 2 筒状鞘。叶互生，最下面的 1 叶最大，叶片椭圆形、卵状椭圆形或长圆状披针形，长 6 ~ 15 cm，宽 1.5 ~ 5 cm，先端急尖或圆钝，基部鞘状抱茎。

| 生境分布 | 生于海拔 250 ~ 2 700 m 的山坡林下或草地。分布于湖北巴东、宣恩，以及宜昌。

| 资源情况 | 药材来源于野生和栽培。

| 采收加工 | **全草**：春、秋季采收，洗净，鲜用或晒干。

| 功能主治 | 养阴润肺，益气生津。用于咳痰带血，咽喉肿痛，病后体弱，遗精，头昏身软，肾虚腰痛，咳嗽气喘，肠胃湿热，小儿疝气。

独蒜兰

Pleione bulbocodioides (Franch.) Rolfe

| 药 材 名 | 山慈菇。

| 形态特征 | 半附生草本。假鳞茎卵形至卵状圆锥形，上端有明显的颈，全长
1 ~ 2.5 cm，直径 1 ~ 2 cm，先端具 1 叶。叶在花期尚幼嫩，长成
后狭椭圆状披针形或近倒披针形，纸质，长 10 ~ 25 cm，宽 2 ~
5.8 cm，先端通常渐尖，基部渐狭成柄；叶柄长 2 ~ 6.5 cm。花葶
从无叶的老假鳞茎基部发出，直立，长 7 ~ 20 cm，下半部包藏在
3 膜质的圆筒状鞘内，先端具 1（~ 2）花；花苞片线状长圆形，长
（2 ~）3 ~ 4 cm，明显长于花梗和子房，先端钝；花梗和子房长
1 ~ 2.5 cm；花粉红色至淡紫色，唇瓣上有深色斑；中萼片近倒披针形，
长 3.5 ~ 5 cm，宽 7 ~ 9 mm，先端急尖或钝；侧萼片稍斜歪，狭椭
圆形或长圆状倒披针形，与中萼片等长，常略宽；花瓣倒披针形，

稍歪斜，长 3.5 ～ 5 cm，宽 4 ～ 7 mm；唇瓣倒卵形或宽倒卵形，长 3.5 ～ 4.5 cm，宽 3 ～ 4 cm，不明显 3 裂，上部边缘撕裂状，基部楔形并多少贴生于蕊柱上，通常具 4 ～ 5 褶片；褶片啮蚀状，高 1 ～ 1.5 mm，向基部渐狭直至消失；中央褶片常较短而宽，有时不存在；蕊柱长 2.7 ～ 4 cm，多少弧曲，两侧具翅；翅自中部以下甚狭，向上渐宽，在先端围绕蕊柱，宽达 6 ～ 7 mm，有不规则齿缺。蒴果近长圆形，长 2.7 ～ 3.5 cm。花期 4 ～ 6 月。

| **生境分布** | 生于海拔 900 ～ 3 100 m 的常绿阔叶林下、灌木林缘腐殖质丰富的土壤上或苔藓覆盖的岩石上。分布于湖北通城、宣恩。

| **资源情况** | 药材来源于野生和栽培。

| **采收加工** | **假鳞茎：**春季采收，鲜用或晒干。

| **功能主治** | 散结，化瘀。用于咽喉肿痛，瘰疬，痈疽，疮肿，产后瘀滞。

兰科 Orchidaceae 绥草属 Spiranthes

绥草

Spiranthes sinensis (Pers.) Ames

| 药 材 名 |

绥草。

| 形态特征 |

植株高 13 ~ 30 cm。根数条，指状，肉质，簇生于茎基部。茎较短，近基部生 2 ~ 5 叶。叶片宽线形或宽线状披针形，极稀为狭长圆形，直立伸展，长 3 ~ 10 cm，宽 5 ~ 10 mm，先端急尖或渐尖，基部收狭具柄状抱茎的鞘。花茎直立，长 10 ~ 25 cm，上部被腺状柔毛至无毛；总状花序具多数密生的花，长 4 ~ 10 cm，呈螺旋状扭转；花苞片卵状披针形，先端长渐尖，下部的花苞片长于子房；子房纺锤形，扭转，被腺状柔毛，连花梗长 4 ~ 5 mm；花小，紫红色、粉红色或白色，在花序轴上呈螺旋状排生；萼片的下部靠合，中萼片狭长圆形，舟状，长 4 mm，宽 1.5 mm，先端稍尖，与花瓣靠合成兜状；侧萼片偏斜，披针形，长 5 mm，宽约 2 mm，先端稍尖。花瓣斜菱状长圆形，先端钝，与中萼片等长但较薄；唇瓣宽长圆形，凹陷，长 4 mm，宽 2.5 mm，先端极钝，前半部上面具长硬毛且边缘具强烈皱波状啮齿，唇瓣基部凹陷成浅囊状，囊内具 2 胼胝体。花期 7 ~ 8 月。

| **生境分布** | 生于海拔 1 800 m 以下的山坡、路边或林下。分布于湖北武昌、巴东、神农架，以及宜昌。 |

| **资源情况** | 药材来源于野生和栽培。 |

| **采收加工** | **全草或根**：夏、秋季采收，鲜用或晒干。 |

| **功能主治** | 滋阴益气，凉血解毒，润肺止咳，消炎解毒。用于神经衰弱、各种皮肤疾病。 |

兰科 Orchidaceae 带唇兰属 Tainia

带唇兰
Tainia dunnii Rolfe

| **药 材 名** | 带唇兰。

| **形态特征** | 假鳞茎暗紫色，圆柱形，稀为卵状圆锥形，长 1 ~ 7 cm，下半部常较粗，直径 5 ~ 10 mm，被膜质鞘，顶生 1 叶。叶狭长圆形或椭圆状披针形，长 12 ~ 35 cm，宽 6 ~ 60 mm，先端渐尖，基部渐狭为柄；叶柄长 2 ~ 6 cm，具 3 脉。花葶直立，纤细，长 30 ~ 60 cm，具 3 筒状膜质鞘，基部的 2 花葶鞘套叠；总状花序长达 20 cm；花序轴红棕色，疏生多数花；花苞片红色，狭披针形，长 3 ~ 7 mm，先端渐尖；花梗和子房红棕色，长约 1 cm，子房膨大为棒状；花黄褐色或棕紫色；中萼片狭长圆状披针形，长 11 ~ 12 mm，宽 2.5 ~ 3 mm，先端急尖或稍钝，具 3 脉，仅中脉较明显；侧萼片狭长圆状镰形，与中萼片等长，基部贴生于蕊柱足而

形成明显的萼囊；花瓣与萼片等长而较宽，先端急尖或锐尖，具 3 脉，仅中脉较明显；唇瓣近圆形，长约 1 cm，基部贴生于蕊柱足末端，前部 3 裂；侧裂片淡黄色，具许多紫黑色斑点，直立，三角形，长约 2.5 mm，先端锐尖，向前弯，摊平后两侧裂片先端之间相距 1 cm；中裂片黄色，横长圆形，先端近截形或凹缺而具 1 短凸；唇盘上面无毛或稍具短毛，具 3 褶片，两侧的褶片呈弧形，较高，中央的褶片为龙骨状；蕊柱纤细，向前弯曲，长约 8 mm，上部扩大，具长约 2 mm 的蕊柱足；药帽先端两侧各具一紫色的圆锥状突起物。花期 3 ~ 4 月。

| **生境分布** | 生于海拔 580 ~ 1 900 m 的常绿阔叶林下或山地溪涧边。湖北有分布。

| **功能主治** | 清热解毒，消肿。

兰科 Orchidaceae 蜻蜓兰属 *Tulotis*

小花蜻蜓兰

Tulotis ussuriensis (Reg. et Maack) H. Hara

| 药 材 名 | 小花蜻蜓兰。

| 形态特征 | 植株高 20 ~ 55 cm。根茎指状，肉质，细长，弯曲。茎较纤细，直立，基部具 1 ~ 2 筒状鞘，鞘之上具叶，下部的 2 ~ 3 叶较大，中部至上部具 1 至数枚苞片状小叶。大叶片匙形或狭长圆形，直立伸展，长 6 ~ 10 cm，宽 1.5 ~ 2.5 （~ 3） cm，先端钝或急尖，基部收狭成抱茎的鞘。总状花序具 10 ~ 20 或更多较疏生的花，长 6 ~ 10 cm；花苞片直立伸展，狭披针形，最下部的花苞片稍长于子房；子房细圆柱形，扭转，稍弧曲，连花梗长 8 ~ 9 mm；花较小，淡黄绿色；中萼片直立，凹陷呈舟状，宽卵形，长 2.5 ~ 3 mm，宽 2 ~ 2.5 mm，先端钝，具 3 脉；侧萼片张开或反折，偏斜，狭椭圆形，较中萼片略长且狭，先端钝，具 3 脉；花瓣直立，狭长圆状披

针形，与中萼片相靠合且近等长，较中萼片狭很多，宽仅约 1 mm，稍肉质，先端钝或近平截，具 1 脉；唇瓣向前伸展，多少向下弯曲，舌状披针形，肉质，长约 4 mm，基部两侧各具 1 近半圆形、前面平截、先端钝的小侧裂片，中裂片舌状披针形或舌状，宽约 1 mm，前、后等宽或向先端稍渐狭，先端钝；距纤细，细圆筒状，下垂，与子房近等长，向末端几不增粗。花期 7 ~ 8 月，果期 9 ~ 10 月。

| **生境分布** | 生于海拔 400 ~ 2 800 m 的山坡林下、林缘或沟边。湖北各地均有分布。

| **资源情况** | 药材来源于野生和栽培。

| **采收加工** | **全草或根**：春、夏季采收，鲜用或晒干。

| **功能主治** | 消肿解毒，祛风除湿，散瘀消肿。用于口疮，跌打损伤，骨折，虚火牙痛，痈疖肿毒，风湿痹痛，毒蛇咬伤。

三白草科 Saururaceae 蕺菜属 Houttuynia

蕺菜 *Houttuynia cordata* Thunb.

| **药 材 名** | 鱼腥草。

| **形态特征** | 多年生腥臭草本，高 60 cm。茎下部伏地，节上轮生小根，上部直立，无毛或节上被毛。叶互生，薄纸质，有腺点；叶柄长 1 ~ 4 cm；托叶膜质，条形，长约 2.5 cm，下部与叶柄合生为叶鞘，基部扩大，略抱茎；叶片卵形或阔卵形，长 4 ~ 10 cm，宽 3 ~ 6 cm，先端短渐尖，基部心形，全缘，上面绿色，下面常呈紫红色，两面脉上被柔毛。穗状花序生于茎顶，长约 2 cm，宽约 5 mm，与叶对生；总苞片 4，长圆形或倒卵形，长 1 ~ 1.5 cm，宽约 0.6 cm，白色；花小而密，无花被；雄蕊 3，花丝长为花药的 3 倍，下部与子房合生；雌蕊 1，由 3 心皮组成，子房上位，花柱 3，分离。蒴果卵圆形，长 2 ~ 3 cm，先端开裂，具宿存花柱；种子多数，卵形。花期 5 ~ 6 月，

果期 10 ～ 11 月。

| **生境分布** | 生于沟边、溪边及潮湿的疏林下。湖北有分布。

| **资源情况** | 野生资源丰富，栽培资源丰富。药材来源于野生和栽培。

| **采收加工** | **全草**：夏、秋季采收，洗净，晒干。

| **功能主治** | 清热解毒，排脓消痈，利尿通淋。用于肺痈吐脓，痰热喘咳，喉蛾，热痢，痈肿疮毒，热淋。

三白草

Saururus chinensis (Lour.) Baill.

| 药 材 名 | 三白草。

| 形态特征 | 多年生湿生草本，高达 1 m。地下茎有须状小根。茎直立，粗壮，无毛。单叶互生，纸质，密生腺点；叶柄长 1 ~ 3 cm，基部与托叶合生成鞘状，略抱茎；叶片阔卵状披针形，长 5 ~ 14 cm，宽 3 ~ 7 cm，先端尖或渐尖，基部心形，略呈耳状或稍偏斜，全缘，两面无毛；花序下的 2 ~ 3 叶常于夏初变为白色，呈花瓣状。总状花序生于茎上端，与叶对生，长 10 ~ 20 cm，白色；总状花梗及花梗被毛；苞片近匙形或倒披针形，长约 2 mm；花两性，无花被；雄蕊 6，花药长圆形，略短于花丝；雌蕊 1，由 4 心皮组成，子房圆形，柱头 4，向外反曲。蒴果近球形，直径约 3 mm，表面多疣状突起，成熟后先端开裂；种子多数，圆形。花期 5 ~ 8 月，果期 6 ~ 9 月。

| 生境分布 | 生于沟边、池塘边等近水处。湖北有分布。

| 资源情况 | 野生资源较丰富，栽培资源一般。药材来源于野生和栽培。

| 采收加工 | **全草**：全年均可采收，以夏、秋季为宜，洗净，晒干。
根茎：秋季采挖，除去残茎及须根，洗净，鲜用或晒干。

| 功能主治 | **全草**：清热利水，解毒消肿。用于热淋，血淋，水肿，脚气，黄疸，痢疾，带下，痈肿疮毒，湿疹，蛇咬伤。
根茎：利水除湿，清热解毒。用于脚气，水肿，淋浊，带下，痈肿，流火，疔疮疥癣，风湿热痹。

草胡椒 *Peperomia pellucida* (L.) Kunth

| 药 材 名 |

草胡椒。

| 形态特征 |

一年生肉质草本，高 20 ~ 40 cm。茎直立或基部有时平卧，直径 1 ~ 2 mm，分枝，无毛，下部节上常生不定根。叶互生；叶柄长 1 ~ 2 cm；叶片阔卵形或卵状三角形，长和宽近相等，均为 1 ~ 3.5 cm，先端短尖或钝，基部心形，两面均无毛；叶脉 5 ~ 7，基出。穗状花序顶生于茎上端，与叶对生，淡绿色，细弱，长 2 ~ 6 cm，直径不及 1 mm，其与花序轴均无毛；花疏生；苞片近圆形，直径约 0.5 mm，中央有细短柄，盾状；花极小，两性，无花被；雄蕊 2，有短花丝，花药近圆形；子房椭圆形，柱头顶生，被短柔毛。浆果球形，极小，先端尖，直径不超过 0.5 mm。

| 生境分布 |

生于林下湿地、石缝中或屋舍墙脚下。湖北有分布。湖北有栽培。

| 资源情况 |

野生资源丰富，栽培资源较少。药材来源于

野生和栽培。

| **采收加工** | **全草：**夏、秋季采收，洗净，晒干。

| **功能主治** | 散瘀止痛，清热解毒。用于痈肿疮毒，烫火伤，跌打损伤，外伤出血。

小叶爬崖香 *Piper arboricola* C. DC.

| **药 材 名** | 小叶爬崖香。

| **形态特征** | 藤本，长达数米。茎、枝平卧或攀缘，节上生根，幼时密被锈色粗毛，老时脱落变稀疏。叶薄，膜质，有细腺点，匍匐枝的叶卵形或卵状长圆形，长 3.5 ~ 5 cm，宽 2 ~ 3 cm，先端短尖或钝，基部心形，两侧稍不等，两面被粗毛，背面脉上尤甚，毛通常向上弯曲，毛脱落变稀疏；叶柄长 1 ~ 2.5 cm，被粗毛，基部具鞘；小枝的叶长椭圆形、长圆形或卵状披针形，长 7 ~ 11 cm，宽 3 ~ 4.5 cm，先端短渐尖，基部偏斜或半心形，叶脉 5 ~ 7，最上 1 对互生或近对生，离基 1 ~ 2 cm 从中脉发出，余均近基出，网状脉明显，被毛与匍匐枝的叶相同，但叶柄较短，长 5 ~ 10 mm。花单性，雌雄异株，聚集成与叶对生的穗状花序。雄花序纤细，长 5.5 ~ 13 cm，直

径 2 ～ 3 mm；总花梗与上部的叶柄等长或略长于叶柄，其与花序轴均被毛；苞片圆形，具短柄，盾状，直径 0.7 ～ 1 mm，背面无毛，腹面与花序轴着生处被束毛；雄蕊 2，花药近球形，花丝短。雌花序长 4 ～ 5.5 cm，苞片、花序轴与雄花序的无异；子房近球形，离生，柱头 4，线形。浆果倒卵形，离生，直径约 2 mm。花期 3 ～ 7 月。

| **生境分布** | 生于海拔 100 ～ 2 500 m 的疏林或山谷密林中。湖北有分布。

| **采收加工** | 夏、秋季采收，洗净，鲜用或晒干。

| **功能主治** | 祛风除湿，散寒止痛，活血舒筋。用于风寒湿痹，脘腹冷痛，扭挫伤，牙痛，风疹。

胡椒科 Piperaceae 胡椒属 Piper

山蒟

Piper hancei Maxim.

| 药 材 名 | 山蒟。

| 形态特征 | 攀缘藤本，长数至 10 余米，除花序轴和苞片柄外，余均无毛。茎、枝具细纵纹，节上生根。叶纸质或近革质，卵状披针形或椭圆形，少有披针形，长 6 ～ 12 cm，宽 2.5 ～ 4.5 cm，先端短尖或渐尖，基部渐狭或楔形，有时钝，通常相等或略不等；叶脉 5 ～ 7，最上 1 对互生，离基 1 ～ 3 cm 从中脉发出，弯拱上升几达叶片顶部，如为 7 脉时，则最外 1 对细弱，网状脉通常明显；叶柄长 5 ～ 12 mm；叶鞘长约为叶柄之半。花单性，雌雄异株，聚集成与叶对生的穗状花序。雄花序长 6 ～ 10 cm，直径约 2 mm；总花梗与叶柄等长或略长于叶柄，花序轴被毛；苞片近圆形，直径约 0.8 mm，近无柄或具短柄，盾状，向轴面和柄上被柔毛；雄蕊 2，花丝短。雌花序长约

3 cm，于果期延长；苞片与雄花序的相同，但柄略长；子房近球形，离生，柱头 4，稀 3。浆果球形，黄色，直径 2.5 ～ 3 mm。花期 3 ～ 8 月。

| **生境分布** | 生于山地溪涧边、密林或疏林中。湖北有分布。

| **采收加工** | 秋季采收，切段，鲜用或晒干。

| **功能主治** | 祛风除湿，活血消肿，行气止痛，化痰止咳。用于风寒湿痹，胃痛，痛经，跌打损伤，风寒咳喘，疝气痛。

毛蒟

Piper puberulum (Benth.) Maxim.

| **药 材 名** | 毛蒟。

| **形态特征** | 攀缘藤本，长达数米。幼枝被柔软的短毛，老时脱落。叶硬纸质，卵状披针形或卵形，长 5 ~ 11 cm，宽 2 ~ 6 cm，先端短尖或渐尖，基部浅心形或半心形，两侧常不对称，两面被柔软的短毛，毛少部分分枝，老时腹面近无毛；叶脉 5 ~ 7，最上 1 对互生，离基 1.5 ~ 3 cm 从中脉发出，余均自基部或近基部发出；叶柄长 5 ~ 10 mm，密被短柔毛，仅基部具鞘。花单性，雌雄异株，聚集成与叶对生的穗状花序。雄花序纤细，长约 7 cm，直径约 3 mm；总花梗比叶柄稍长，其与花序轴同被疏柔毛；苞片圆形，有时基部略狭，盾状，无毛；雄蕊通常 3，花药肾形，2 裂，花丝极短。雌花序长 4 ~ 6 cm；苞片、总花梗和花序轴与雄花序的无异；子房近球形，柱头 4。浆果球形，

直径约 2 mm。花期 3 ~ 5 月。

| **生境分布** | 生于疏林或密林中。湖北有分布。

| **采收加工** | 全年均可采收，洗净，阴干。

| **功能主治** | 祛风散寒除湿，行气活血止痛。用于风湿痹痛，风寒头痛，脘腹疼痛，疝痛，痛经，跌打肿痛。

胡椒科 Piperaceae 胡椒属 Piper

石南藤

Piper wallichii (Miq.) Hand.-Mazz.

药材名

南藤。

形态特征

常绿攀缘藤本，揉之有香气。茎深绿色，节膨大，生不定根。叶互生；叶柄长 1 ~ 2.5 cm；叶片椭圆形或向下渐变为狭卵形或卵形，长 7 ~ 14 cm，宽 4 ~ 6.5 cm，先端渐尖，基部钝圆或阔楔形，下面被疏粗毛；叶脉 5 ~ 7，最上面 1 对互生或近对生，离基 1 ~ 2.5 cm 从中脉发出，弧形上升。花单性异株，无花被；穗状花序轴被毛；雄花苞片圆形，直径约 1 mm，具被毛的短柄，雄蕊 2，稀 3，花药比花丝短；雌花序短于叶片，雌花苞片柄于果期延长达 2 mm，密被白色长毛，子房离生，柱头 3 ~ 4，稀 5。浆果球形，直径 3 ~ 3.5 mm，有疣状突起。花期 5 ~ 6 月，果期 7 ~ 8 月。

生境分布

生于山谷林中背阴处或湿润处，常攀缘于树上或岩石上。分布于湖北宜昌及兴山、巴东、恩施。湖北有栽培。

资源情况	野生资源一般，栽培资源较少。药材来源于野生和栽培。
采收加工	茎叶：8 ~ 10 月割取带叶茎枝，晒干，扎成小把。
功能主治	祛风湿，强腰膝，补肾壮阳，止咳平喘，活血止痛。用于风寒湿痹，腰膝酸痛，阳痿，咳嗽气喘，痛经，跌打肿痛。

狭叶金粟兰 *Chloranthus angustifolius* Oliv.

| 药 材 名 | 四大天王。

| 形态特征 | 多年生草本。根茎深黄色，生多数黄色须根。茎直立，无毛，单生或数个丛生，下部节上对生2鳞状叶。叶对生，8～10，纸质，披

针形至狭椭圆形，长 5 ~ 11 cm，宽 1.5 ~ 3 cm，先端渐尖，基部楔形，边缘有锐锯齿，齿尖有 1 腺体，近基部或 1/4 以下全缘，侧脉 4 ~ 6 对，叶柄长 7 ~ 10 mm，托叶条裂成钻形。穗状花序单一，顶生；花白色；雄蕊 3，药隔基部结合，着生于子房上部外侧。核果倒卵形或近球形，长约 2.5 mm，近无柄。

| 生境分布 | 生于海拔 1 200 m 以下的山坡林下或岩石下的阴湿地。分布于湖北西部。

| 资源情况 | 野生资源较少。

| 采收加工 | 夏、秋采挖，除去泥沙及茎叶，晒干。

| 功能主治 | 祛风除湿，活血散瘀，解毒。

多穗金粟兰 *Chloranthus multistachys* S. J. Pei

| 药 材 名 | 四叶细辛。

| 形态特征 | 多年生草本，高 16 ～ 50 cm。根茎粗壮，生多数细长须根。茎直立，单生，下部节上生 1 对鳞片叶。叶对生，通常 4，坚纸质，椭圆形至宽椭圆形，长 10 ～ 20 cm，宽 6 ～ 11 cm，先端渐尖，基部宽楔形至圆形，边缘具粗锯齿，齿端有 1 腺体，腹面亮绿色，背面沿叶脉有鳞屑状毛，有时两面具小腺点；侧脉 6 ～ 8 对，网脉明显；叶柄长 8 ～ 20 mm。穗状花序多条，粗壮，顶生和腋生，单一或分枝，花小，白色，排列稀疏；雄蕊 1 ～ 3，着生于子房上部外侧。核果球形，绿色，长 2.5 ～ 3 mm，具 1 ～ 2 mm 的柄，表面有小腺点。

| 生境分布 | 生于海拔 1 500 m 以下的山坡林下阴湿地和沟谷溪旁草丛中。湖北各地均有分布。 |

| 资源情况 | 野生资源一般。 |

| 采收加工 | 春、夏、秋季采收，除去泥沙，晒干。 |

| 功能主治 | 活血散瘀，解毒消肿。 |

金粟兰科 Chloranthaceae 金粟兰属 Chloranthus

丝穗金粟兰 Chloranthus fortunei (A. Gray) Solms-Laub.

| 药 材 名 | 剪草。

| 形态特征 | 多年生草本，高 15 ~ 40 cm。根茎粗短，密生多数细长须根。茎直立，单生或数个丛生，下部节上对生 2 鳞片状叶。叶对生，通常 4 生于茎上部，纸质，宽椭圆形或倒卵形，长 5 ~ 11 cm，先端短尖，基部宽楔形，边缘有圆锯齿，齿尖有 1 腺体，近基部全缘；嫩叶背面密生细小腺点；侧脉 4 ~ 6 对，网脉明显；叶柄长 1 ~ 1.5 cm，鳞片状三角形；托叶条裂成钻形。穗状花序单一，由茎顶抽出；苞片倒卵形，通常 2 ~ 3 齿裂；花白色，有香气；雄蕊 3，药隔基部合生，着生于子房上部外侧，中央药隔具一 2 室的花药，两侧药隔各具一 1 室的花药，药隔伸长成丝状，直立或斜上；无花柱。核果球形，淡黄绿色，有纵条纹。

| **生境分布** | 生于低海拔的山坡或低山林下阴湿处和山沟草丛中。湖北各地均有分布。

| **资源情况** | 野生资源丰富。药材来源于野生。

| **采收加工** | **全草**：夏季采收，除去杂质，洗净，晒干。

| **功能主治** | 祛风活血，解毒消肿。

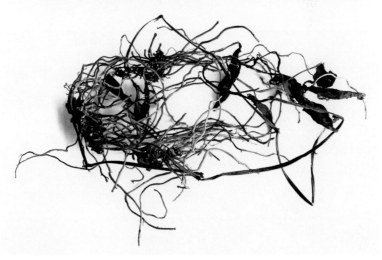

金粟兰科 Chloranthaceae 金粟兰属 *Chloranthus*

宽叶金粟兰 *Chloranthus henryi* Hemsl.

| 药 材 名 | 四大天王。

| 形态特征 | 多年生草本，高 40 ～ 65 cm。根茎粗壮，黑褐色，具多数细长的棕色须根。茎直立，单生或数个丛生，有 6 ～ 7 明显的节，节间长0.5 ～ 3 cm，下部节上生 1 对鳞状叶。叶对生，通常 4 生于茎上部，纸质，宽椭圆形至倒卵形，长 9 ～ 18 cm，宽 5 ～ 9 cm，先端渐尖，基部楔形至宽楔形，边缘具锯齿，齿端有 1 腺体；背面中脉、侧脉有鳞屑状毛，叶脉 6 ～ 8 对；叶柄长 0.5 ～ 1.2 cm；托叶小，钻形。穗状花序顶生，通常二叉分枝或总状分枝；花白色；雄蕊 3，基部几分离，仅内侧稍相连，中央药隔长 3 mm，有一 2 室的花药，两侧药隔稍短，各有一 1 室的花药，药室在药隔的基部；子房卵形，无花柱，柱头近头状。核果球形，长约 3 mm，具短柄。

| **生境分布** | 生于海拔 2 000 m 以下的山坡林下阴湿地或路边灌丛中。分布于湖北宜昌及神农架。

| **资源情况** | 野生资源一般。药材来源于野生。

| **采收加工** | **根：**夏、秋季采挖，除去泥沙及茎叶，晒干。

| **功能主治** | 祛风除湿，活血散瘀，解毒。

金粟兰科 Chloranthaceae 金粟兰属 Chloranthus

湖北金粟兰
Chloranthus henryi Hemsl. var. *hupehensis* (Pamp.) K. F. Wu

| **药 材 名** | 四叶七。

| **形态特征** | 多年生草本，高 40 ~ 65 cm。根茎粗壮，黑褐色，具多数细长的棕色须根。茎直立，单生或数个丛生，有 6 ~ 7 明显的节，下部节上生 1 对鳞状叶。叶对生，通常 4 生于茎上部，纸质，倒卵形或近圆形，边缘具粗圆齿，两面无毛，先端渐尖，基部楔形至宽楔形，边缘具锯齿，齿端有 1 腺体；背面中脉、侧脉有鳞屑状毛。穗状花序顶生和腋生，总花梗较短，长 2.5 ~ 5 cm；苞片通常宽卵状三角形或近半圆形；花白色；雄蕊 3，基部几分离，仅内侧稍相连。核果球形，长约 3 mm，具短柄。

| **生境分布** | 生于海拔 1 000 ~ 2 000 m 的山谷林下。分布于湖北西部。

| **资源情况** | 野生资源较少。药材来源于野生。

| **采收加工** | **根**：夏、秋季采挖，除去泥沙及茎叶，晒干。

| **功能主治** | 祛湿，散寒，理气，活血。

毛脉金粟兰 *Chloranthus holostegius* (Hand.-Mazz.) Pei et Shan var. *trichoneurus* K. F. Wu

| 药 材 名 | 四大天王。

| 形态特征 | 多年生草本，高25～55 cm。根茎生多数须根。茎直立，通常不分枝，下部节上对生2鳞状叶。叶对生，通常4生于茎顶，呈轮生状，坚

纸质，宽椭圆形或倒卵形，长 8 ～ 15 cm，宽 4 ～ 10 cm，先端渐尖，基部宽楔形，边缘有锯齿，齿端有 1 腺体，叶背面沿脉密被鳞屑状毛。穗状花序顶生和腋生，通常 1 ～ 5 聚生；花白色；雄蕊 3，药隔基部连合，着生于子房顶部柱头外侧。核果近球形或倒卵形，长 3 ～ 4 mm，绿色。

| **生境分布** | 生于海拔 1 000 ～ 1 600 m 的山坡草地或杂木林内。分布于湖北西部。

| **资源情况** | 野生资源较少。

| **采收加工** | 夏、秋季采挖，除去泥沙及茎叶，晒干。

| **功能主治** | 祛风除湿，活血散瘀，解毒。

金粟兰科 Chloranthaceae 金粟兰属 Chloranthus

银线草

Chloranthus japonicus Sieb.

| 药 材 名 | 银线草。

| 形态特征 | 多年生草本，高 20 ~ 50 cm。根茎多节，横走，分枝，生多数细长须根，有香气。茎直立，单生或数个丛生，不分枝，下部节上对

生2鳞状叶。叶对生，通常4生于茎顶成假轮生状，纸质，宽椭圆形或倒卵形，长8～14 cm，宽5～8 cm，先端急尖，基部宽楔形，边缘有牙齿状锐锯齿，齿尖有1腺体，近基部或1/4以下全缘，腹面有光泽；侧脉6～8对，网脉明显；叶柄长8～18 mm，三角形。穗状花序单一，顶生；花白色；雄蕊3，药隔基部连合。核果近球形或倒卵形，长2.5～3 mm，果柄长1～1.5 mm，绿色。

| **生境分布** | 生于海拔2 000 m以下的山坡或山谷杂木林下阴湿处或沟边草丛中。分布于湖北北部山区。

| **资源情况** | 野生资源较少。药材来源于野生。

| **采收加工** | **根**：春、秋季采挖，洗净，鲜用或晒干。

| **功能主治** | 活血行瘀，祛风除湿，解毒。

金粟兰科 Chloranthaceae 金粟兰属 Chloranthus

及己

Chloranthus serratus (Thunb.) Roem. & Schult.

| 药 材 名 | 及己。

| 形态特征 | 多年生草本，高 15 ~ 50 cm。根茎横生，短粗，生多数土黄色须根。茎直立，单生或数个丛生，具明显的节，无毛，下部节上对生 2 鳞状叶。叶对生，4 ~ 6 生于茎上部，纸质，椭圆形至卵状披针形，长 7 ~ 15 cm，宽 3 ~ 6 cm，先端渐窄成长尖，基部楔形，边缘具锐而密的锯齿，齿尖有 1 腺体；叶柄长 8 ~ 25 mm；托叶小。穗状花序顶生，偶有腋生，单一或 2 ~ 3 分枝；总花梗长 1 ~ 3.5 cm；苞片三角形或近半圆形；花白色；雄蕊 3；药隔下部合生，着生于子房上部外侧，中央药隔有一 2 室的花药，两侧药隔各有一 1 室的花药；药隔长圆形，3 药隔相抱，中央药隔向内弯，与侧药隔等长；无花柱，柱头短粗。核果近球形或梨形，绿色。

| **生境分布** | 生于海拔 300 ～ 1 800 m 的山地林下湿润处和山谷溪边草丛中。湖北各地山区均有分布。

| **资源情况** | 野生资源丰富。药材来源于野生。

| **采收加工** | **根**：春季开花前采挖，去掉泥沙及茎叶，阴干。

| **功能主治** | 活血散瘀，祛风止痛，解毒杀虫。

金粟兰科 Chloranthaceae 金粟兰属 Chloranthus

金粟兰
Chloranthus spicatus (Thunb.) Makino

| 药 材 名 | 珠兰。

| 形态特征 | 半灌木，直立或稍平卧，高 30 ~ 60 cm。茎圆柱形，无毛。叶对生，厚纸质，椭圆形或倒卵状椭圆形，长 5 ~ 11 cm，宽 2.5 ~ 5.5 cm，先端急尖或钝，基部楔形，边缘具圆齿状锯齿，齿端有 1 腺体，腹面深绿色，光亮，背面淡黄绿色；侧脉 6 ~ 8 对，在两面稍凸起；叶柄长 8 ~ 18 mm，基部多少合生；托叶微小。穗状花序排列成圆锥花序状，通常顶生，少腋生；苞片三角形；花小，黄绿色，极芳香；雄蕊 3，药隔合生成 1 卵状体，上部不整齐 3 裂，中央裂片较大，有时末端又 3 浅裂，有一 2 室的花药，两侧裂片较小，各有一 1 室的花药，子房倒卵形。

| **生境分布** | 生于海拔 1 000 m 以下的山坡、沟谷密林下。分布于湖北西部。

| **资源情况** | 野生资源较丰富，栽培资源稀少。药材主要来源于野生。

| **采收加工** | **全株**：夏季采收，洗净，切片，晒干。

| **功能主治** | 祛风，活血止痛，杀虫。

金粟兰科 Chloranthaceae 草珊瑚属 *Sarcandra*

草珊瑚 *Sarcandra glabra* (Thunb.) Nakai

| **药 材 名** | 肿节风。

| **形态特征** | 常绿半灌木，高 50 ～ 120 cm。茎与枝均有膨大的节。叶革质，椭圆形至卵状披针形，长 6 ～ 17 cm，宽 2 ～ 6 cm，先端渐尖，基部尖或楔形，边缘具粗锐锯齿，齿尖有 1 腺体；叶柄长 0.5 ～ 1.5 cm，基部合生成鞘状，托叶钻形。穗状花序顶生，通常分枝，多少呈圆锥花序状；苞片三角形；花黄绿色；雄蕊 1，肉质，棒状至圆柱状，花药 2 室，生于药隔上部的两侧；无花柱，柱头近头状。核果球形，直径 3 ～ 4 mm，成熟时红色。

| **生境分布** | 生于海拔 400 ～ 1 500 m 的山坡、沟谷林下阴湿处。分布于湖北西部及南部各山区。

| **资源情况** | 野生资源一般。药材来源于野生。

| **采收加工** | **全草：**全年均可采收，鲜用或晒干。

| **功能主治** | 祛风除湿，活血散瘀，清热解毒。

杨柳科 Salicaceae 柳属 Salix

垂柳
Salix babylonica L.

药材名

柳叶。

形态特征

乔木，高 12 ~ 18 m，树冠开展而疏散。树皮灰黑色，不规则开裂；枝细，下垂，淡褐黄色或带紫色，无毛；芽线形，先端急尖。叶片狭披针形或线状披针形，长 9 ~ 16 cm，宽 0.5 ~ 1.5 cm，先端长渐尖，基部楔形，两面无毛或微有毛，上面绿色，下面色较淡，锯齿缘；叶柄有短柔毛。花序先叶开放，或与叶同时开放；雄花序长 1.5 ~ 2 cm，雄蕊 2，花丝基部有长毛，花药红黄色；雌花序有梗，基部有 3 ~ 4 小叶，子房椭圆形，无毛或下部稍有毛，无柄或近无柄，花柱短，柱头 2 ~ 4 深裂，外面有毛。蒴果长 3 ~ 4 mm，黄褐色。

生境分布

栽培于道路旁、水边。湖北各地均有栽培。

资源情况

栽培资源丰富。药材来源于栽培。

| **采收加工** | 叶：春、夏季采收，鲜用或晒干。

| **功能主治** | 清热解毒，利尿，平肝，止痛，透疹。

杨柳科 Salicaceae 柳属 Salix

黄花柳 *Salix caprea* L.

| **药 材 名** | 黄花柳。

| **形态特征** | 灌木或小乔木。小枝黄绿色至黄红色，有毛或无毛。叶卵状长圆形、宽卵形至倒卵状长圆形，长 5 ~ 7 cm，宽 2.5 ~ 4 cm，先端急尖或有小尖，常扭转，基部圆形，上面深绿色，鲜叶明显发皱，无毛，幼叶有柔毛，下面被白色绒毛或柔毛，网脉明显；侧脉近叶缘处常相互联结，近"闭锁脉"状，边缘有不规则的缺刻、牙齿或近全缘，常稍向下面反卷；叶质稍厚；叶柄长约 1 cm；托叶半圆形，先端尖。花先于叶开放，雄花序椭圆形或宽椭圆形，长 1.5 ~ 2.5 cm，直径约 1.6 cm，无花序梗，雄蕊 2，花丝细长，离生，花药黄色，长圆形，苞片披针形，长约 2 mm，上部黑色，下部色浅，2 色，两面密

被白长毛，仅 1 腹腺；雌花序短圆柱形，长约 2 cm，直径 8 ~ 10 mm，果期可达 6 cm，直径达 1.8 cm，有短花序梗，子房狭圆锥形，长 2.5 ~ 3 mm，有柔毛，有长柄，长约 2 mm，果柄更长，花柱短，柱头 2 ~ 4 裂，受粉后，子房发育非常迅速，苞片和腺体同雄花。蒴果长可达 9 mm。

| 生境分布 | 生于山坡或林中。湖北有分布。

| 功能主治 | 补脑补心，舒心止痛，生津止渴，清热消肿，降逆止吐。

杨柳科 Salicaceae 柳属 Salix

腺柳

Salix chaenomeloides Kimura

| **药 材 名** | 柳叶。

| **形态特征** | 小乔木。枝暗褐色或红褐色，有光泽。叶椭圆形、卵圆形至椭圆状披针形，长 4 ~ 8 cm，先端急尖，基部楔形，稀近圆形，两面光滑，上面绿色，下面苍白色或灰白色，边缘有腺锯齿；叶柄先端具腺点。雄花序长 4 ~ 5 cm，花序梗和轴有柔毛；雌花序长 4 ~ 5.5 cm，花序梗长达 2 cm，轴被绒毛，子房狭卵形，具长柄，无毛，花柱缺，柱头头状或微裂，腺体 2，基部联结成假花盘状，背腺小。蒴果卵状椭圆形，长 3 ~ 7 mm。

| **生境分布** | 生于海拔 1 000 m 以下的山沟水旁。湖北有栽培。

| **资源情况** | 栽培资源一般。

| **采收加工** | 春、夏季采收，鲜用或晒干。

| **功能主治** | 清热解毒。

杨柳科 Salicaceae 柳属 Salix

川鄂柳 *Salix fargesii* Burk.

| **药 材 名** | 柳叶。

| **形态特征** | 乔木或灌木。当年生小枝通常仅基部有丝状毛。芽先端有疏毛。叶片椭圆形或狭卵形，长达 11 cm，先端急尖至圆形，基部圆形至楔形，边缘有细腺锯齿，上面暗绿色，多少有柔毛，下面淡绿色，特别是脉上被白色长柔毛；侧脉 16 ~ 20 对；叶柄长达 1.5 cm，初有丝状毛，后变为无毛，通常有数枚腺体。花序长 6 ~ 8 cm；花序梗长 1 ~ 3 cm，有正常叶，轴上有疏丝状毛。蒴果长圆状卵形，有毛，具短柄。

| **生境分布** | 生于海拔 1 400 ~ 1 600 m 的山坡。分布于湖北西部山区。

| **资源情况** | 野生资源一般。药材来源于野生。

| **采收加工** | 叶：春、夏季采收，鲜用或晒干。

| **功能主治** | 清热解毒。

旱柳
Salix matsudana Koidz

药 材 名

旱柳。

形态特征

乔木，高达 18 m，胸径达 80 cm。大枝斜上，树冠广圆形，树皮暗灰黑色，有裂沟，枝细长，直立或斜展，浅褐黄色或带绿色，后变褐色，无毛，幼枝有毛。芽微有短柔毛。叶片披针形，长 5 ~ 10 cm，宽 1 ~ 1.5 cm，先端长渐尖，基部窄圆形或楔形；上面绿色，无毛，有光泽；下面苍白色或带白色，有细腺锯齿缘。花序与叶同时开放；雄花序圆柱形，多少有花序梗，轴有长毛，雄蕊 2，花丝基部有长毛，花药卵形，黄色，腺体 2；雌花序较雄花序短，有 3 ~ 5 小叶，生于短花序梗上。

生境分布

湖北有分布。

资源情况

栽培资源丰富。药材来源于栽培。

| **采收加工** | 嫩叶：春季采收，鲜用或晒干。

| **功能主治** | 清热除湿，祛风止痛。

杨柳科 Salicaceae 柳属 Salix

红皮柳

Salix sinopurpurea C. Wang et C. Y. Yang

| 药 材 名 | 水杨根。

| 形态特征 | 灌木，高 3 ~ 4 m。小枝淡绿或淡黄色，无毛，当年枝初有短绒毛，后无毛。芽长卵形或长圆形，棕褐色。叶对生或斜对生，披针形，长 5 ~ 10 cm；萌条叶长至 11 cm，先端短渐尖，基部楔形，边缘有腺锯齿，上面淡绿色，下面苍白色，中脉淡黄色，侧脉呈钝角开展；叶柄长 3 ~ 10 mm；托叶卵状披针形，几与叶柄等长。花先叶开放；花序圆柱形，长 2 ~ 3 cm，对生或互生，基部具 2 ~ 3 下面密被长毛的椭圆形鳞片。

| 生境分布 | 生于海拔 1 000 ~ 1 600 m 的山地灌丛中或河岸两侧。分布于湖北中部和西部。

| **资源情况** | 野生资源较少。药材来源于野生。 |

| **采收加工** | **根**：全年均可采挖，洗净，切片，鲜用或晒干。 |

| **功能主治** | 消肿止痛。 |

杨柳科 Salicaceae 柳属 Salix

三蕊柳
Salix triandra L.

| 药 材 名 | 柳叶。

| 形态特征 | 灌木或乔木，高达 6 ～ 10 m。树皮暗褐色或近黑色，有沟裂。小枝褐色或灰绿褐色，幼枝稍有短柔毛。芽卵形，急尖，有棱，无毛，

褐色，紧贴枝上。叶片阔长圆状披针形至倒披针形，长 7 ～ 10 cm，宽 1.5 ～ 3 cm，先端常为突尖，基部圆形或楔形，上面深绿色，有光泽，下面苍白色，边缘锯齿有腺点，幼时稍有短柔毛，成叶无毛；叶柄上部有 2 腺点。花序与叶同时开放，有梗，基部具有 2 ～ 3 锯齿缘的叶；雄花序轴有长毛，雄蕊多为 3，花丝基部有短柔毛；雌花序有梗，着生有锯齿缘的叶。

| 生境分布 | 生于海拔 500 m 以下的林区，多沿河生长。湖北有栽培。

| 资源情况 | 栽培资源较少。药材来源于栽培。

| 采收加工 | **嫩叶**：春季采收，鲜用或晒干。

| 功能主治 | 清热除湿，祛风止痛。

杨柳科 Salicaceae 柳属 Salix

皂柳

Salix wallichiana Anderss.

| **药 材 名** | 皂柳根。

| **形态特征** | 灌木或乔木。小枝红褐色、黑褐色或绿褐色，初有毛后无毛；芽卵形，有棱，先端尖，常外弯，红褐色或栗色，无毛。叶披针形至狭椭圆形，长 4 ~ 8 cm，先端急尖至渐尖，基部楔形至圆形，上面初有丝毛，后无毛，平滑，下面有平伏的绢质短柔毛或无毛，浅绿色至有白霜，幼叶发红色，全缘；叶柄长约 1 cm。花先于叶开放或近同时开放，雄花序长 1.5 ~ 2.5 cm，雄蕊 2，花药大，椭圆形，花丝纤细，离生；雌花序圆柱形，或向上部渐狭，下部花先开放，长 2.5 ~ 4 cm。蒴果长可达 9 mm，有毛或近无毛，开裂后，果瓣向外反卷。

| **生境分布** | 生于低海拔的山谷溪流旁、林缘或山坡。分布于湖北西南部。

| **资源情况** | 野生资源较少。

| **采收加工** | 全年均可采挖，洗净，晒干。

| **功能主治** | 祛风除湿，解热止痛。

杨柳科 Salicaceae 柳属 Salix

紫柳
Salix wilsonii Seem.

| 药 材 名 | 柳叶。

| 形态特征 | 乔木，高可达 13 m。一年生枝暗褐色，嫩枝有毛，后无毛。叶椭圆形，广椭圆形至长圆形，长 4 ～ 5 cm，先端急尖至渐尖，基部楔形至圆形；幼叶常发红色，上面绿色，下面苍白色，边缘有圆锯齿或圆齿；叶柄长 7 ～ 10 mm，有短柔毛；托叶不发达，卵形，早落，萌枝上的托叶发达，肾形，长达 1 cm 以上，有腺齿。花与叶同时开放；花序梗长 1 ～ 2 cm，有 3 ～ 5 小叶；雄花序盛开时疏花，轴上密生白柔毛；雌花序长 2 ～ 4 cm，疏花；花序轴有白柔毛；腹腺宽厚，抱柄，两侧常有 2 小裂片，背腺小。蒴果卵状长圆形。

| 生境分布 | 生于平原及低山地区的水边堤岸上。湖北各地均有分布。

| **资源情况** | 野生资源一般。药材来源于野生。

| **采收加工** | 叶：春、夏季采收，鲜用或晒干。

| **功能主治** | 清热解毒，利尿，平肝，止痛，透疹。

杨梅

Myrica rubra (Lour.) Sieb. et Zucc.

| 药 材 名 | 杨梅。

| 形态特征 | 常绿乔木，高可达 15 m。树皮灰色，老时纵向浅裂。树冠圆球形。小枝及芽无毛，皮孔通常少而不显著，幼嫩时仅被圆形而盾状着生的腺体。叶革质，无毛，生存至 2 年脱落，常密集于小枝上端部分，生于萌发条上者多为长椭圆状或楔状披针形，先端渐尖或急尖，边缘中部以上具稀疏的锐锯齿，中部以下常为全缘，基部楔形；生于孕性枝上者为楔状倒卵形或长椭圆状倒卵形，先端圆钝或具短尖至急尖，基部楔形，全缘或偶有在中部以上具少数锐锯齿，上面深绿色，有光泽，下面浅绿色，无毛，仅被有稀疏的金黄色腺体，干燥后中脉及侧脉在上下两面均显著，在下面更为隆起；叶柄长 2 ~ 10 mm。花雌雄异株；雄花序单生或数条丛生于叶腋，圆柱状；雌花序常单

生于叶腋，较雄花序短而细瘦。核果球状，外果皮肉质，成熟时深红色或紫红色。

| **生境分布** | 生于海拔 125 ～ 1 500 m 的山坡或山谷林中。湖北有栽培。

| **资源情况** | 栽培资源丰富。药材来源于栽培。

| **采收加工** | **果实：**栽培 8 ～ 10 年后结果，6 月待果实成熟后采摘，鲜用或烘干。

| **功能主治** | 生津解烦，和中消食，解酒，涩肠，止血。

胡桃科 Juglandaceae 山核桃属 Carya

山核桃 *Carya cathayensis* Sarg.

| **药 材 名** | 山核桃仁。

| **形态特征** | 乔木，高达 10 ~ 20 m。树皮平滑，灰白色，光滑。小枝细瘦，新枝密被盾状着生的橙黄色腺体，一年生枝紫灰色，上端常被有稀疏的短柔毛，皮孔圆形，稀疏。复叶长 16 ~ 30 cm；叶柄幼时被毛及腺体，后来毛逐渐脱落；叶轴被毛较密，有小叶 5 ~ 7；小叶边缘有细锯齿，侧生小叶具短的小叶柄或几无柄，对生，披针形或倒卵状披针形，有时稍呈镰状弯曲，基部楔形或略成圆形，先端渐尖；顶生小叶具长 5 ~ 10 mm 的小叶柄。雄性柔荑花序 3 成 1 束，花序轴被柔毛及腺体，雄花具短柄，雄蕊 2 ~ 7，着生于狭长的花托上；雌性穗状花序直立，花序轴密被腺体，具 1 ~ 3 雌花。果实倒卵形，向基部渐狭；外果皮干燥后革质，沿纵棱裂开成 4 瓣；果核倒卵形

或椭圆状卵形，有时略侧扁，具极不显著的 4 纵棱。

| 生境分布 | 生于海拔 400 ~ 1 200 m 的山麓疏林中或腐殖质丰富的山谷。湖北有栽培。

| 资源情况 | 栽培资源丰富。药材来源于栽培。

| 采收加工 | **种仁：** 秋季果实成熟时采收，干燥，用时再敲击果皮，剥取种仁。

| 功能主治 | 补益肝肾，纳气平喘。

青钱柳

Cyclocarya paliurus (Batal.) Iljin

| 药 材 名 | 青钱柳叶。

| 形态特征 | 乔木，高达 10 ~ 30 m。树皮灰色。枝条黑褐色，具灰黄色皮孔。芽密被锈褐色盾状着生的腺体。奇数羽状复叶长约 20 cm，具 7 ~ 9 小叶；叶轴密被短毛或有时脱落；叶柄长 3 ~ 5 cm，密被短柔毛或逐渐脱落而无毛；小叶纸质，侧生小叶近对生，具小叶柄，长椭圆状卵形至阔披针形，长 5 ~ 14 cm，宽 2 ~ 6 cm，基部歪斜，阔楔形至近圆形，先端钝；顶生小叶具长约 1 cm 的小叶柄，长椭圆形至长椭圆状披针形，长 5 ~ 12 cm，基部楔形，先端钝或急尖。雄性柔荑花序长 7 ~ 18 cm，3 成 1 束生于总梗上，总梗自一年生枝条的叶痕腋内生出；雌性柔荑花序单独顶生。果序轴长 25 ~ 30 cm；果实扁球形，密被短柔毛，果实中部围有革质圆盘状翅，先端具 4 宿

存的花被片及花柱。

| **生境分布** | 生于海拔 500 ～ 2 500 m 的山地湿润的森林中。分布于湖北西部。

| **资源情况** | 野生资源一般，栽培资源一般。药材来源于野生和栽培。

| **采收加工** | 叶：春、夏季采收，洗净，鲜用或干燥。

| **功能主治** | 祛风止痒。

胡桃科 Juglandaceae 胡桃属 Juglans

野核桃
Juglans cathayensis Dode

| 药 材 名 | 野核桃仁。

| 形态特征 | 乔木或有时呈灌木状，高 12 ~ 25 m。幼枝灰绿色，被腺毛，髓心薄片状分隔。奇数羽状复叶，长 40 ~ 50 cm；叶柄及叶轴被毛，具 9 ~ 17 小叶；小叶近对生，无柄，硬纸质，卵状矩圆形或长卵形，长 8 ~ 15 cm，先端渐尖，基部斜圆形或稍斜心形，边缘有细锯齿，两面均有星状毛，上面稀疏，下面浓密。雄性柔荑花序生于去年生枝先端叶痕腋内，花序轴有疏毛；雌花序直立，生于当年生枝先端，花序轴密生棕褐色毛，雌花排列成穗状。果序具 6 ~ 10 果实或因雌花不孕而仅有少数；果实卵形或卵圆状，外果皮密被腺毛，内果皮坚硬，有 6 ~ 8 条纵向棱脊。

| **生境分布** | 生于低海拔的沟谷两旁或山坡的阔叶林中。分布于湖北北部。

| **资源情况** | 野生资源一般。药材来源于野生。

| **采收加工** | **种子**：10 月果实成熟时采收，堆积 6 ～ 7 天，待果皮霉烂后，除去果皮，洗净，晒干，用时击碎果核，拣取种仁。

| **功能主治** | 润肺化痰，温肾助阳，润肤，通便。

胡桃科 Juglandaceae 胡桃属 Juglans

胡桃楸
Juglans mandshurica Maxim.

| 药 材 名 | 核桃楸果。

| 形态特征 | 乔木，高达 20 m。枝条扩展，树冠扁圆形。树皮灰色，具浅纵裂。幼枝被有短茸毛。奇数羽状复叶生于萌发条上者长可达 80 cm，叶柄长 9 ~ 14 cm，小叶 15 ~ 23；生于孕性枝上者集生于枝端，长40 ~ 50 cm，叶柄基部膨大，叶柄及叶轴被有短柔毛或星芒状毛，小叶 9 ~ 17，椭圆形至长椭圆形，边缘具细锯齿，深绿色，下面色淡，被贴伏的短柔毛及星芒状毛，侧生小叶对生，无柄，先端渐尖，基部歪斜，截形至近心形，顶生小叶基部楔形。雄性柔荑花序长 9 ~ 20 cm，花序轴被短柔毛；雌性穗状花序具 4 ~ 10 雌花，花序轴被有茸毛，雌花长 5 ~ 6 mm，被有茸毛，花被片披针形，柱头鲜红色。果序长 10 ~ 15 cm，俯垂，通常具 5 ~ 7 果实。果实球状。

| **生境分布** | 生于低海拔的沟谷两旁或山坡的阔叶林中。分布于湖北北部。

| **资源情况** | 野生资源一般。药材来源于野生。

| **采收加工** | 夏、秋季采收，鲜用或晒干。

| **功能主治** | 行气止痛，杀虫止痒。

胡桃科 Juglandaceae 胡桃属 Juglans

胡桃 *Juglans regia* L.

| 药 材 名 |

核桃仁。

| 形态特征 |

乔木，高达 20 ~ 25 m。树冠广阔。树皮幼时灰绿色，老时则灰白色，纵向浅裂。小枝无毛。奇数羽状复叶长 25 ~ 30 cm；叶柄及叶轴幼时被极短腺毛及腺体；小叶通常 5 ~ 9，稀 3，椭圆状卵形至长椭圆形，长 6 ~ 15 cm，先端钝圆或急尖，基部歪斜，近圆形，全缘，上面深绿色，下面淡绿色；侧生小叶具极短的小叶柄或近无柄，生于下端者较小；顶生小叶常具长 3 ~ 6 cm 的小叶柄。雄性柔荑花序下垂，雌性穗状花序通常具 1 ~ 3 雌花。果序短，具 1 ~ 3 果实；果实近球状，无毛；果核有 2 纵棱，先端具短尖头，隔膜较薄。

| 生境分布 |

生于海拔 400 ~ 1 800 m 的山坡及丘陵地带。湖北有分布。湖北有栽培。

| 资源情况 |

野生资源丰富，栽培资源丰富。药材主要来源于栽培。

| **采收加工** | **种子：**秋季果实成熟时采收，除去肉质果皮，晒干，再除去核壳及木质隔膜。

| **功能主治** | 补肾，温肺，润肠。

化香树
Platycarya strobilacea Sieb. et Zucc.

| 药 材 名 | 化香树叶。

| 形态特征 | 落叶小乔木，高 2 ~ 6 m。树皮灰色，老时不规则纵裂。二年生枝条暗褐色，具细小皮孔。叶长 15 ~ 30 cm；叶柄显著短于叶轴，具 7 ~ 23 小叶；小叶纸质，侧生小叶无叶柄，对生，卵状披针形至长椭圆状披针形，长 4 ~ 11 cm，不等边，基部歪斜，先端长渐尖，边缘有锯齿；顶生小叶具长 2 ~ 3 cm 的小叶柄，基部对称，圆形或阔楔形，小叶上面绿色，下面浅绿色。两性花序和雄花序在小枝先端排列成伞房状花序束，直立；两性花序通常 1，着生于中央先端；雄花序通常 3 ~ 8，位于两性花序下方四周。果序球状，卵状椭圆形至长椭圆状圆柱形，宿存苞片木质；果实小坚果状，背腹压扁状，两侧具狭翅；种子卵形，种皮黄褐色，膜质。

| **生境分布** | 生于海拔 600 ~ 1 300 m 的向阳山坡及杂木林中。湖北各地均有分布。

| **资源情况** | 野生资源丰富。药材来源于野生。

| **采收加工** | **叶**：夏、秋季采收，鲜用或晒干。

| **功能主治** | 解毒敛疮，杀虫止痒。

胡桃科 Juglandaceae 枫杨属 Pterocarya

湖北枫杨
Pterocarya hupehensis Skan

| 药 材 名 | 麻柳叶。

| 形态特征 | 乔木，高 10 ~ 20 m。小枝深灰褐色，无毛或被稀疏的短柔毛，皮孔灰黄色。奇数羽状复叶，长 20 ~ 25 cm；叶柄无毛，长 5 ~ 7 cm；小叶 5 ~ 11，纸质，叶缘具单锯齿，上面暗绿色，被细小的疣状突起及稀疏的腺体，下面浅绿色，在侧脉腋内具 1 束星芒状短毛；侧生小叶对生，具长 1 ~ 2 mm 的小叶柄，长椭圆形至卵状椭圆形，下部渐狭，基部近圆形，歪斜，先端短渐尖，中间以上的各对小叶较大，下端的小叶较小；顶生 1 小叶长椭圆形，基部楔形，先端急尖。雄花序长 8 ~ 10 cm，3 ~ 5 各由去年生侧枝先端以下的叶痕腋内发出，具短而粗的花序梗。果序长 30 ~ 45 cm；果序轴近无毛或有稀疏短柔毛；果翅阔，椭圆状卵形。

生境分布	生于低海拔的河溪岸边、湿润的森林中。分布于湖北西部。
资源情况	野生资源一般。药材来源于野生。
采收加工	叶：春、夏、秋季均可采收，除去杂质，鲜用或晒干。
功能主治	祛风止痛，杀虫止痒，解毒敛疮。

胡桃科 Juglandaceae 枫杨属 Pterocarya

枫杨
Pterocarya stenoptera C. DC.

| 药 材 名 | 麻柳树根。

| 形态特征 | 落叶乔木，高 18 ~ 30 m。树皮黑灰色，深纵裂；幼树具长柔毛和皮孔，叶痕明显。叶互生，多为偶数羽状复叶，少有奇数羽状复叶，长 8 ~ 16 cm；叶轴两侧有狭翅；小叶 10 ~ 28，长圆形至长椭圆状披针形，长 8 ~ 12 cm，宽 2 ~ 3 cm，先端钝圆或短尖，基部偏斜，边缘有细锯齿，表面有细小的疣状突起，中脉和侧脉腋内有 1 簇极短的星状毛。柔荑花序，花与叶同时开放；花单性，雌雄同株；雄花序单生于去年生的枝腋内，下垂；雌花序单生于新枝先端，花序轴密被星状毛和单毛。果序长 20 ~ 45 cm；小坚果长椭圆形，长 6 ~ 7 mm，常有纵脊，两侧有由小苞片发育增大的果翅，条形或阔条形。

| 生境分布 | 生于海拔 1 500 m 以下的河滩、阴湿山坡地的林中。湖北各地均有分布。 |

| 资源情况 | 野生资源丰富，栽培资源丰富。药材来源于野生和栽培。 |

| 采收加工 | **根或根皮：**全年均可采挖或结合伐木时间采挖，除去泥土，洗净，晒干，或趁鲜时剥取根皮，晒干。 |

| 功能主治 | 祛风止痛，杀虫止痒，解毒敛疮。 |

桦木科 Betulaceae 桤木属 Alnus

桤木

Alnus cremastogyne Burk.

| 药 材 名 | 桤木。

| 形态特征 | 乔木，高 30 ~ 40 m。树皮灰色，平滑；枝条灰色或灰褐色，无毛；小枝褐色，无毛或幼时被淡褐色短柔毛；芽具柄，有 2 芽鳞。叶倒卵形、倒卵状矩圆形、倒披针形或矩圆形，长 4 ~ 14 cm，宽 2.5 ~ 8 cm，先端骤尖或锐尖，基部楔形或微圆，边缘具几不明显而稀疏的钝齿，上面疏生腺点，幼时疏被长柔毛，下面密生腺点，几无毛，很少于幼时密被淡黄色短柔毛，脉腋间有时具簇生的髯毛，侧脉 8 ~ 10 对；叶柄长 1 ~ 2 cm，无毛。雄花序单生，长 3 ~ 4 cm。果序单生于叶腋，矩圆形，长 1 ~ 3.5 cm，直径 5 ~ 20 mm；果序柄细瘦，柔软，下垂，长 4 ~ 8 cm，无毛，稀幼时被短柔毛；果苞

木质，长 4 ~ 5 mm，先端具 5 浅裂片。小坚果卵形，长约 3 mm，膜质翅宽仅为坚果的 1/2。

| **生境分布** | 生于海拔 500 ~ 3 000 m 的山坡或岸边的林中，在海拔 1 500 m 的地带可成纯林。湖北有分布。

| **资源情况** | 药材主要来源于野生和栽培。

| **采收加工** | 春季采集嫩枝叶，全年均可采剥树皮，鲜用或晒干。

| **功能主治** | 清热凉血。用于鼻衄，肠炎，痢疾。

桦木科 Betulaceae 桤木属 Alnus

江南桤木

Alnus trabeculosa Hand.-Mazz.

| 药 材 名 | 江南桤木。

| 形态特征 | 乔木，高约10 m。树皮灰色或灰褐色，平滑。枝条暗灰褐色，无毛；小枝黄褐色或褐色，无毛或被黄褐色短柔毛。芽具柄，具2光滑的芽鳞。短枝和长枝上的叶大多数均为倒卵状矩圆形、倒披针状矩圆形或矩圆形，有时长枝上的叶为披针形或椭圆形，长6～16 cm，宽2.5～7 cm，先端锐尖、渐尖至尾状，基部近圆形或近心形，很少楔形，边缘具不规则疏细齿，上面无毛，下面具腺点；脉腋间具簇生的髯毛；侧脉6～13对；叶柄细瘦，长2～3 cm，疏被短柔毛或无毛，多少具腺点或无。果序矩圆形，长1～2.5 cm，直径1～1.5 cm，2～4呈总状排列；序梗长1～2 cm；果苞木质，长5～7 mm，基部楔形，先端圆楔形，具5浅裂片；小坚果宽卵形，

长 3 ~ 4 mm，宽 2 ~ 2.5 mm；果翅厚纸质，极狭，宽为果实的 1/4。

| **生境分布** | 生于海拔 200 ~ 1 000 m 的山谷或河谷的林中、岸边或村落附近。湖北有分布。

| **资源情况** | 药材来源于野生和栽培。

| **采收加工** | 茎、叶：全年均可采收，鲜用或阴干。

| **功能主治** | 用于湿疹，荨麻疹。

桦木科 Betulaceae 桦木属 Betula

西桦

Betula alnoides Buch.-Ham. ex D. Don

| 药 材 名 | 西桦。

| 形态特征 | 乔木，高达 16 m。树皮红褐色；枝条暗紫褐色，有条棱，无毛；小枝密被白色长柔毛和树脂腺体。叶厚纸质，披针形或卵状披针形，长 4 ~ 12 cm，宽 2.5 ~ 5.5 cm，先端渐尖至尾状渐尖，基部楔形、宽楔形或圆形，少有微心形，边缘具内弯的刺毛状的不规则重锯齿，上面无毛，下面的脉上疏被长柔毛，脉腋间具密髯毛，其余无毛，密生腺点；侧脉 10 ~ 13 对；叶柄长 1.5 ~ 3（~ 4）cm，密被长柔毛及腺点。果序长圆柱形，（2 ~）3 ~ 5 果序排成总状，长 5 ~ 10 cm，直径 4 ~ 6 mm；总柄长 5 ~ 10 mm，果序柄长 2 ~ 3 mm，均密被黄色长柔毛；果苞甚小，长约 3 mm，背面密被短柔毛，边缘具纤毛，

基部楔形，上部具 3 裂片，侧裂片不甚发育，呈耳突状，中裂片矩圆形，先端钝。小坚果倒卵形，长 1.5 ~ 2 mm，背面疏被短柔毛，膜质翅大部分露于果苞之外，宽为果的 2 倍。

| **生境分布** | 生于海拔 700 ~ 2 100 m 的山坡杂林中。湖北有分布。

| **资源情况** | 药材主要来源于野生和栽培。

| **采收加工** | 春、夏、秋季采摘叶，全年均可采剥树皮，鲜用或晒干。

| **功能主治** | 解毒，敛疮。用于疮毒，伤口溃后久不收口。

桦木科 Betulaceae 桦木属 Betula

亮叶桦

Betula luminifera H. Winkl.

| **药 材 名** | 亮叶桦。

| **形态特征** | 乔木，高可达 20 m，胸径可达 80 cm。树皮红褐色或暗黄灰色，紧密，平滑。枝条红褐色，无毛，有蜡质白粉；小枝黄褐色，密被淡黄色短柔毛，疏生树脂腺体。芽鳞无毛，边缘被短纤毛。叶矩圆形、宽矩圆形或矩圆状披针形，有时为椭圆形或卵形，长 4.5 ~ 10 cm，宽 2.5 ~ 6 cm，先端骤尖或呈细尾状，基部圆形，有时近心形或宽楔形，边缘具不规则的刺毛状重锯齿；叶上面仅幼时密被短柔毛，下面密生树脂腺点，沿脉疏生长柔毛；脉腋间有时具髯毛，侧脉 12 ~ 14 对；叶柄长 1 ~ 2 cm，密被短柔毛及腺点，极少无毛。雄花序 2 ~ 5 簇生于小枝先端或单生于小枝上部叶腋；花序梗密生树脂腺体；苞鳞背面无毛，边缘具短纤毛。果序大部单生，间或在 1 短枝上出现

2 单生于叶腋的果序，长圆柱形，长 3 ~ 9 cm，直径 6 ~ 10 mm；花序梗长 1 ~ 2 cm，下垂，密被短柔毛及树脂腺体；果苞长 2 ~ 3 mm，背面疏被短柔毛，边缘具短纤毛，中裂片矩圆形、披针形或倒披针形，先端圆或渐尖，侧裂片小，卵形，有时不甚发育而呈耳状或齿状，长仅为中裂片的 1/4 ~ 1/3；小坚果倒卵形，长约 2 mm，背面疏被短柔毛，膜质翅宽为果实的 1 ~ 2 倍。

| **生境分布** | 生于海拔 500 ~ 2 500 m 的阳坡杂木林内。湖北有分布。

| **资源情况** | 药材来源于野生和栽培。

| **采收加工** | 叶：春、夏季采收，鲜用或晒干。

| **功能主治** | 叶：清热利尿，解毒。

桦木科 Betulaceae 桦木属 Betula

糙皮桦
Betula utilis D. Don

| **药 材 名** | 糙皮桦。

| **形态特征** | 乔木，高可达 33 m。树皮暗红褐色，呈层状剥裂。枝条红褐色，无毛，有腺体或无；小枝褐色，密被树脂腺体和短柔毛，较少无腺体无毛。叶厚纸质，卵形、长卵形至椭圆形或矩圆形，长 4 ~ 9 cm，宽 2.5 ~ 6 cm，先端渐尖或长渐尖，有时呈短尾状，基部圆形或近心形，边缘具不规则的锐尖重锯齿；上面深绿色，幼时密被白色长柔毛，后渐变无毛，下面密生腺点，沿脉密被白色长柔毛；脉腋间具密髯毛，侧脉 8 ~ 14 对；叶柄长 8 ~ 20 mm，疏被毛或近无毛。果序全部单生或单生兼有 2 ~ 4 排成总状，直立或斜展，圆柱形或矩圆状圆柱形，长 3 ~ 5 cm，直径 7 ~ 12 mm；序梗长 8 ~ 15 mm，多少被短柔毛和树脂腺体；果苞长 5 ~ 8 mm，背面疏被短柔毛，

边缘具短纤毛，中裂片披针形，侧裂片近圆形或卵形，斜展，长及中裂片的 1/4 ～ 1/3；小坚果倒卵形，长 2 ～ 3 mm，宽 1.5 ～ 2 mm，上部疏被短柔毛，膜质翅与果实近等宽。

| **生境分布** | 生于海拔 1 700 ～ 3 100 m 的山坡林中。湖北有分布。

| **资源情况** | 药材来源于野生和栽培。

| **采收加工** | **树皮**：全年均可采收，鲜用或晒干。

| **功能主治** | 清热利湿，驱虫。

华千金榆
Carpinus cordata Bl. var. *chinensis* Franch.

| 药 材 名 | 华千金榆。

| 形态特征 | 千金榆：乔木，高约 15 m。树皮灰色。小枝棕色或橘黄色，具沟槽，初时疏被长柔毛，后变无毛。叶厚纸质，卵形或矩圆状卵形，较少倒卵形，长 8 ~ 15 cm，宽 4 ~ 5 cm，先端渐尖，具刺尖，基部斜心形，边缘具不规则的刺毛状重锯齿，上面疏被长柔毛或无毛，下面沿脉疏被短柔毛；侧脉 15 ~ 20 对；叶柄长 1.5 ~ 2 cm，无毛或疏被长柔毛。果序长 5 ~ 12 cm，直径约 4 cm；序梗长约 3 cm，无毛或疏被短柔毛；序轴密被短柔毛及稀疏的长柔毛；果苞宽卵状矩圆形，长 15 ~ 25 mm，宽 10 ~ 13 mm，无毛，外侧的基部无裂片，内侧的基部具一矩圆形内折的裂片，全部遮盖着小坚果，中裂片外侧内折，其边缘的上部具疏齿，内侧的边缘具明显的锯齿，先端锐

尖；小坚果矩圆形，长 4 ～ 6 mm，直径约 2 mm，无毛，具不明显的细肋。本种与千金榆的区别在于本种小枝、叶柄及花序轴密被长柔毛；叶下面沿脉疏被长柔毛。

| **生境分布** | 生于海拔 500 ～ 2 500 m 的较湿润、肥沃的背阴山坡或山谷杂木林中。湖北有分布。

| **资源情况** | 药材来源于野生和栽培。

| **功能主治** | 活血消肿，利湿通淋。用于跌打损伤，痈肿疮毒，淋证。

桦木科 Betulaceae 鹅耳枥属 *Carpinus*

川陕鹅耳枥 *Carpinus fargesiana* H. Winkl.

| **药 材 名** | 川陕鹅耳枥。

| **形态特征** | 乔木，高可达 20 m。树皮灰色，光滑；枝条细瘦，无毛，小枝棕色，疏被长柔毛。叶厚纸质，卵状披针形、卵状椭圆形、椭圆形或

矩圆形，长 2.5 ~ 6.5 cm，宽 2 ~ 2.5 cm，基部近圆形或微心形，先端渐尖，上面深绿色，幼时疏被长柔毛，后变无毛，下面淡绿色，沿脉疏被长柔毛，其余无毛，通常无疣状突起，侧脉 12 ~ 16 对，脉腋间具髯毛，边缘具重锯齿；叶柄细瘦，长 6 ~ 10 mm，疏被长柔毛。果序长约 4 cm，直径约 2.5 cm；果序柄长 1 ~ 1.5 cm，果序柄、序轴均疏被长柔毛；果苞半卵形或半宽卵形，长 1.3 ~ 1.5 cm，宽 6 ~ 8 mm，背面沿脉疏被长柔毛，外侧的基部无裂片，内侧的基部具耳突或仅边缘微内折，中裂片半三角状披针形，内侧边缘直，全缘，外侧边缘具疏齿，先端渐尖。小坚果宽卵圆形，长约 3 mm，无毛，无树脂腺体，极少于上部疏生腺体，具数肋。

| 生境分布 | 生于海拔 1 000 ~ 2 000 m 的林中。湖北有分布。

| 功能主治 | 解毒，祛瘀。

桦木科 Betulaceae 鹅耳枥属 *Carpinus*

湖北鹅耳枥 *Carpinus hupeana* Hu

| 药 材 名 | 湖北鹅耳枥。

| 形态特征 | 乔木，高 8 ～ 12 m，胸径达 15 cm。树皮淡灰棕色；枝条灰黑色有
小而凸起的皮孔，无毛；小枝细瘦，密被灰棕色长柔毛。叶厚纸质，

卵状披针形、卵状椭圆形或长椭圆形，长 6 ~ 10（~ 11）cm，宽 2.5 ~ 4.5 cm，先端锐尖或渐尖，有时微钝，基部圆形或微心形，边缘具重锯齿，上面沿中脉被长柔毛，下面除沿中脉与侧脉被长柔毛外，脉腋间尚具髯毛，密生疣状突起；侧脉（11 ~）13 ~ 16 对；叶柄细瘦，长 7 ~ 12 mm，密被灰棕色长柔毛。果序长 6 ~ 7 cm，直径 2 ~ 3 cm；果序柄长 15 ~ 20 mm，果序柄、果序轴均密被长柔毛；果苞半卵形，长 10 ~ 16 mm，宽 7 ~ 10 mm，沿脉疏被长柔毛，外侧的基部无裂片，内侧的基部具耳突或边缘微内折，中裂片半宽卵形、半三角状矩圆形，内侧的全缘或上部有疏生而不明显的细齿，外侧边缘具疏锯齿或具牙齿状粗锯齿，有时具缺刻状粗齿，先端渐尖或钝。小坚果宽卵圆形，除顶部疏生长柔毛外，其余无毛，无腺体。

| **生境分布** | 生于海拔 500 ~ 2 900 m 的山坡路边、疏林及杂木林中、溪边。分布于湖北西部。

| **功能主治** | 活血散瘀，利湿通淋。

桦木科 Betulaceae 鹅耳枥属 Carpinus

昌化鹅耳枥
Carpinus tschonoskii Maxim.

| **药 材 名** | 昌化鹅耳枥。

| **形态特征** | 乔木，高 5 ~ 10 m。树皮暗灰色；小枝褐色，疏被长柔毛，后渐变
无毛。叶椭圆形、矩圆形或卵状披针形，少有倒卵形或卵形，长 5 ~

12 cm，宽 2.5 ~ 5 cm，先端渐尖至尾状，基部圆楔形或近圆形，边缘具刺毛状重锯齿，两面均疏被长柔毛，以后除背面沿脉尚具疏毛、脉腋间具稀疏的髯毛外，其余无毛，侧脉 14 ~ 16 对；叶柄长 8 ~ 12 mm，上面疏被短柔毛；果序长 6 ~ 10 cm，直径 3 ~ 4 cm；果序柄长 1 ~ 4 cm，果序柄、果序轴均疏被长柔毛；果苞长 3 ~ 3.5 cm，宽 8 ~ 12 mm，外侧基部无裂片，内侧的基部仅边缘微内折，较少具耳突，中裂片披针形，外侧边缘具疏锯齿，内侧边缘直或微呈镰状弯曲。小坚果宽卵圆形，长 4 ~ 5 mm，先端疏被长柔毛，有时具树脂腺体。

| 生境分布 | 生于海拔 1 400 ~ 2 400 m 的山坡林中。湖北有分布。

| 功能主治 | 利湿通淋，活血消肿。

桦木科 Betulaceae 鹅耳枥属 Carpinus

雷公鹅耳枥
Carpinus viminea Lindl.

| 药 材 名 | 雷公鹅耳枥。

| 形态特征 | 乔木，高 10 ~ 20 m。树皮深灰色。小枝棕褐色，密生白色皮孔，无毛。叶厚纸质，椭圆形、矩圆形或卵状披针形，长 6 ~ 11 cm，宽 3 ~ 5 cm，先端渐尖、尾状渐尖至长尾状，基部圆楔形或圆形兼有微心形，有时两侧略不等，边缘具规则或不规则的重锯齿，除背面沿脉疏被长柔毛及有时脉腋间具稀少的髯毛外，均无毛；侧脉 12 ~ 15 对；叶柄较细长，长（10 ~ ）15 ~ 30 mm，多数无毛，偶有稀疏长柔毛或短柔毛。果序长 5 ~ 15 cm，直径 2.5 ~ 3 cm，下垂；序梗疏被短柔毛；序轴纤细，长 1.5 ~ 4 cm，无毛；果苞长 1.5 ~ 2.5 （~ 3）cm，内、外侧基部均具裂片，近无毛；中裂片半卵状披针形至矩圆形，长 1 ~ 2 cm，内侧全缘，很少具疏细齿，直或微呈镰

形弯曲,外侧边缘具牙齿状粗齿,较少具不明显的波状齿,内侧基部的裂片卵形,长约 3 mm,外侧基部的裂片与之近相等或较小而呈齿裂状;小坚果宽卵圆形,长 3 ~ 4 mm,无毛,有时上部疏生小树脂腺体和细柔毛,具少数细肋。

| 生境分布 | 生于海拔 700 ~ 2 600 m 的山坡杂木林中。湖北有分布。

| 资源情况 | 药材来源于野生和栽培。

| 功能主治 | 散瘀消肿。用于跌打损伤。

| 附　注 | 本种的叶形变异较大,过去所谓的"大穗鹅耳枥 *Carpinus fargesii* Franch."(模式标本采自重庆城口)被认为与本种属不同类群,所依据的区别特征是:前者叶先端刺尖长尾状,背面脉腋间具髯毛;幼枝具毛;小坚果先端具毛。后者叶先端尾状渐尖,背面脉腋间无髯毛;幼枝无毛;小坚果先端无毛。经过观察大量标本以后我们发现,上述所列举的区别特征是片面的,以重庆标本为例,不但可以同时看到上述两方面的特征,而且还可以发现一系列的过渡特征。云南、贵州和华东等地的标本亦有类似情况。因此,可以断定它们是同一类型的植物,故将"大穗鹅耳枥 *Carpinus fargesii* Franch."并入本种。

桦木科 Betulaceae 榛属 Corylus

华榛
Corylus chinensis Franch.

| 药材名 | 华榛。

| 形态特征 | 乔木，高可达 20 m。树皮灰褐色，纵裂。枝条灰褐色，无毛；小枝褐色，密被长柔毛和刺状腺体，很少无毛、无腺体，基部通常密被淡黄色长柔毛。叶椭圆形、宽椭圆形或宽卵形，长 8 ~ 18 cm，宽 6 ~ 12 cm，先端骤尖至短尾状，基部心形，两侧显著不对称，边缘具不规则的钝锯齿，上面无毛，下面沿脉疏被淡黄色长柔毛，有时具刺状腺体；侧脉 7 ~ 11 对；叶柄长 1 ~ 2.5 cm，密被淡黄色长柔毛及刺状腺体。雄花序 2 ~ 8 排成总状，长 2 ~ 5 cm；苞鳞三角形，锐尖，先端具一易脱落的刺状腺体。果实 2 ~ 6 簇生成头状，长 2 ~ 6 cm，直径 1 ~ 2.5 cm；果苞管状，于果实的上部缢缩，较果实长 2 倍，外面具纵肋，疏被长柔毛及刺状腺体，很少无毛、无

腺体，上部深裂，具 3 ~ 5 镰状披针形的裂片，裂片通常又分叉成小裂片；坚果球形，长 1 ~ 2 cm，无毛。

| **生境分布** | 生于海拔 2 000 ~ 3 100 m 的湿润山坡林中。湖北有分布。

| **资源情况** | 药材来源于野生和栽培。

| **采收加工** | 春季采集嫩枝叶，全年均可采收树皮，鲜用或晒干。

| **功能主治** | 清热止血，消肿，敛疮。用于外伤出血，冻伤，疮疖。

桦木科 Betulaceae 榛属 Corylus

藏刺榛

Corylus ferox Wall. var. *thibetica* (Batal.) Franch.

| 药 材 名 | 藏刺榛。

| 形态特征 | 落叶小乔木，高 5 ~ 12 m。小枝褐色，疏被长柔毛或无毛。叶为宽椭圆形或宽倒卵形，很少矩圆形。果苞背面具或疏或密的刺状腺体，针刺状裂片疏被毛至几无毛。

生境分布	生于海拔 1 500 ~ 3 000 m 的林中。分布于湖北西部。
资源情况	药材来源于野生和栽培。
采收加工	**雄花**：花盛开时采收。
	种子：果实成熟时采收。
功能主治	**雄花**：用于外伤出血，冻伤，疳疮。
	种子：调中，开胃，明目。用于皮肤瘙痒，肠炎腹泻。

桦木科 Betulaceae 榛属 Corylus

榛

Corylus heterophylla Fisch.

| 药 材 名 | 榛。

| 形 态 特 征 | 灌木或小乔木，高 1 ～ 7 m。树皮灰色；枝条暗灰色，无毛，小枝黄褐色，密被短柔毛兼被疏生的长柔毛，无或多少具刺状腺体。叶矩圆形或宽倒卵形，长 4 ～ 13 cm，宽 2.5 ～ 10 cm，先端凹缺或截形，中央具三角状突尖，基部心形，有时两侧不相等，边缘具不规则的重锯齿，中部以上具浅裂，上面无毛，下面在幼时疏被短柔毛，以后仅沿脉疏被短柔毛，其余无毛；侧脉 3 ～ 5 对；叶柄纤细，长 1 ～ 2 cm，疏被短毛或近无毛。雄花序单生，长约 4 cm。果单生或 2 ～ 6 簇生成头状；果苞钟状，外面具细条棱，密被短柔毛兼有疏生的长柔毛，密生刺状腺体，很少无腺体，较果长但不超过果长的

1 倍，很少较果短，上部浅裂，裂片三角形，全缘，很少具疏锯齿；果序柄长约 1.5 cm，密被短柔毛。坚果近球形，长 7 ~ 15 mm，无毛或仅先端疏被长柔毛。

| **生境分布** | 生于海拔 200 ~ 1 000 m 的山地阴坡灌丛中。湖北有分布。

| **资源情况** | 药材主要来源于野生和栽培。

| **采收加工** | **果实：**果实成熟时采摘。

| **功能主治** | 通便，明目。

桦木科 Betulaceae 榛属 Corylus

川榛

Corylus heterophylla Fisch. ex Bess. var. *sutchuenensis* Franch.

| 药 材 名 |

川榛。

| 形态特征 |

大灌木或小乔木，树高 3 ~ 7 m。老枝灰褐色或黄褐色；小枝黄褐色或灰褐色，具稀疏柔毛和腺毛，皮孔大而凸出。叶片近圆形，倒卵形或椭圆形，长 8 ~ 15 cm，宽 6.4 ~ 10.2 cm，先端渐尖或尾状，基部心形。雄花序着生于小枝的上部叶腋，圆柱状直立或下垂，1 ~ 7 总状着生。坚果圆球形，红褐色或灰褐色，1 ~ 5 簇生，果实表面具短绒毛，果仁无空心。花期 3 月，果期 9 月中下旬。

| 生境分布 |

生于海拔 700 ~ 2 500 m 的山地林间。湖北有分布。

| 资源情况 |

药材来源于野生和栽培。

| **采收加工** | 种子：9 月中下旬果实成熟时采收。

| **功能主治** | 健胃。用于食欲不振。

毛榛

Corylus mandshurica Maxim. et Rupr.

| 药 材 名 | 毛榛。

| 形态特征 | 灌木，高 3 ~ 4 m。树皮暗灰色或灰褐色；枝条灰褐色，无毛；小枝黄褐色，被长柔毛，下部的毛较密。叶宽卵形、矩圆形或倒卵状矩圆形，长 6 ~ 12 cm，宽 4 ~ 9 cm，先端骤尖或尾状，基部心形，边缘具不规则的粗锯齿，中部以上具浅裂或缺刻，上面疏被毛或几无毛，下面疏被短柔毛，沿脉的毛较密，侧脉约 7 对；叶柄细瘦，长 1 ~ 3 cm，疏被长柔毛及短柔毛。雄花序 2 ~ 4 排成总状；苞鳞密被白色短柔毛。果单生或 2 ~ 6 簇生，长 3 ~ 6 cm；果苞管状，在坚果上部缢缩，较果长 2 ~ 3 倍，外面密被黄色刚毛兼有白色短柔毛，上部浅裂，裂片披针形；果序柄粗壮，长 1.5 ~ 2 cm，密被

黄色短柔毛。坚果近球形，长约 1.5 cm，先端具小突尖，外面密被白色绒毛。

| 生境分布 | 生于海拔 400 ～ 1 500 m 的山坡灌丛中或林下。湖北有分布。

| 资源情况 | 药材主要来源于野生和栽培。

| 采收加工 | **果实**：果实成熟时采摘。

| 功能主治 | 用于病后体虚，食少，疲倦，视物不清。

桦木科 Betulaceae 榛属 Corylus

滇榛
Corylus yunnanensis A. Camus

| 药 材 名 | 滇榛。

| 形态特征 | 灌木或小乔木，高 1 ～ 7 m。树皮暗灰色；枝条暗灰色或灰褐色，无毛；小枝褐色，密被黄色绒毛，具或疏或密的刺状腺体。叶厚纸质，几圆形或宽卵形，稀倒卵形，长 4 ～ 12 cm，宽 3 ～ 9 cm，先端骤尖或尾状，基部几心形，边缘具不规则的锯齿，上面疏被短柔毛，幼时具刺状腺体，下面密被绒毛，幼时沿主脉的下部生刺状腺体；侧脉 5 ～ 7 对；叶柄粗壮，长 7 ～ 12 mm，密被绒毛，幼时密生刺状腺体。雄花序 2 ～ 3 排成总状，下垂，长 2.5 ～ 3.5 cm，苞鳞背面密被短柔毛。果单生或 2 ～ 3 簇生成头状，果苞钟状，外面密被黄色绒毛和刺状腺体，通常与果等长或较果短，很少较果长，上部

浅裂，裂片三角形，边缘具疏齿。坚果球形，长 1.5 ～ 2 cm，密被绒毛。

| **生境分布** | 生于海拔 2 000 ～ 3 100 m 的山坡灌丛中。湖北有分布。

| **资源情况** | 药材主要来源于野生和栽培。

| **采收加工** | **果实**：果实成熟时采摘。

| **功能主治** | 补脾润肺，和中。

壳斗科 Fagaceae 栗属 Castanea

锥栗

Castanea henryi (Skan) Rehd. et Wils.

药材名

锥栗。

形态特征

大乔木，高达 30 m，胸径 1.5 m。冬芽长约 5 mm。小枝暗紫褐色。托叶长 8 ~ 14 mm；叶长圆形或披针形，长 10 ~ 23 cm，宽 3 ~ 7 cm，顶部长渐尖至尾状长尖，新生叶的基部狭楔尖，两侧对称，成长叶的基部圆形或宽楔形，一侧偏斜，叶缘的裂齿有长 2 ~ 4 mm 的线状长尖，叶背无毛，但嫩叶有黄色鳞腺且在叶脉两侧有疏长毛；开花期的叶柄长 1 ~ 1.5 cm，结果时延长至 2.5 cm。雄花序长 5 ~ 16 cm，花簇有花 1 ~ 3（~ 5）；每壳斗有雌花 1（偶有 2 或 3），仅 1 花（稀 2 或 3）发育成果实，花柱无毛，稀在下部有疏毛。成熟壳斗近圆球形，连刺直径 2.5 ~ 4.5 cm，刺或密或稍疏生，长 4 ~ 10 mm；坚果长 12 ~ 15 mm，宽 10 ~ 15 mm，顶部有伏毛。花期 5 ~ 7 月，果期 9 ~ 10 月。

生境分布

生于海拔 100 ~ 1 800 m 的丘陵、山地，常见的常绿落叶阔叶混交林中。湖北有分布。

| 采收加工 | 种子：夏、秋季采收，剥去果壳，晒干。
　　　　　壳斗：夏、秋季采收，剥种子时收集，晒干。
　　　　　叶：春、夏、秋季均可采收，鲜用或晒干。

| 功能主治 | 种子：甘，平。用于肾虚，消瘦。
　　　　　壳斗、叶：用于湿热，泄泻。

壳斗科 Fagaceae 栗属 Castanea

栗

Castanea mollissima Bl.

| 药 材 名 | 栗。

| 形态特征 | 乔木，高达 20 m，胸径 80 cm。冬芽长约 5 mm。小枝灰褐色。托叶长圆形，长 10 ~ 15 mm，被疏长毛及鳞腺；叶椭圆形至长圆形，长11 ~ 17 cm，宽稀达 7 cm，顶部短至渐尖，基部近平截或圆，有时两侧稍向内弯而呈耳垂状，常一侧偏斜而不对称；新生叶的基部常狭楔尖且两侧对称，叶背被星芒状伏贴绒毛或因毛脱落变为几无毛；叶柄长 1 ~ 2 cm。雄花序长 10 ~ 20 cm，花序轴被毛，花 3 ~ 5 聚生成簇；雌花 1 ~ 3（~ 5）发育成果实，花柱下部被毛。成熟壳斗的锐刺有长有短，有疏有密，密时全遮蔽壳斗外壁，疏时则外壁可见，壳斗连刺直径 4.5 ~ 6.5 cm；坚果高 1.5 ~ 3 cm，宽 1.8 ~ 3.5 cm。花期 4 ~ 6 月，果期 8 ~ 10 月。

| 生境分布 | 生于平地至海拔 2 800 m 的山地。湖北有栽培。

| 资源情况 | 药材主要来源于野生和栽培。

| 采收加工 | 种仁：夏、秋季采收，剥去果壳，晒干。
壳斗：夏、秋季采收，剥种仁时收集，晒干。
叶：春、夏、秋季均可采收，鲜用或晒干。

| 功能主治 | 根或根皮：行气止痛，活血调经。
叶：清肺止咳，解毒消肿。
总苞：清热散结，化痰，止血。
花或花序：清热燥湿，止血，散结。
外果皮：降逆化痰，清热散结，止血。
内果皮：散结下气，养颜。
种仁：益气健脾，补肾强筋，活血消肿，止血。

壳斗科 Fagaceae 栗属 Castanea

茅栗
Castanea seguinii Dode

| **药 材 名** | 茅栗。

| **形态特征** | 小乔木或灌木状，通常高 2 ~ 5 m，稀达 12 m。冬芽长 2 ~ 3 mm。小枝暗褐色。托叶细长，长 7 ~ 15 mm，开花仍未脱落；叶倒卵状椭圆形或兼有长圆形，长 6 ~ 14 cm，宽 4 ~ 5 cm，顶部渐尖，基部楔尖（嫩叶）至圆形或耳垂状（成长叶），基部对称至一侧偏斜，叶背有黄色或灰白色鳞腺，幼嫩时沿叶背脉两侧有疏单毛；叶柄长 5 ~ 15 mm。雄花序长 5 ~ 12 cm，雄花簇有花 3 ~ 5；雌花单生或生于混合花序的花序轴下部，每壳斗有雌花 3 ~ 5，通常 1 ~ 3 发育成果实，花柱 6 或 9，无毛。壳斗外壁密生锐刺，成熟壳斗连刺直径 3 ~ 5 cm，宽略长于高，刺长 6 ~ 10 mm；坚果长 15 ~ 20 mm，宽 20 ~ 25 mm，无毛或顶部有疏伏毛。花期 5 ~ 7 月，

果期 9 ~ 11 月。

| **生境分布** | 生于海拔 400 ~ 2 000 m 的丘陵山地、山坡灌丛中或与阔叶常绿树或落叶树混生。湖北有分布。

| **资源情况** | 药材主要来源于野生和栽培。

| **采收加工** | 叶：夏、秋季采摘，鲜用或晒干。

树根：全年均可采挖，晒干。

种仁：秋季总苞由青转黄且微裂时采收，剥出种子，晒干。

| **功能主治** | 安神，消食健胃，清热解毒。用于失眠，消化不良，肺结核，肺炎，丹毒，疮毒。

壳斗科 Fagaceae 锥属 Castanopsis

钩锥 *Castanopsis tibetana* Hance

| 药材名 |

钩锥。

| 形态特征 |

乔木，高达 30 m，胸径达 1.5 m。树皮灰褐色，粗糙，小枝干后黑色或黑褐色，枝、叶均无毛。新生嫩叶暗紫褐色，成长叶革质，卵状椭圆形、卵形、长椭圆形或倒卵状椭圆形，长 15 ~ 30 cm，宽 5 ~ 10 cm，顶部渐尖，短突尖或尾状，基部近圆或短楔尖，对称或 1 侧略短且偏斜，叶缘至少在近顶部有锯齿状锐齿；侧脉直达齿端，中脉在叶面凹陷，侧脉每边 15 ~ 18，网状脉明显，新生叶叶背红褐色，老叶淡棕灰色或银灰色；叶柄长 1.5 ~ 3 cm。雄穗状花序或圆锥花序，花序轴无毛，雄蕊通常 10，花被裂片内面被疏短毛；雌花序长 5 ~ 25 cm，花柱 3，长约 1 mm，果序轴横切面直径 4 ~ 6 mm。壳斗有坚果 1，圆球形，连刺直径 60 ~ 80 mm 或稍大，整齐的 4，稀 5 瓣开裂，壳壁厚 3 ~ 4 mm，刺长 15 ~ 25 mm，通常在基部合生成刺束，将壳壁完全遮蔽，刺几无毛或被稀疏微柔毛。坚果扁圆锥形，高 1.5 ~ 1.8 cm，横径 2 ~ 2.8 cm，被毛，果脐占坚果面积的 1/4。

花期 4 ~ 5 月，果期翌年 8 ~ 10 月。

| **生境分布** | 生于海拔 1 500 m 以下的山地杂木林中较湿润地方、平地路旁或寺庙周围，有时成小片纯林。湖北有分布。

| **资源情况** | 药材主要来源于野生和栽培。

| **功能主治** | 涩肠，止痢。用于痢疾。

■壳斗科 ■ Fagaceae ■青冈属 ■ *Cyclobalanopsis*

黄毛青冈

Cyclobalanopsis delavayi (Franch.) Schott.

| 药 材 名 | 黄毛青冈。

| 形态特征 | 常绿乔木，高达 20 m，胸径达 1 m。小枝密被黄褐色绒毛。叶片革质，长椭圆形或卵状长椭圆形，长 8 ~ 12 cm，宽 2 ~ 4.5 cm，先端渐尖或短渐尖，基部宽楔形或近圆形，叶缘中部以上有锯齿，中脉在叶面凹陷，在叶背凸起，侧脉每边 10 ~ 14，叶面无毛，叶背密被黄色星状绒毛；叶柄长 1 ~ 2.5 cm，密被灰黄色绒毛。雄花序簇生或分枝，长 2 ~ 4 cm，被黄色绒毛；雌花序腋生，长约 4 cm，着生 2 ~ 3 花，被黄色绒毛，花柱 3 ~ 5 裂。壳斗浅碗形，包着坚果约 1/2，直径 1 ~ 1.5（~ 1.9）cm，高 5 ~ 8（~ 10）mm，内壁被黄色绒毛；小苞片合生成 6 ~ 7 同心环带，环带边缘具浅齿，密被黄

色绒毛。坚果椭圆形或卵形，直径 1 ~ 1.5 cm，高约 1.8 cm，初被绒毛，后毛渐脱落；果脐凸起，直径 6 ~ 8 mm。花期 4 ~ 5 月，果期翌年 9 ~ 10 月。

| 生境分布 | 生于海拔 1 000 ~ 2 800 m 的常绿阔叶林或松栎混交林中。湖北有分布。

| 资源情况 | 药材主要来源于野生和栽培。

| 采收加工 | **树皮：**全年均可采剥，鲜用或晒干。

| 功能主治 | 平喘。用于哮喘。

壳斗科 Fagaceae 青冈属 Cyclobalanopsis

青冈
Cyclobalanopsis glauca (Thunb.) Oerst.

| 药 材 名 | 青冈。

| 形态特征 | 常绿乔木，高达 20 m，胸径可达 1 m。小枝无毛。叶片革质，倒卵状椭圆形或长椭圆形，长 6 ~ 13 cm，宽 2 ~ 5.5 cm，先端渐尖或短尾状，基部圆形或宽楔形，叶缘中部以上有疏锯齿；侧脉每边 9 ~ 13，叶背支脉明显；叶面无毛，叶背有整齐平伏的白色单毛，老时渐脱落，常有白色鳞秕；叶柄长 1 ~ 3 cm。雄花序长 5 ~ 6 cm，花序轴被苍色绒毛。果序长 1.5 ~ 3 cm，着生果实 2 ~ 3；壳斗碗形，包着 1/3 ~ 1/2 坚果，直径 0.9 ~ 1.4 cm，高 0.6 ~ 0.8 cm，被薄毛；小苞片合生成 5 ~ 6 同心环带，环带全缘或有细缺刻，排列紧密；坚果卵形、长卵形或椭圆形，直径 0.9 ~ 1.4 cm，高 1 ~ 1.6 cm，无毛或被薄毛；果脐平坦或微凸起。花期 4 ~ 5 月，果期 10 月。

| **生境分布** | 生于海拔 60 ～ 2 600 m 的山坡、沟谷或常绿阔叶林、常绿阔叶与落叶阔叶混交林。湖北有分布。

| **资源情况** | 药材主要来源于野生和栽培。

| **功能主治** | **种仁**：涩肠止泻，生津止渴。
树皮、叶：止血，敛疮。

壳斗科 Fagaceae 青冈属 Cyclobalanopsis

小叶青冈

Cyclobalanopsis myrsinifolia (Blume) Oersted.

| 药 材 名 | 小叶青冈。

| 形态特征 | 常绿乔木，高 20 m，胸径达 1 m。小枝无毛，被凸起的淡褐色长圆形皮孔。叶卵状披针形或椭圆状披针形，长 6 ~ 11 cm，宽 1.8 ~ 4 cm，先端长渐尖或短尾状，基部楔形或近圆形，叶缘中部以上有细锯齿；侧脉每边 9 ~ 14，常不达叶缘，叶背支脉不明显，叶面绿色，叶背粉白色，干后为暗灰色，无毛；叶柄长 1 ~ 2.5 cm，无毛。雄花序长 4 ~ 6 cm；雌花序长 1.5 ~ 3 cm。壳斗杯形，包着坚果 1/3 ~ 1/2，直径 1 ~ 1.8 cm，高 5 ~ 8 mm，壁薄而脆，内壁无毛，外壁被灰白色细柔毛；小苞片合生成 6 ~ 9 同心环带，环带全缘。坚果卵形或椭圆形，直径 1 ~ 1.5 cm，高 1.4 ~ 2.5 cm，无毛，先

端圆形，柱座明显，有 5 ~ 6 环纹；果脐平坦，直径约 6 mm。花期 6 月，果期 10 月。

| **生境分布** | 生于海拔 200 ~ 2 500 m 的山谷、阴坡杂木林中。湖北有分布。

| **功能主治** | **种仁**：止泻，除恶血，止渴。

叶、树皮：止血。

壳斗科 Fagaceae 水青冈属 Fagus

米心水青冈 *Fagus engleriana* Seem.

| 药 材 名 |

米心水青冈。

| 形态特征 |

乔木，高达 25 m。冬芽长达 25 mm。小枝的皮孔近圆形。叶菱状卵形，长 5 ～ 9 cm，宽 2.5 ～ 4.5 cm，稀较小或更大，顶部短尖，基部宽楔形或近圆形，常一侧略短，叶缘波浪状，侧脉每边 9 ～ 14，在叶缘附近急向上弯并与上一侧脉联结；新生嫩叶的中脉被有光泽的长伏毛；结果期的叶几无毛或仅叶背沿中脉两侧有稀疏长毛；叶柄长 5 ～ 15 mm。果柄长 2 ～ 7 cm，无毛；壳斗裂瓣长 15 ～ 18 mm，位于壳壁下部的小苞片狭倒披针形，叶状，绿色，有中脉及支脉，无毛，位于上部的为线状而弯钩，被毛；每壳斗有坚果 2，稀 3；坚果脊棱的顶部有狭而稍下延的薄翅。花期 4 ～ 5 月，果期 8 ～ 10 月。

| 生境分布 |

生于海拔 1 500 ～ 2 500 m 的山地林中或北坡常绿落叶阔叶混交林中。湖北有分布。

| **资源情况** | 药材主要来源于野生和栽培。

| **功能主治** | **茎皮**：祛风除湿。用于风湿疼痛。

水青冈 *Fagus longipetiolata* Seem.

| 药 材 名 |

水青冈。

| 形态特征 |

乔木，高达 25 m。冬芽长达 20 mm。小枝的皮孔狭长圆形或兼有近圆形。叶长 9 ~ 15 cm，宽 4 ~ 6 cm，稀较小，顶部短尖至短渐尖，基部宽楔形或近圆形，有时一侧较短且偏斜，叶缘波浪状，有短尖齿；侧脉每边 9 ~ 15，直达齿端；开花期的叶沿叶背中、侧脉被长伏毛，其余被微柔毛，结果时因毛脱落变无毛或几无毛；叶柄长 1 ~ 3.5 cm。总梗长 1 ~ 10 cm；壳斗 3（~ 4）瓣裂，裂瓣长 20 ~ 35 mm，稍增厚，木质；小苞片线状，向上弯钩，位于壳斗顶部的长达 7 mm，下部的较短，与壳壁均被灰棕色微柔毛，壳壁的毛较长且密；通常有坚果 2；坚果比壳斗裂瓣稍短或等长，脊棱顶部有狭而略延伸的薄翅。花期 4 ~ 5 月，果期 9 ~ 10 月。

| 生境分布 |

生于海拔 300 ~ 2 400 m 的山地杂木林中或向阳坡地。湖北有分布。

| **资源情况** | 药材主要来源于野生和栽培。

| **功能主治** | **种子**：补脾健胃。用于虚弱无力。
树皮：祛风除湿。用于风湿麻痹。

壳斗科 Fagaceae 柯属 Lithocarpus

柯

Lithocarpus glaber (Thunb.) Nakai

| 药 材 名 | 柯。

| 形态特征 | 乔木，高 15 m，胸径 40 cm。一年生枝、嫩叶叶柄、叶背及花序轴均密被灰黄色短绒毛，二年生枝的毛较疏且短，常变为污黑色。叶革质或厚纸质，倒卵形、倒卵状椭圆形或长椭圆形，长 6 ~ 14 cm，宽 2.5 ~ 5.5 cm，顶部突急尖，短尾状，或长渐尖，基部楔形，上部叶缘有 2 ~ 4 浅裂齿或全缘；中脉在叶面微凸起，侧脉每边很少多于 10，支脉通常不明显；成长叶背面无毛或几无毛，有较厚的蜡鳞层；叶柄长 1 ~ 2 cm。雄穗状花序多排成圆锥花序或单穗腋生，长达 15 cm；雌花序常着生少数雄花，雌花每 3 一簇，很少 5 一簇，花柱 1 ~ 1.5 mm。果序轴通常被短柔毛；壳斗碟状或浅碗状，通常呈上宽下窄的倒三角形，高 5 ~ 10 mm，宽 10 ~ 15 mm，先端边

缘甚薄，向下渐增厚，硬木质；小苞片三角形，甚细小，紧贴，覆瓦状排列或连生成圆环，密被灰色微柔毛；坚果椭圆形，高 12 ~ 25 mm，宽 8 ~ 15 mm，先端尖或长卵形，有淡薄的白色粉霜，暗栗褐色；果脐深达 2 mm，口径 3 ~ 5 mm，很少达 8 mm。花期 7 ~ 11 月，果实翌年同期成熟。

| **生境分布** | 生于海拔 1 500 m 以下的向阳山坡或坡地杂木林中。湖北有分布。

| **资源情况** | 药材主要来源于野生和栽培。

| **功能主治** | 行气，利水。用于腹水。

灰柯

Lithocarpus henryi (Seem.) Rehd. et Wils.

药材名

灰柯。

形态特征

乔木，高达 20 m。芽鳞无毛。当年生嫩枝紫褐色，二年生枝有灰白色薄蜡层，枝、叶无毛。叶革质或硬纸质，狭长椭圆形，长 12 ~ 22 cm，宽 3 ~ 6 cm，顶部短渐尖，基部有时宽楔形，常一侧稍短且偏斜，全缘；侧脉每边 11 ~ 15，在叶面微凹陷；支脉不明显；叶背干后带灰色，有较厚的蜡鳞层；叶柄长 1.5 ~ 3.5 cm。雄穗状花序单穗腋生；雌花序长达 20 cm，花序轴被灰黄色毡和毛状微柔毛，其顶部常着生少数雄花，雌花每 3 一簇，花柱长约 1 mm。壳斗浅碗形，高 6 ~ 14 mm，宽 15 ~ 24 mm，包着坚果很少到 1/2；壳壁先端边缘甚薄，向下逐渐增厚，基部近木质；小苞片三角形，伏贴，位于壳斗先端边缘的常彼此分离，覆瓦状排列；坚果高 12 ~ 20 mm，宽 15 ~ 24 mm，先端圆，有时略凹陷，有时先端尖，常有淡薄的白粉；果脐深 0.5 ~ 1 mm，口径 10 ~ 15 mm。花期 8 ~ 10 月，果实翌年同期成熟。

| **生境分布** | 生于海拔 1 400 ~ 2 100 m 的山地杂木林中。分布于湖北西部。

| **资源情况** | 药材主要来源于野生和栽培。

| **功能主治** | 止泻痢。

壳斗科 Fagaceae 柯属 Lithocarpus

木姜叶柯

Lithocarpus litseifolius (Hance) Chun

| 药 材 名 | 木姜叶柯。

| 形态特征 | 乔木，高达 20 m，胸径 60 cm。枝、叶无毛，有时小枝、叶柄及叶面干后有淡薄的白色粉霜。叶纸质至近革质，椭圆形、倒卵状椭圆形或卵形，稀狭长椭圆形，长 8 ~ 18 cm，宽 3 ~ 8 cm，顶部渐尖或短突尖，基部楔形至宽楔形，全缘；中脉在叶面凸起，侧脉每边 8 ~ 11，至叶缘附近隐没，支脉纤细，疏离，两面同色或叶背带苍灰色，有紧实鳞秕层，中脉及侧脉干后红褐色或棕黄色；叶柄长 1.5 ~ 2.5 cm。雄穗状花序多穗排成圆锥花序，少有单穗腋生，花序长达 25 cm；雌花序长达 35 cm，有时雌雄同序，通常 2 ~ 6 穗聚生于枝顶部，花序轴常被稀疏短毛，每 3 ~ 5 雌花为 1 簇，花柱比花

被裂片稍长，干后常油润有光泽。果序长达 30 cm，果序轴纤细，直径很少超过 5 mm。壳斗浅碟状或上宽下窄的短漏斗状，宽 8 ~ 14 mm，顶部边缘通常平展，甚薄，无毛，向下明显增厚成硬木质，小苞片三角形，紧贴，覆瓦状排列，或基部的连生成圆环。坚果为先端锥尖的宽圆锥形或近圆球形，很少为顶部平缓的扁圆形，高 8 ~ 15 mm，宽 12 ~ 20 mm，栗褐色或红褐色，无毛，常有淡薄的白粉，果脐深达 4 mm，口径宽达 11 mm。花期 5 ~ 9 月，果期翌年 6 ~ 10 月。

| **生境分布** | 生于海拔 2 200 m 的喜阳、干旱的次生林中。湖北有分布。

| **资源情况** | 药材主要来源于野生。

| **功能主治** | 用于消化不良，消化道溃疡，急、慢性胃炎。

壳斗科 Fagaceae 栎属 Quercus

麻栎
Quercus acutissima Carruth.

| 药 材 名 | 麻栎。

| 形态特征 | 落叶乔木，高达 30 m，胸径达 1 m。树皮深灰褐色，深纵裂。幼枝被灰黄色柔毛，后毛渐脱落，老时灰黄色，具淡黄色皮孔；冬芽圆锥形，被柔毛。叶片形态多样，通常为长椭圆状披针形，长 8 ~ 19 cm，宽 2 ~ 6 cm，先端长渐尖，基部圆形或宽楔形，叶缘有刺芒状锯齿，叶片两面同色，幼时被柔毛，老时无毛或叶背面脉上有柔毛；侧脉每边 13 ~ 18；叶柄长 1 ~ 3（~ 5）cm，幼时被柔毛，后毛渐脱落。雄花序常数个集生于当年生枝下部叶腋，有花 1 ~ 3，花柱 30。壳斗杯形，包着坚果约 1/2，连小苞片直径 2 ~ 4 cm，高约 1.5 cm；小苞片钻形或扁条形，向外反曲，被灰白色绒毛。坚果

卵形或椭圆形，直径 1.5 ~ 2 cm，高 1.7 ~ 2.2 cm，先端圆形，果脐凸起。花期 3 ~ 4 月，果期翌年 9 ~ 10 月。

| 生境分布 | 生于山地阳坡。湖北有分布。

| 资源情况 | 药材主要来源于野生。

| 功能主治 | **果实**：解毒消肿。用于乳腺炎。
树皮：收敛，止痢。用于久泻，痢疾。

壳斗科 Fagaceae 栎属 Quercus

槲栎

Quercus aliena Bl.

| 药材名 |

槲栎。

| 形态特征 |

落叶乔木，高达 30 m。树皮暗灰色，深纵裂。小枝灰褐色，近无毛，具圆形淡褐色皮孔。芽卵形，芽鳞具缘毛。叶片长椭圆状倒卵形至倒卵形，长 10 ~ 20（~ 30）cm，宽 5 ~ 14（~ 16）cm，先端微钝或短渐尖，基部楔形或圆形，叶缘具波状钝齿，叶背被灰棕色细绒毛；侧脉每边 10 ~ 15，叶面中脉、侧脉不凹陷；叶柄长 1 ~ 1.3 cm，无毛。雄花序长 4 ~ 8 cm，雄花单生或数簇生于花序轴，微有毛，花被 6 裂，雄蕊通常 10；雌花序生于新枝叶腋，单生或 2 ~ 3 簇生。壳斗杯形，包着坚果约 1/2，直径 1.2 ~ 2 cm，高 1 ~ 1.5 cm；小苞片卵状披针形，长约 2 mm，排列紧密，被灰白色短柔毛；坚果椭圆形至卵形，直径 1.3 ~ 1.8 cm，高 1.7 ~ 2.5 cm；果脐微凸起。花期（3 ~）4 ~ 5 月，果期 9 ~ 10 月。

| 生境分布 |

生于海拔 100 ~ 2 000 m 的向阳山坡。湖北有分布。

| **资源情况** | 药材主要来源于野生和栽培。

| **功能主治** | 解毒消肿，涩肠，止血。用于疮痈肿痛，溃破不敛，瘰疬，痔疮，痢疾，肠风下血。

壳斗科 Fagaceae 栎属 Quercus

橿子栎
Quercus baronii Skan

| 药 材 名 |

橿子栎。

| 形态特征 |

半常绿灌木或乔木，高达 15 m。小枝幼时被星状柔毛，后渐脱落。叶片卵状披针形，长 3 ~ 6 cm，宽 1.3 ~ 2 cm，先端渐尖，基部圆形或宽楔形，叶缘 1/3 以上有锐锯齿，叶片幼时两面疏被星状微柔毛，叶背中脉有灰黄色长绒毛，后渐脱落；侧脉每边 6 ~ 7，纤细，在叶片两面微凸起；叶柄长 3 ~ 7 mm，被灰黄色绒毛。雄花序长约 2 cm，花序轴被绒毛；雌花序长 1 ~ 1.5 cm，具 1 至数花。壳斗杯形，包着坚果 1/2 ~ 2/3，直径 1.2 ~ 1.8 cm，高 0.8 ~ 1 cm；小苞片钻形，长 3 ~ 5 mm，反曲，被灰白色短柔毛。坚果卵形或椭圆形，直径 1 ~ 1.2 cm，高 1.5 ~ 1.8 cm，先端平或微凹陷，柱座长约 2 mm，被白色短柔毛；果脐微凸起，直径 4 ~ 5 mm。花期 4 月，果期翌年 9 月。

| 生境分布 |

生于海拔 500 ~ 2 700 m 的山坡、山谷杂木林中或石灰岩山地。湖北有分布。

| 资源情况 | 药材主要来源于野生和栽培。

| 功能主治 | **根皮**：用于牙痛，黄疸。

　　　　　　叶：用于肿毒，难产。

壳斗科 Fagaceae 栎属 *Quercus*

槲树 *Quercus dentata* Thunb.

药 材 名

槲树。

形态特征

落叶乔木，高达 25 m。树皮暗灰褐色，深
纵裂。小枝粗壮，有沟槽，密被灰黄色星
状绒毛。芽宽卵形，密被黄褐色绒毛。叶
片倒卵形或长倒卵形，长 10 ~ 30 cm，宽
6 ~ 20 cm，先端短钝尖，叶面深绿色，基
部耳形，叶缘波状裂片或粗锯齿，幼时被
毛，后毛渐脱落，叶背面密被灰褐色星状绒
毛；侧脉每边 4 ~ 10；托叶线状披针形，
长 1.5 cm；叶柄长 2 ~ 5 mm，密被棕色
绒毛。雄花序生于新枝叶腋，长 4 ~ 10 cm，
花序轴密被淡褐色绒毛，数花簇生于花序轴
上；花被 7 ~ 8 裂，雄蕊通常 8 ~ 10；雌
花序生于新枝上部叶腋，长 1 ~ 3 cm。壳
斗杯形，包着坚果 1/3 ~ 1/2，连小苞片直
径 2 ~ 5 cm，高 0.2 ~ 2 cm；小苞片革质，
窄披针形，长约 1 cm，反曲或直立，红棕
色，外面被褐色丝状毛，内面无毛。坚果卵
形至宽卵形，直径 1.2 ~ 1.5 cm，高 1.5 ~
2.3 cm，无毛，有宿存花柱。花期 4 ~ 5 月，
果期 9 ~ 10 月。

| **生境分布** | 生于海拔 50 ~ 2 700 m 的杂木林或松林中。湖北有分布。

| **资源情况** | 药材主要来源于野生。

| **采收加工** | **果实**：果实成熟时采摘，晒干。

| **功能主治** | 涩肠固脱。用于痔血，泻痢，脱肛。

匙叶栎

Quercus dolicholepis A. Camus

| 药 材 名 | 匙叶栎。

| 形态特征 | 常绿乔木，高达 16 m。小枝幼时被灰黄色星状柔毛，后毛渐脱落。叶革质，叶片倒卵状匙形或倒卵状长椭圆形，长 2 ~ 8 cm，宽

1.5 ~ 4 cm，先端圆形或钝尖，基部宽楔形、圆形或心形，叶缘上部有锯齿或全缘，幼叶两面有黄色单毛或束毛，老时叶背有毛或毛脱落；侧脉每边 7 ~ 8；叶柄长 4 ~ 5 mm，有绒毛。雄花序长 3 ~ 8 cm，花序轴被苍黄色绒毛。壳斗杯形，包着坚果 2/3 ~ 3/4，连小苞片直径约 2 cm，高约 1 cm；小苞片线状披针形，长约 5 mm，赭褐色，被灰白色柔毛，先端向外反曲。坚果卵形至近球形，直径 1.3 ~ 1.5 cm，高 1.2 ~ 1.7 cm，先端有绒毛，果脐微凸起。花期 3 ~ 5 月，果期翌年 10 月。

| **生境分布** | 生于海拔 500 ~ 2 800 m 的山地森林中。湖北有分布。

| **资源情况** | 药材主要来源于野生。

| **功能主治** | 清热利湿，敛肺止咳。

壳斗科 Fagaceae 栎属 Quercus

巴东栎
Quercus engleriana Seemen

| 药 材 名 | 巴东栎。

| 形态特征 | 常绿或半常绿乔木，高达 25 m，胸径达 80 cm。树皮灰褐色，条状开裂。小枝幼时被灰黄色绒毛，后渐脱落。叶片椭圆形、卵形或卵状披针形，长 6 ~ 16 cm，宽 2.5 ~ 5.5 cm，先端渐尖，基部圆形或宽楔形，稀为浅心形，叶缘中部以上有锯齿，有时全缘，叶片幼时两面密被棕黄色短绒毛，后渐无毛或仅叶背脉腋有簇生毛；叶面中脉、侧脉平坦，有时凹陷，侧脉每边 10 ~ 13；叶柄长 1 ~ 2 cm，幼时被绒毛，后渐无毛；托叶线形，长约 1 cm，背面被黄色绒毛。雄花序生于新枝基部，长约 7 cm，花序轴被绒毛，雄蕊 4 ~ 6；雌花序生于新枝上端叶腋，长 1 ~ 3 cm。壳斗碗形，包着坚果 1/3 ~ 1/2，直径 0.8 ~ 1.2 cm，高 4 ~ 7 mm；小苞片卵状披

针形，长约 1 mm，中、下部被灰褐色柔毛；先端紫红色，无毛；坚果长卵形，直径 0.6 ~ 1 cm，高 1 ~ 2 cm，无毛，柱座长 2 ~ 3 mm；果脐凸起，直径 3 ~ 5 mm。花期 4 ~ 5 月，果期 11 月。

| 生境分布 | 生于海拔 700 ~ 2 700 m 的山坡、山谷疏林中。湖北有分布。

| 资源情况 | 药材主要来源于野生和栽培。

| 功能主治 | 祛风除湿，清热解毒。用于风湿麻痹。

白栎
Quercus fabri Hance

| 药 材 名 | 白栎。

| 形态特征 | 落叶乔木或灌木状，高达 20 m。树皮灰褐色，深纵裂。小枝密生灰色至灰褐色绒毛。冬芽卵状圆锥形，芽长 4 ~ 6 mm，芽鳞多数，被疏毛。叶片倒卵形或椭圆状倒卵形，长 7 ~ 15 cm，宽 3 ~ 8 cm，先端钝或短渐尖，基部楔形或窄圆形，叶缘具波状锯齿或粗钝锯齿，幼时两面被灰黄色星状毛；侧脉每边 8 ~ 12，叶背支脉明显；叶柄长 3 ~ 5 mm，被棕黄色绒毛。雄花序长 6 ~ 9 cm，花序轴被绒毛；雌花序长 1 ~ 4 cm，生 2 ~ 4 花。壳斗杯形，包着坚果约 1/3，直径 0.8 ~ 1.1 cm，高 4 ~ 8 mm；小苞片卵状披针形，排列紧密，在口缘处稍伸出；坚果长椭圆形或卵状长椭圆形，直径 0.7 ~ 1.2 cm，高 1.7 ~ 2 cm，无毛；果脐凸起。花期 4 月，果期 10 月。

| **生境分布** | 生于海拔 50 ～ 1 900 m 的丘陵、山地杂木林中。湖北有分布。

| **资源情况** | 药材来源于野生和栽培。

| **采收加工** | 果实上的虫瘿：采集果实上带有虫瘿的总苞，晒干。

| **功能主治** | 健脾消积，理气，清火，明目。用于疝气，疳积，火眼赤痛。

乌冈栎
Quercus phillyraeoides A. Gray

| 药 材 名 | 乌冈栎。

| 形态特征 | 常绿灌木或小乔木，高达 10 m。小枝纤细，灰褐色，幼时有短绒毛，后渐无毛。叶片革质，倒卵形或窄椭圆形，长 2 ~ 6 (~ 8) cm,

宽 1.5 ~ 3 cm，先端钝尖或短渐尖，基部圆形或近心形，叶缘中部以上具疏锯齿，两面同为绿色，老叶两面无毛或仅叶背中脉被疏柔毛；侧脉每边 8 ~ 13；叶柄长 3 ~ 5 mm，被疏柔毛。雄花序长 2.5 ~ 4 cm，纤细，花序轴被黄褐色绒毛；雌花序长 1 ~ 4 cm，花柱长 1.5 mm，柱头 2 ~ 5 裂。壳斗杯形，包着坚果 1/2 ~ 2/3，直径 1 ~ 1.2 cm，高 6 ~ 8 mm；小苞片三角形，长约 1 mm，覆瓦状排列紧密，除先端外被灰白色柔毛。果实长椭圆形，高 1.5 ~ 1.8 cm，直径约 8 mm，果脐平坦或微凸起，直径 3 ~ 4 mm。花期 3 ~ 4 月，果期 9 ~ 10 月。

| **生境分布** | 生于海拔 300 ~ 1 200 m 的山坡、山顶、山谷密林中和山地岩石上。湖北有分布。

| **资源情况** | 药材主要来源于野生。

| **功能主治** | 解毒消肿，涩肠，止血。用于疮痈肿痛，溃破不敛，瘰疬，痔疮，痢疾，肠风下血等。

壳斗科 Fagaceae 栎属 Quercus

高山栎
Quercus semecarpifolia Sm.

| 药 材 名 | 高山栎。

| 形态特征 | 常绿乔木，高达 30 m；生于开阔山顶时常呈灌木状。幼枝有锈色柔毛。单叶互生，椭圆形至长椭圆形，长 3 ~ 8 cm，宽 1.5 ~ 3 cm，先端圆形或钝，基部圆形至浅心形，全缘或有齿状锯齿，幼时有锈色柔毛，老后仅下面除中脉外有蜡质锈色细绒毛；侧脉 6 ~ 8 对；叶柄短。花雌雄同株；雄花序为下垂的柔荑花序；雌花 1 ~ 2，簇生于叶腋。果实 1 ~ 3，生于长 0.5 ~ 1 cm 的总梗上；壳斗盘形，包围坚果基部，内面密生绒毛；苞片卵状长椭圆形至披针形，先端与壳斗分离，开展；坚果当年成熟，球形，直径约 2.5 cm，具短尖，无毛。

| **生境分布** | 生于海拔 2 600 ~ 3 100 m 的山坡、山谷栎林或松栎林中。湖北有分布。

| **资源情况** | 药材主要来源于野生。

| **功能主治** | **果实**：清热解毒，收敛止泻。用于肠炎，流行性感冒等。

壳斗科 Fagaceae 栎属 Quercus

枹栎
Quercus serrata Murray

|药材名|

枹栎。

|形态特征|

落叶乔木，高达 25 m。树皮灰褐色，深纵裂。幼枝被柔毛，不久即脱落。冬芽长卵形，长 5 ~ 7 mm；芽鳞多数，棕色，无毛或有极少毛。叶片薄革质，倒卵形或倒卵状椭圆形，长 7 ~ 17 cm，宽 3 ~ 9 cm，先端渐尖或急尖，基部楔形或近圆形，叶缘有腺状锯齿，幼时被伏贴单毛，老时及叶背被平伏单毛或无毛；侧脉每边 7 ~ 12；叶柄长 1 ~ 3 cm，无毛。雄花序长 8 ~ 12 cm，花序轴密被白毛，雄蕊 8；雌花序长 1.5 ~ 3 cm。壳斗杯状，包着坚果 1/4 ~ 1/3，直径 1 ~ 1.2 cm，高 5 ~ 8 mm；小苞片长三角形，贴生，边缘具柔毛；坚果卵形至卵圆形，直径 0.8 ~ 1.2 cm，高 1.7 ~ 2 cm；果脐平坦。花期 3 ~ 4 月，果期 9 ~ 10 月。

|生境分布|

生于海拔 200 ~ 2 000 m 的山地或沟谷林中。湖北有分布。

| **资源情况** | 药材来源于野生和栽培。

| **采收加工** | **根皮**：全年均可采收，鲜用或晒干。

| **功能主治** | 祛风除湿，清热解毒。用于风湿麻痹。

壳斗科 Fagaceae 栎属 Quercus

栓皮栎
Quercus variabilis Bl.

| 药 材 名 |

栓皮栎。

| 形态特征 |

落叶乔木，高达 30 m，胸径 1 m 以上。树皮黑褐色，深纵裂；木栓层发达。小枝灰棕色，无毛。芽圆锥形，芽鳞褐色，具缘毛。叶片卵状披针形或长椭圆形，长 8 ~ 15（~ 20）cm，宽 2 ~ 6（~ 8）cm，先端渐尖，基部圆形或宽楔形，叶缘具刺芒状锯齿，叶背密被灰白色星状绒毛；侧脉每边 13 ~ 18，直达齿端；叶柄长 1 ~ 3（~ 5）cm，无毛。雄花序长达 14 cm，花序轴密被褐色绒毛，花被 4 ~ 6 裂，雄蕊 10 或较多；雌花序生于新枝上端叶腋，花柱 30。壳斗杯形，包着坚果 2/3，连小苞片直径 2.5 ~ 4 cm，高约 1.5 cm；小苞片钻形，反曲，被短毛；坚果近球形或宽卵形，高和直径均约 1.5 cm，先端圆；果脐凸起。花期 3 ~ 4 月，果期翌年 9 ~ 10 月。

| 生境分布 |

生于海拔 800 m 以下的向阳山坡。湖北有分布。

| **资源情况** | 药材来源于野生和栽培。

| **采收加工** | **果壳**：果实成熟后采收，取下果壳，晒干。

| **功能主治** | 止咳涩肠。用于咳嗽，水泻；外用于头癣。

榆科 Ulmaceae 朴属 Celtis

紫弹树

Celtis biondii Pamp.

| **药 材 名** | 紫弹树叶、紫弹树皮。

| **形态特征** | 落叶乔木，高可达 18 m。树皮暗灰色。一年生枝密被黄褐色柔毛，二年生枝无毛。叶互生；叶柄长 3 ～ 6 mm；托叶条状披针形；叶片卵圆形、卵状长椭圆形，长 2.5 ～ 7 cm，宽 2 ～ 3.5 cm，先端渐尖，基部宽楔形，两边不相等，中上部边缘有锯齿，稀全缘，基出脉 3，侧脉 2 ～ 4 对，上面较粗糙，下面脉上的毛较多，脉腋毛较密，老叶无毛。核果通常 2 果实腋生，近球形，直径 4 ～ 6 mm，橙黄色，果核具网纹；果柄被毛。花期 4 ～ 5 月，果期 9 ～ 10 月。

| **生境分布** | 生于海拔 50 ～ 2 000 m 的山地灌丛或杂木林中。栽培于公园、屋旁，喜肥沃、排水良好的土壤。湖北有分布。

| **采收加工** | 紫弹树叶：春、夏季采集，鲜用或晒干。
| | 紫弹树皮：全年均可采收，切片，晒干。

| **功能主治** | 紫弹树叶：清热解毒。用于疮毒溃烂。
| | 紫弹树皮：清热解毒，祛痰，利小便。用于小儿脑积水，腰部酸痛，乳腺炎；
| | 外用于疮毒。

榆科 Ulmaceae 朴属 Celtis

黑弹树

Celtis bungeana Bl.

| 药 材 名 |

棒棒木。

| 形 态 特 征 |

落叶乔木，高达 10 m。树皮灰色或暗灰色。当年生小枝淡棕色，老后色较深，无毛，散生椭圆形皮孔，去年生小枝灰褐色；冬芽棕色或暗棕色，鳞片无毛。叶厚纸质，狭卵形、长圆形、卵状椭圆形至卵形，长 3 ~ 7 (~ 15) cm，宽 2 ~ 4 (~ 5) cm，基部宽楔形至近圆形，稍偏斜至几乎不偏斜，先端尖至渐尖，中部以上疏具不规则浅齿，有时一侧近全缘，无毛；叶柄淡黄色，长 5 ~ 15 mm，上面有沟槽，幼时槽中有短毛，老后毛脱净；萌发枝上的叶形变异较大，先端尾尖且有糙毛。果实单生于叶腋，果柄较细软，无毛，长 10 ~ 25 mm，果实成熟时呈蓝黑色，近球形，直径 6 ~ 8 mm；核近球形，肋不明显，表面极大部分近平滑或略具网孔状凹陷，直径 4 ~ 5 mm。花期 4 ~ 5 月，果期 10 ~ 11 月。

| 生 境 分 布 |

生于海拔 150 ~ 1 500 m 的路旁、山坡、灌丛或林边。湖北有分布。

| 采收加工 | 　　**树干：**夏季取树干刨片，晒干。

| 功能主治 | 　　祛痰，止咳，平喘。用于支气管哮喘，慢性支气管炎。

榆科 Ulmaceae 朴属 *Celtis*

朴树
Celtis sinensis Pers.

| 药 材 名 | 朴树叶、朴树果、朴树皮。

| 形态特征 | 落叶乔木，高达 20 m。树皮灰色，平滑。一年生枝被密毛，后毛渐脱落。叶互生；叶柄长 3 ~ 10 mm；叶片革质，通常呈卵形或卵状椭圆形，长 5 ~ 13 cm，宽 3 ~ 5 cm，先端急尖至渐尖，基部几乎不偏斜或稍偏斜，中部以上边缘有浅锯齿，上面无毛，下面沿脉及脉腋疏被毛，基出脉 3。核果单生或 2 ~ 3 生于叶腋，近球形，成熟时呈黄色或橙黄色；果柄与叶柄近等长；果核近球形，直径约 5 mm，具 4 肋，表面有网状凹陷。花期 4 ~ 5 月，果期 9 ~ 10 月。

| 生境分布 | 生于海拔 100 ~ 1 500 m 的路旁、山坡、林缘。栽培于庭院、公园、屋旁，喜肥沃、排水良好的土壤。湖北有分布。

采收加工	朴树叶：夏季采收，鲜用或晒干。
	朴树果：秋季果实成熟时采收，晒干。
	朴树皮：全年均可采收，鲜用或晒干。

功能主治	朴树叶：清热，凉血，解毒。用于漆疮，荨麻疹。
	朴树果：清热利咽。用于感冒，咳嗽音哑。
	朴树皮：用于腰痛。

榆科 Ulmaceae 榆属 Ulmus

兴山榆
Ulmus bergmanniana Schneid.

| 药 材 名 | 兴山榆叶、兴山榆皮。

| 形态特征 | 落叶乔木，高达 26 m。树皮灰白色、深灰色或灰褐色，纵裂，粗糙。叶椭圆形、长椭圆形、倒卵状矩圆形或卵形，长 6 ~ 16 cm，宽 3 ~ 8.5 cm，先端渐窄长尖、骤凸长尖或尾状，尖头边缘有明显的锯齿，基部多少偏斜，圆形、心形、耳形或楔形，上面幼时密生硬毛，后脱落无毛，有时沿主脉凹陷处有毛，平滑或微粗糙，下面除脉腋有簇生毛外，余处无毛，平滑，侧脉每边 17 ~ 26，边缘具重锯齿；叶柄长 3 ~ 13 mm，无毛或几无毛。花自花芽抽出，在去年生枝上排成簇状聚伞花序。翅果宽倒卵形、倒卵状圆形、近圆形或长圆状圆形，长 1.2 ~ 1.8 cm，宽 1 ~ 1.6 cm，除先端缺口柱头面有毛外，

余处无毛。花果期 3 ～ 5 月。

| 生境分布 | 生于海拔 400 ～ 1 500 m 的山坡及溪边阔叶林中。湖北有分布。

| 采收加工 | 全年均可采收，鲜用或晒干。

| 功能主治 | **兴山榆叶**：用于水肿。

兴山榆皮：用于胃病。

榆科 Ulmaceae 榆属 Ulmus

大果榆
Ulmus macrocarpa Hance

| 药 材 名 | 芜荑。

| 形态特征 | 乔木或灌木状。叶厚革质，宽倒卵形、倒卵状圆形、倒卵状菱形或倒卵形，稀椭圆形，先端短尾状，基部渐窄或圆，稍呈心形或一边呈楔形，两面粗糙，上面密被硬毛或具毛迹，下面常疏被毛，脉上毛较密，脉腋常具簇生毛，侧脉 6 ~ 16，具大而浅钝重锯齿，或兼具单锯齿。花自花芽或混合芽抽出，在去年生枝上成簇状聚伞花序或散生于新枝基部。翅果宽倒卵状圆形、近圆形或宽椭圆形；果核位于翅果中部；果柄被毛。花果期 4 ~ 5 月。

| 生境分布 | 生于海拔 700 ~ 1 800 m 的山坡、谷地、台地、黄土丘陵、固定沙丘及岩石缝中。栽培种。湖北有分布。

| 采收加工 | 种子经加工后的成品：夏季采收成熟果实，晒干，搓去膜翅，取种子，将27.5 kg 种子浸入温水中，待发酵后，加入榆树皮面 5 kg、红土 15 kg、菊花末2.5 kg，加适量温开水混合成糊状，摊平，切成长约 7 cm 的方块，晒干，即为成品。

| 功能主治 | 消积杀虫。用于痞积，蛔虫病，蛲虫病。

榆科 Ulmaceae 榆属 *Ulmus*

榔榆
Ulmus parvifolia Jacq.

| **药 材 名** | 榔榆皮、榔榆茎、榔榆叶。

| **形态特征** | 落叶乔木，或冬季叶变为黄色或红色宿存至翌年新叶开放后脱落，高达 25 m。叶质厚，披针状卵形或窄椭圆形，稀卵形或倒卵形，中脉两侧长、宽不等，长 1.7 ~ 8 cm，宽 0.8 ~ 3 cm，先端尖或钝，基部偏斜，侧脉每边 10 ~ 15，细脉在两面均明显；叶柄长 2 ~ 6 mm，仅上面有毛。花秋季开放，3 ~ 6 花在叶腋簇生或排成簇状聚伞花序，花被上部杯状，下部管状，花被片 4，深裂至杯状花被的基部或近基部，花梗极短，被疏毛。翅果椭圆形或卵状椭圆形，长 10 ~ 13 mm，宽 6 ~ 8 mm，除先端缺口柱头面被毛外，余处无毛，果翅稍厚，基部的柄长约 2 mm。花果期 8 ~ 10 月。

| 生境分布 | 生于海拔 50 ～ 1 000 m 的平原、丘陵、山坡及谷地。栽培于公园、庭院、路边，喜阳光充足、土壤肥沃的环境。湖北有分布。

| 采收加工 | 榔榆皮：秋季采收，晒干或鲜用。
榔榆茎：夏、秋季采收，鲜用。
榔榆叶：夏、秋季采收，鲜用。

| 功能主治 | 榔榆皮：清热利水，解毒消肿，凉血止血。用于热淋，小便不利，疮疡肿毒，乳痈，烫火伤，痢疾，胃肠出血，尿血，痔血，腰背酸痛，外伤出血。
榔榆茎：通络止痛。用于腰背酸痛。
榔榆叶：清热解毒，消肿止痛。用于热毒疮疡，牙痛。

榆科 Ulmaceae 榆属 Ulmus

榆树
Ulmus pumila L

| 药 材 名 | 榆枝、榆白皮、榆皮涎、榆叶、榆花、榆荚仁。

| 形态特征 | 落叶乔木，树干端直，高达 25 m。树皮暗灰褐色，粗糙，有纵沟裂。小枝柔软，有毛或无毛，浅灰黄色。叶互生，纸质；叶柄长 4 ~ 10 mm，有毛；托叶早落；叶片椭圆状卵形或椭圆状披针形，长 2 ~ 8 cm，宽 1.2 ~ 3.5 cm，先端锐尖或渐尖，基部偏斜或近对称，上面暗绿色，无毛，下面幼时有短毛，老时仅脉腋有毛，边缘具单锯齿，侧脉明显，9 ~ 16 对。花先于叶开放，簇生成聚伞花序，生于去年生枝的叶腋；雄蕊与花被同数，花药紫色；子房扁平，1 室，花柱 2。翅果近圆形或倒卵形，长 1.2 ~ 2 cm，宽 0.8 ~ 1.2 cm，光滑，先端有缺口；种子位于翅果中央，与缺口相接；果柄长约 2 mm。花

期 3 ~ 4 月，果期 4 ~ 6 月。

| 生境分布 | 生于海拔 1 600 m 以下的山坡、山谷、川地、丘陵及沙岗等。栽培于公园、庭院、路边，喜阳光充足、土壤肥沃的环境。湖北有分布。

| 采收加工 | 榆枝：夏、秋季采收，鲜用或晒干。

榆白皮：春、秋季采收根皮，春季或 8 ~ 9 月割下老枝条，立即剥取内皮（即韧皮部），晒干。

榆皮涎：全年均可采收，割破茎皮，收集流出的涎汁。

榆叶：夏、秋季采收，鲜用或晒干。

榆花：3 ~ 4 月采收，鲜用或晒干。

榆荚仁：4 ~ 6 月果实成熟时采收，除去果翅，晒干。

| 功能主治 | 榆枝：利尿通淋。用于气淋。

榆白皮：利水通淋，祛痰，消肿解毒。用于小便不利，淋浊，带下，咳喘痰多，失眠，内、外伤出血，难产胎死不下，痈疽，白秃疮，疥癣。

榆皮涎：杀虫。用于疥癣。

榆叶：清热利尿，安神，祛痰止咳。用于水肿，小便不利，石淋，尿浊，失眠，暑热困闷，痰多咳嗽，酒渣鼻。

榆花：清热定惊，利尿疗疮。用于小儿惊痫，小便不利，头疮。

榆荚仁：健脾安神，清热利水，消肿杀虫。用于失眠，食欲不振，带下，小便不利，水肿，小儿疳热羸瘦，烫火伤，疮癣。

桑科 Moraceae 构属 Broussonetia

藤构
Broussonetia kaempferi Sieb. var. *australis* Suzuki

| 药 材 名 | 谷皮藤。

| 形态特征 | 蔓生藤状灌木。树皮黑褐色。小枝显著伸长，幼时被浅褐色柔毛，成长时脱落。叶互生，螺旋状排列，呈近对称的卵状椭圆形，长

3.5 ~ 8 cm，宽 2 ~ 3 cm，先端渐尖至尾尖，基部心形或截形，边缘锯齿细，齿尖具腺体，不裂，稀为 2 ~ 3 裂，表面无毛，稍粗糙；叶柄长 8 ~ 10 mm，被毛。花雌雄异株，雄花序短穗状，长 1.5 ~ 2.5 cm，花序轴长约 1 cm；雄花花被裂片 3 ~ 4，裂片外面被毛，雄蕊 3 ~ 4，花药黄色，椭圆球形，退化雌蕊小；雌花集生为球形头状花序。聚花果直径 1 cm，花柱线形，延长。花期 4 ~ 6 月，果期 5 ~ 7 月。

| 生境分布 | 生于海拔 300 ~ 1 000 m 的山谷灌丛中、沟边、山坡、路旁。湖北有分布。

| 采收加工 | **根**：4 ~ 11 月采挖，洗净，切片，晒干或鲜用。

| 功能主治 | 清热利尿，活血消肿。用于肺热咳嗽，石淋，黄疸，跌扑损伤。

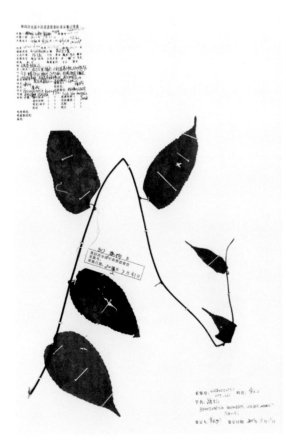

桑科 Moraceae 构属 Broussonetia

楮
Broussonetia kazinoki Sieb.

| 药 材 名 | 构皮麻、小构树叶。

| 形态特征 | 灌木，高 2 ~ 4 m。小枝斜上，幼时被毛，成长时脱落。叶卵形至斜卵形，长 3 ~ 7 cm，宽 3 ~ 4.5 cm，先端渐尖至尾尖，基部近圆形或斜圆形，边缘具三角形锯齿，不裂或 3 裂，表面粗糙，背面近无毛；叶柄长约 1 cm；托叶小，线状披针形，渐尖，长 3 ~ 5 mm，宽 0.5 ~ 1 mm。花雌雄同株；雄花序头状球形，直径 8 ~ 10 mm，花被 3 ~ 4 裂，裂片三角形，外面被毛，雄蕊 3 ~ 4，花药椭圆形；雌花序球形，被柔毛，花被管状，先端齿裂或近全缘，花柱单生，仅在近中部有小突起。聚花果球形，直径 8 ~ 10 mm；瘦果扁球形，外果皮壳质，表面具瘤体。花期 4 ~ 5 月，果期 5 ~ 6 月。

| **生境分布** | 生于海拔 1 000 m 以下的山坡林缘、沟边、宅旁。湖北有分布。

| **采收加工** | 构皮麻：全年均可采收，晒干。

小构树叶：全年均可采收，鲜用或晒干。

| **功能主治** | 构皮麻：祛风除湿，散瘀消肿。用于风湿痹痛，泄泻，痢疾，黄疸，水肿，痈疖，跌打损伤。

小构树叶：清热解毒，祛风止痒，敛疮止血。用于痢疾，神经性皮炎，疥癣，疖肿，刀伤出血。

构树

Broussonetia papyifera (L.) L'Hert. ex Vent.

| **药 材 名** | 楮树根、楮树皮、楮叶、楮实子。

| **形态特征** | 乔木，高 10 ~ 20 m。树皮暗灰色。小枝密生柔毛。叶广卵形至长
椭圆状卵形，长 6 ~ 18 cm，宽 5 ~ 9 cm，先端渐尖，基部心形，
两侧常不相等，边缘具粗锯齿，不分裂或 3 ~ 5 裂，小树之叶常有
明显分裂，表面粗糙，疏生糙毛，背面密被绒毛，基生叶脉 3 出，
侧脉 6 ~ 7 对；叶柄长 2.5 ~ 8 cm，密被糙毛；托叶大，卵形，狭
渐尖。花雌雄异株；雄花序为柔荑花序，粗壮，长 3 ~ 8 cm，苞片
披针形，被毛，花被 4 裂，裂片三角状卵形，被毛，雄蕊 4，花药
近球形，退化雌蕊小；雌花序头状球形，苞片棍棒状，先端被毛，
花被管状，先端与花柱紧贴，子房卵圆形，柱头线形，被毛。聚花

果直径 1.5 ~ 3 cm，成熟时呈橙红色，肉质；瘦果具与其等长的柄，表面有小瘤，龙骨双层，外果皮壳质。花期 4 ~ 5 月，果期 6 ~ 7 月。

| **生境分布** | 生于低海拔的山坡林缘、村寨道旁。湖北有分布。

| **采收加工** | 楮树根：春季采挖嫩根，或秋季采挖根并剥取根皮，鲜用或晒干。

楮树皮：冬、春季剥取，鲜用或阴干。

楮叶：全年均可采收，鲜用或晒干。

楮实子：9 月果实变红时采摘，除去灰白色膜状宿萼及杂质，晒干。

| **功能主治** | 楮树根：凉血散瘀，清热利湿。用于咳嗽，吐血，崩漏，水肿，跌打损伤。

楮树皮：利尿消肿，祛风湿。用于水肿，筋骨酸痛；外用于神经性皮炎，癣疾。

楮叶：凉血止血，利尿解毒。用于吐血，衄血，血崩，金疮出血，水肿，疝气，痢疾，毒疮。

楮实子：补肾清肝，明目，利尿。用于肝肾不足，腰膝酸软，虚劳骨蒸，头晕目眩，目生翳膜，水肿胀满。

桑科 Moraceae 大麻属 Cannabis

大麻 *Cannabis sativa* L.

| 药 材 名 |

火麻仁、麻根、麻花、麻皮、麻叶、麻蕡。

| 形态特征 |

一年生直立草本，高 1 ~ 3 m，枝具纵沟槽，密生灰白色贴伏毛。叶掌状全裂，裂片披针形或线状披针形，长 7 ~ 15 cm，中裂片最长，宽 0.5 ~ 2 cm，先端渐尖，基部狭楔形，表面深绿，微被糙毛，背面幼时密被灰白色贴伏毛后变无毛，边缘具向内弯的粗锯齿，中脉及侧脉在表面微下陷，在背面隆起；叶柄长 3 ~ 15 cm，密被灰白色贴伏毛；托叶线形。雄花序长达 25 cm，花黄绿色，花被 5，膜质，外面被细贴伏毛，雄蕊 5，花丝极短，花药长圆形；小花梗长 2 ~ 4 mm；雌花绿色；花被 1，紧包子房，略被小毛，子房近球形，外面包于苞片。瘦果为宿存黄褐色苞片所包，果皮坚脆，表面具细网纹。花期 5 ~ 6 月，果期 7 月。

| 生境分布 |

生于路旁、田野。湖北有分布。

| 采收加工 |

火麻仁：10 ~ 11 月果实大部分成熟时，割取果株，晒干，脱粒，扬净。

麻根：全年均可采挖，去净泥土，晒干。

麻花：5～6月花期时采收，鲜用或晒干。

麻皮：夏、秋季采收茎，剥取皮部，除去外皮，晒干。

麻叶：夏、秋季枝叶茂盛时采收，鲜用或晒干。

麻蕡：夏季采收，鲜用或晒干。

| 功能主治 |　火麻仁：润燥滑肠，利水通淋，活血。用于肠燥便秘，风痹，消渴，风水，脚气，热淋，痢疾，月经不调，疮癣，丹毒。

麻根：散瘀，止血，利尿。用于跌打损伤，难产，胞衣不下，血崩，淋证，带下。

麻花：祛风，活血，生发。用于风病肢体麻木，遍身瘙痒，眉发脱落，经闭。

麻皮：活血，利尿。用于跌扑损伤，热淋胀痛。

麻叶：截疟，驱蛔，定喘。用于疟疾，虫症，气喘。

麻蕡：祛风镇痛，定惊安神。用于痛风，痹证，癫狂，失眠，咳喘。

桑科 Moraceae 柘属 Cudrania

构棘
Cudrania cochinchinensis (Lour.) Kudo et Masam.

药材名

穿破石、山荔枝果、奴柘刺。

形态特征

直立或攀缘灌木。枝无毛，具粗壮、弯曲、无叶的腋生刺，刺长约 1 cm。叶革质，椭圆状披针形或长圆形，长 3 ~ 8 cm，宽 2 ~ 2.5 cm，全缘，先端钝或短渐尖，基部楔形，两面无毛，侧脉 7 ~ 10 对；叶柄长约 1 cm。花雌雄异株，雌雄花序均为具苞片的球形头状花序，每花具 2 ~ 4 苞片；苞片锥形，内面具黄色腺体 2，苞片常附着于花被片上；雄花序直径 6 ~ 10 mm，花被片 4，不相等，雄蕊 4，花药短，在芽时直立，退化雌蕊锥形或盾形；雌花序微被毛，花被片顶部厚，分离或下部合生，基部有黄色腺体 2。聚合果肉质，直径 2 ~ 5 cm，表面微被毛，成熟时呈橙红色；核果卵圆形，成熟时呈褐色，光滑。花期 4 ~ 5 月，果期 6 ~ 7 月。

生境分布

生于海拔 200 ~ 1 500 m 的阳光充足的荒坡、山地、林缘和溪旁。湖北有分布。

| 采收加工 | **穿破石**：全年均可采收，除去泥土及须根，晒干；或洗净，趁鲜切片，晒干。亦可鲜用。

山荔枝果：夏、秋季果实近成熟时采收，鲜用或晒干。

奴柘刺：全年均可采收，鲜用或晒干。

| 功能主治 | **穿破石**：祛风通络，清热除湿，解毒消肿。用于风湿痹痛，跌打损伤，黄疸，腮腺炎，肺结核，复合性胃和十二指肠溃疡，淋浊，臌胀，闭经，劳伤咯血，疔疮痈肿。

山荔枝果：理气，消食，利尿。用于疝气，食积，小便不利。

奴柘刺：化瘀消积。用于腹中积聚，痞块。

桑科 Moraceae 柘属 Cudrania

柘树
Cudrania tricuspidata (Carr.) Bur. ex Lavallee

| **药 材 名** | 穿破石、柘木、柘木白皮、奴柘刺、柘树果实、柘树茎叶。

| **形态特征** | 落叶灌木或小乔木，高达 7 m。树皮灰褐色。小枝暗绿褐色，具坚硬棘刺，刺长 5 ~ 20 mm。单叶互生；叶柄长 0.5 ~ 2 cm；托叶侧生，分离；叶片近革质，卵圆形或倒卵形，长 5 ~ 14 cm，先端钝或渐尖，基部楔形或圆形，全缘或 3 裂，上面暗绿色，下面淡绿色，幼时两面均有毛，成长后下面主脉略有毛，余均光滑无毛，基出脉 3，侧脉 4 ~ 5 对。花单性，雌雄异株，均为球形头状花序，具短梗，单个或成对着生于叶腋；雄花花被片 4，长圆形，基部有苞片 2 或 4，雄蕊 4，花丝直立；雌花花被片 4，花柱 1，线状。聚花果球形，肉质，直径约 2.5 cm，橘红色或橙黄色，表面微皱缩，瘦果包裹在肉质的

花被里。花期 5 ~ 6 月，果期 6 ~ 7 月。

| 生境分布 | 生于海拔 1 000 m 以下的山坡灌丛、路旁、沟边、宅旁。湖北有分布。

| 采收加工 | 穿破石：全年均可采收，除去泥土、须根，晒干；或洗净，趁鲜切片，鲜用或晒干。

柘木：全年均可砍取树干及粗枝，趁鲜剥去树皮，切段或片，晒干。

柘木白皮：全年均可剥取树皮和根皮，刮去栓皮，鲜用或晒干。

奴柘刺：全年均可采收，鲜用或晒干。

柘树果实：秋季果实将成熟时采收，切片，鲜用或晒干。

柘树茎叶：夏、秋季采收，鲜用或晒干。

| 功能主治 | 穿破石：祛风通络，清热除湿，解毒消肿。用于风湿痹痛，跌打损伤，黄疸，腮腺炎，肺结核，复合性胃和十二指肠溃疡，淋浊，臌胀，闭经，劳伤咯血，疔疮痈肿。

柘木：补虚。用于崩中血结，疟疾。

柘木白皮：补肾固精，利湿解毒，止血，化瘀。用于肾虚耳鸣，腰膝冷痛，遗精，带下，黄疸，疮疖，呕血，咯血，崩漏，跌打损伤。

奴柘刺：化瘀消积。用于腹中积聚，痞块。

柘树果实：清热凉血，舒筋活络。用于跌打损伤。

柘树茎叶：清热解毒，祛风活络。用于疟腮，痈肿，荨麻疹，湿疹，跌打损伤，腰腿痛。

水蛇麻
Fatoua villosa (Thunb.) Nakai

| 药 材 名 | 水蛇麻叶、水蛇麻。

| 形态特征 | 一年生草本，高 30 ~ 80 cm。枝直立，纤细，少分枝或不分枝，幼时绿色，后变黑色，微被长柔毛。叶膜质，卵圆形至宽卵圆形，长 5 ~ 10 cm，宽 3 ~ 5 cm，先端急尖，基部心形至楔形，边缘锯齿三角形，微钝，两面被粗糙贴伏柔毛，侧脉每边 3 ~ 4；叶片在基部稍下延成叶柄；叶柄被柔毛。花单性，聚伞花序腋生，直径约 5 mm；雄花钟形，花被片长约 1 mm，雄蕊伸出花被片外，与花被片对生；雌花花被片宽舟状，稍长于雄花花被片，子房近扁球形，花柱侧生，丝状，长 1 ~ 1.5 mm，约长于子房 2 倍。瘦果略扁，具 3 棱，表面散生细小瘤体；种子 1。花期 5 ~ 8 月。

| 生境分布 | 生于海拔 200 ～ 800 m 的荒地、道旁、岩石及灌丛中。湖北有分布。

| 功能主治 | 水蛇麻叶：用于风热感冒，头痛，咳嗽。
水蛇麻：用于刀伤，无名肿毒。

桑科 Moraceae 榕属 Ficus

无花果

Ficus carica L.

| 药 材 名 | 无花果叶、无花果。

| 形态特征 | 落叶灌木，高 3 ~ 10 m，多分枝。树皮灰褐色，皮孔明显；小枝直立，粗壮。叶互生，厚纸质，广卵圆形，长、宽近相等，均为 10 ~ 20 cm，通常 3 ~ 5 裂，小裂片卵形，边缘具不规则钝齿，表面粗糙，背面密生细小钟乳体及灰色短柔毛，基部浅心形，基生侧脉 3 ~ 5，侧脉 5 ~ 7 对；叶柄长 2 ~ 5 cm，粗壮；托叶卵状披针形，长约 1 cm，红色。雌雄异株，雄花和瘿花同生于榕果内壁，雄花生于内壁口部，花被片 4 ~ 5，雄蕊 3，有时 1 或 5，瘿花花柱短，侧生；雌花花被与雄花同，子房卵圆形，光滑，花柱侧生，柱头 2 裂，线形。榕果单生于叶腋，大而呈梨形，直径 3 ~ 5 cm，顶部下陷，成熟时呈紫红色或黄色，基生苞片 3，卵形；瘦果透镜状。花果期 5 ~ 7 月。

| 生境分布 | 栽培于庭院、屋旁，喜阳光充足、土壤肥沃的环境。湖北有栽培。

| 采收加工 | **无花果叶**：夏、秋季采收，鲜用或晒干。

无花果：7～10月果实呈绿色时分批采摘或拾取落地的未成熟果实，用开水烫后，晒干或烘干。

| 功能主治 | **无花果叶**：清湿热，解疮毒，消肿止痛。用于湿热泄泻，带下，痔疮，痈肿疼痛，瘰疬。

无花果：清热生津，健脾开胃，解毒消肿。用于咽喉肿痛，燥咳声嘶，乳汁稀少，肠热便秘，食欲不振，消化不良，泄泻，痢疾，痈肿，癣疾。

桑科 Moraceae 榕属 Ficus

异叶榕
Ficus heteromorpha Hemsl.

| 药 材 名 | 奶浆果、奶浆木。

| 形态特征 | 落叶灌木或小乔木，高 2 ~ 5 m。树皮灰褐色。小枝红褐色，节短。叶琴形、椭圆形或椭圆状披针形，长 10 ~ 18 cm，宽 2 ~ 7 cm，先端渐尖或为尾状，基部圆形或浅心形，表面略粗糙，背面有细小钟乳体，全缘或微波状，基生侧脉较短，侧脉 6 ~ 15 对，红色；叶柄长 1.5 ~ 6 cm，红色；托叶披针形，长约 1 cm。榕果成对生于短枝叶腋，稀单生，无总梗，球形或圆锥状球形，光滑，直径 6 ~ 10 mm，成熟时呈紫黑色，顶生苞片脐状，基生苞片 3，卵圆形。雄花和瘿花生于同一榕果中；雄花散生于内壁，花被片 4 ~ 5，匙形，雄蕊 2 ~ 3；瘿花花被片 5 ~ 6，子房光滑，花柱短；雌花花被片 4 ~ 5，

包围子房，花柱侧生，柱头画笔状，被柔毛。瘦果光滑。花期4～5月，果期5～7月。

| 生境分布 |　生于海拔 400 ～ 1 300 m 的山坡林下或溪边。湖北有分布。

| 采收加工 |　**奶浆果**：夏、秋季采收，鲜用或晒干。
　　　　　　奶浆木：全年均可采收，鲜用或晒干。

| 功能主治 |　**奶浆果**：补血，下乳。用于脾胃虚弱，缺乳。
　　　　　　奶浆木：祛风除湿，化痰止咳，活血，解毒。用于风湿痹痛，咳嗽，跌打损伤，毒蛇咬伤。

桑科 Moraceae 榕属 Ficus

薜荔 *Ficus pumila* L.

| 药 材 名 |

薜荔、薜荔果。

| 形态特征 |

攀缘或匍匐灌木。叶二型，不育枝枝节上生不定根；叶卵状心形，长 2.5 cm，薄革质，基部稍不对称，叶柄很短；结果枝上无不定根，叶革质，卵状椭圆形，长 5 ~ 10 cm，宽 2 ~ 3.5 cm，基部圆形至浅心形，全缘，上面无毛，下面被黄褐色柔毛，基生叶脉延长，网脉 3 ~ 4 对，叶柄长 5 ~ 10 mm。榕果单生于叶腋，瘿花果梨形，雌花果近球形。雄花和瘿花同生于花序托内壁口部；雄花多数，有梗，花被片 2 ~ 3，雄蕊 2，花丝短；瘿花具梗，花被片 3 ~ 4，花柱侧生；雌花生于另一植株花序托内壁，花梗长，花被片 4 ~ 5。瘦果近球形，有黏液。花果期 5 ~ 8 月。

| 生境分布 |

生于海拔 250 ~ 1 200 m 的山坡树木间或断墙破壁上。湖北有分布。

| 采收加工 |

薜荔：全年均可采收带叶的茎枝，除去气根及杂质，洗净，鲜用或晒干。

薜荔果：花序托成熟后采摘，纵剖成 2 ～ 4 片，除去花序托内细小的瘦果，晒干。

| **功能主治** | 薜荔：祛风除湿，活血通络，解毒消肿。用于风湿痹痛，坐骨神经痛，泻痢，小便淋沥，水肿，疟疾，闭经，产后瘀血腹痛，咽喉肿痛，睾丸炎，漆疮，痈疮肿毒，跌打损伤。

薜荔果：补肾固精，活血，催乳。用于遗精，阳痿，乳汁不通，闭经，乳糜尿。

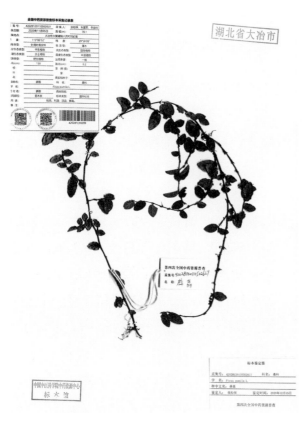

桑科 Moraceae 榕属 Ficus

珍珠莲

Ficus sarmentosa Buch.-Ham. ex J. E. Sm. var. *henryi* (King ex Oliv.) Corner

| 药 材 名 |

珍珠莲、石彭子。

| 形态特征 |

木质攀缘匍匐藤状灌木。幼枝密被褐色长柔毛。叶革质，卵状椭圆形，长 8 ~ 10 cm，宽 3 ~ 4 cm，先端渐尖，基部圆形至楔形，表面无毛，背面密被褐色柔毛或长柔毛，基生侧脉延长，侧脉 5 ~ 7 对，小脉网结成蜂窝状；叶柄长 5 ~ 10 mm，被毛。榕果成对腋生，圆锥形，直径 1 ~ 1.5 cm，表面密被褐色长柔毛，成长后脱落，顶生苞片直立，长约 3 mm，基生苞片卵状披针形，长 3 ~ 6 mm。榕果无总柄或具短柄。

| 生境分布 |

生于海拔 750 m 以下的阔叶林或灌丛中。湖北有分布。

| 采收加工 |

珍珠莲：全年均可采收，洗净，切片，鲜用或晒干。

石彭子：秋、冬季采收，晒干。

| 功能主治 | **珍珠莲：** 祛风除湿，消肿解毒，杀虫。用于风湿性关节炎，乳痈，疮疖，癣疾。
石彭子： 消肿止痛，止血。用于睾丸偏坠，跌打损伤，内痔便血。

桑科 Moraceae 榕属 Ficus

爬藤榕

Ficus sarmentosa Buch.-Ham. ex J. E. Sm. var. impressa (Champ.) Corner

| **药 材 名** | 爬藤榕。

| **形态特征** | 藤状匍匐灌木。叶革质，披针形，长 4 ~ 7 cm，宽 1 ~ 2 cm，先端渐尖，基部钝，背面白色至浅灰褐色，侧脉 6 ~ 8 对，网脉明显；叶柄长 5 ~ 10 mm。榕果成对腋生或生于落叶枝叶腋，球形，直径 7 ~ 10 mm，幼时被柔毛。花期 4 ~ 5 月，果期 6 ~ 7 月。

| **生境分布** | 常攀缘在岩石斜坡树上或墙壁上。湖北有分布。

| **采收加工** | **根茎：** 全年均可采收，鲜用或晒干。

| **功能主治** | 祛风除湿，行气活血，消肿止痛。用于风湿痹痛，神经性头痛，小儿惊风，胃痛，跌打损伤。

桑科 Moraceae 榕属 Ficus

黄葛树

Ficus virens Ait. var. *sublanceolata* (Miq.) Corner

| 药 材 名 | 黄桷叶、黄桷根、黄桷树根疙瘩、黄桷皮。

| 形态特征 | 落叶或半落叶乔木，有板根或支柱根，幼时附生。叶薄革质或皮纸质，近披针形，长可达 20 cm，宽 4 ~ 7 cm，先端渐尖，基部钝圆或楔形至浅心形，全缘，干后表面无光泽；基生叶脉短，侧脉 7 ~ 10 对，背面凸起，网脉稍明显；叶柄长 2 ~ 5 cm；托叶披针状卵形，先端急尖，长可达 10 cm。雄花、瘿花、雌花生于同一榕果内；雄花无柄，少数，生于榕果内壁近口部，花被片 4 ~ 5，披针形，雄蕊 1，花药广卵形，花丝短；瘿花具柄，花被片 3 ~ 4，花柱侧生，短于子房；雌花与瘿花相似，花柱长于子房。榕果单生或成对腋生或簇生于已落叶枝叶腋，球形，直径 7 ~ 12 mm，成熟时紫红色，

基生苞片3，细小，无总梗。瘦果表面有皱纹。花果期4~7月。

| 生境分布 | 栽培于公路旁。湖北有分布。

| 采收加工 | 黄桷叶：夏、秋季采收，鲜用。

黄桷根：全年均可采收，以8~9月采者为佳，鲜用或晒干。

黄桷树根疙瘩：全年均可采收，从根部割取，切片，晒干。

黄桷皮：全年均可采收，晒干。

| 功能主治 | 黄桷叶：祛风通络，止痒敛疮，活血消肿。用于筋骨疼痛，迎风流泪，皮肤瘙痒，臁疮，跌打损伤，骨折。

黄桷根：祛风除湿，通经活络，消肿，杀虫。用于风湿痹痛，四肢麻木，半身不遂，劳伤腰痛，跌打损伤，水肿，疥癣。

黄桷树根疙瘩：祛风除湿，活血通络。用于风湿关节痛，劳伤腰痛。

黄桷皮：祛风通络，杀虫止痒。用于风湿痹证，四肢麻木，半身不遂，癣疮。

桑科 Moraceae 桑属 Morus

桑 *Morus alba* L.

| 药 材 名 |

桑白皮、桑枝、桑叶、桑椹、桑皮汁。

| 形态特征 |

乔木或灌木，高 3 ~ 10 m。树皮灰色，具
不规则浅纵裂。冬芽红褐色，卵形，芽鳞灰
褐色，有细毛；小枝有细毛。叶卵形或广卵
形，长 5 ~ 15 cm，宽 5 ~ 12 cm，先端急
尖、渐尖或圆钝，基部圆形至浅心形，边
缘锯齿粗钝，有时分裂，表面鲜绿色，无
毛，背面沿脉有疏毛，脉腋有簇毛；叶柄长
1.5 ~ 5.5 cm，具柔毛；托叶披针形，外面
密被细硬毛。花单性，腋生或生于芽鳞腋内；
雄花序下垂，长 2 ~ 3.5 cm，密被白色柔毛，
雄花花被片宽椭圆形，淡绿色，花药 2 室，
球形至肾形，纵裂；雌花序长 1 ~ 2 cm，被
毛，总花梗长 5 ~ 10 mm，被柔毛，雌花无
梗，花被片倒卵形，先端圆钝，外面和边缘
被毛，无花柱，柱头 2 裂，内面有乳头状突起。
聚花果卵状椭圆形，长 1 ~ 2.5 cm，成熟时
呈红色或暗紫色。花期 4 ~ 5 月，果期 5 ~
8 月。

| 生境分布 |

生于海拔 1 000 m 以下的山坡疏林或沟渠边、

路旁及住宅周围。栽培于村旁、田间、滩地或山坡上。湖北有分布。

| 采收加工 | **桑白皮**：秋末叶落至翌年春季发芽前采挖根，刮去黄棕色粗皮，纵向剖开，剥取根皮，晒干。

桑枝：春末夏初采收，去叶，晒干，或趁鲜切片后晒干。

桑叶：初霜后采收，除去杂质，晒干。

桑椹：4~6月果实变红时采收，晒干，或略蒸后晒干。

桑皮汁：用刀划破桑树皮，用洁净容器收取从树皮中流出的白色汁液。

| 功能主治 | **桑白皮**：泻肺平喘，利水消肿。用于肺热喘咳，水肿。

桑枝：祛风湿，利关节。用于风湿痹痛，关节酸痛麻木。

桑叶：疏散风热，清肺润燥，清肝明目。用于风热感冒，肺热燥咳，头晕头痛，目赤昏花。

桑椹：滋阴补血，生津润燥。用于肝肾阴虚，眩晕耳鸣，心悸失眠，须发早白，津伤口渴，内热消渴，肠燥便秘。

桑皮汁：清热解毒，止血。用于口舌生疮，外伤出血，蛇虫咬伤。

桑科 Moraceae 桑属 Morus

鸡桑 *Morus australis* Poir.

| 药 材 名 | 鸡桑叶、鸡桑根。

| 形态特征 | 灌木或小乔木。树皮灰褐色。冬芽大，圆锥状卵圆形。叶卵形，长
5 ~ 14 cm，宽 3.5 ~ 12 cm，先端急尖或尾状，基部楔形或心形，
边缘具粗锯齿，不分裂或 3 ~ 5 裂，表面粗糙，密生短刺毛，背面
疏被粗毛；叶柄长 1 ~ 1.5 cm，被毛；托叶线状披针形，早落。雄
花序长 1 ~ 1.5 cm，被柔毛，雄花绿色，具短梗，花被片卵形，花
药黄色；雌花序球形，长约 1 cm，密被白色柔毛，雌花花被片长
圆形，暗绿色，花柱很长，柱头 2 裂，内面被柔毛。聚花果短椭圆
形，直径约 1 cm，成熟时呈红色或暗紫色。花期 3 ~ 4 月，果期
4 ~ 5 月。

| 生境分布 | 生于海拔 500 ~ 1 000 m 的石灰岩山地、林缘及荒地。湖北有分布。

| 采收加工 | 鸡桑叶：夏季采收，鲜用或晒干。

鸡桑根：秋、冬季采挖，趁鲜刮去栓皮，洗净；或剥取白皮，晒干。

| 功能主治 | 鸡桑叶：清热解表，宣肺止咳。用于风热感冒，肺热咳嗽，头痛，咽痛。

鸡桑根：清肺，凉血，利湿。用于肺热咳嗽，鼻衄，水肿，腹泻，黄疸。

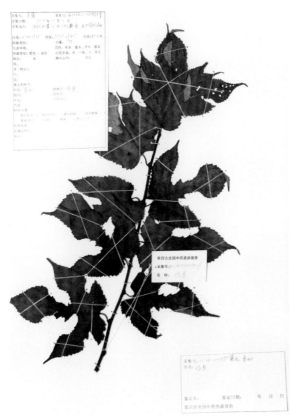

桑科 Moraceae 桑属 Morus

蒙桑
Morus mongolica (Bur.) Schneid.

| 药 材 名 | 桑白皮、桑叶、桑椹。

| 形态特征 | 小乔木或灌木。树皮灰褐色，纵裂。小枝暗红色，老枝灰黑色；冬芽卵圆形，灰褐色。叶长椭圆状卵形，长 8 ~ 15 cm，宽 5 ~ 8 cm，

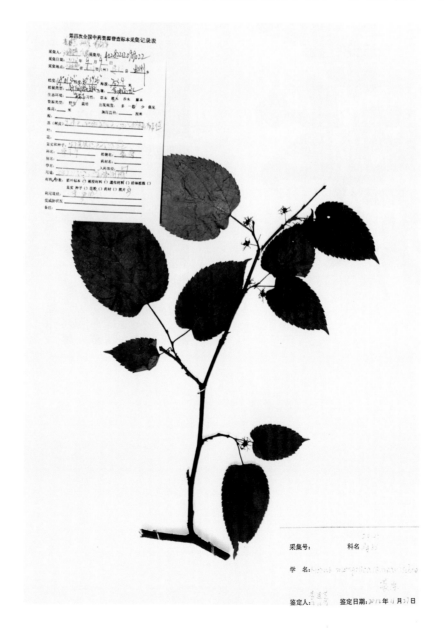

先端尾尖，基部心形，边缘具三角形单锯齿，稀为重锯齿，齿尖有长刺芒，两面无毛；叶柄长 2.5 ～ 3.5 cm。雄花序长 3 cm，雄花花被暗黄色，外面及边缘被长柔毛，花药 2 室，纵裂；雌花序短圆柱状，长 1 ～ 1.5 cm，总花梗纤细，长 1 ～ 1.5 cm，雌花花被片外面上部疏被柔毛或近无毛，花柱长，柱头 2 裂，内面密生乳头状突起。聚花果长 1.5 cm，成熟时为红色至紫黑色。花期 3 ～ 4 月，果期 4 ～ 5 月。

| 生境分布 | 生于海拔 480 ～ 1 200 m 的向阳山坡疏林中。湖北有分布。

| 功能主治 | 桑白皮：利尿消肿，止咳平喘。用于水肿，咳喘。

桑叶：清热，祛风，清肺止咳，凉血明目。用于风热头痛，目赤，口渴，肺热咳嗽，风痹，下肢象皮肿。

桑椹：益肠胃，补肝肾，养血祛风。

序叶苎麻

Boehmeria clidemioides Miq. var. *diffusa* (Wedd.) Hand.-Mazz.

| 药 材 名 | 水火麻。

| 形态特征 | 多年生草本或半灌木状，高 50 ～ 100 cm。茎直立，多分枝，有条纹；小枝散生，幼时伏生向上的白色短硬毛和茸毛。叶互生；茎基部叶柄长达 6 cm，向上逐渐变短而近无柄；叶片卵形或卵状披针形，长 5 ～ 9 cm，宽 3 ～ 5 cm，小枝上的叶片仅长 1 ～ 2 cm，宽 0.5 ～ 1 cm，先端尾尖，基部宽楔形或近圆形，边缘具粗齿，表面深绿色，密生点状钟乳体和伏生白色短硬毛，背面淡绿色，沿叶脉伏生短毛。花单性，雌雄异株；穗状花序散生；雄花具短梗，花被片 4，卵圆形，长 0.5 ～ 0.7 mm，背面伏生硬毛，雄蕊 4，在花蕾时内曲；雌花花被管状，长 0.5 ～ 0.7 mm，外面伏生硬毛，包被子房，柱头线形，长 2 ～ 3 mm，具向上的短硬毛，宿存。瘦果卵圆形，外包宿存的花

被。花期 8 ~ 9 月，果期 9 ~ 10 月。

| 生境分布 | 生于海拔 600 ~ 1 800 m 的山坡灌丛中或山谷水旁。湖北有分布。

| 采收加工 | **全草：** 秋季采收，鲜用或晒干。

| 功能主治 | 祛风除湿。用于风湿痹痛。

荨麻科 Urticaceae 苎麻属 Boehmeria

细野麻 *Boehmeria gracilis* C. H. Wright

| **药 材 名** | 麦麸草、麦麸草草根。

| **形态特征** | 多年生草本或亚灌木，高 40 ～ 120 cm。茎和分枝疏被短伏毛。叶对生，同一对叶近等大或稍不等大；叶片草质，圆卵形、菱状宽卵形或菱状卵形，长 3 ～ 7（～ 10）cm，宽 2 ～ 6（～ 7.5）cm，先端骤尖，基部圆形、圆截形或宽楔形，边缘在基部之上有牙齿（牙齿每侧 8 ～ 13，正三角形或三角形），两面疏被短伏毛，侧脉 1 ～ 2 对；叶柄长 1 ～ 7 cm，疏被短伏毛。穗状花序单生于叶腋，通常雌雄异株或同株；同株时，茎上部的为雌性，下部的为雄性，或有时下部的花序两性，长 2.5 ～ 13 cm，不分枝，花序轴疏被短伏毛；团伞花序直径 1 ～ 2.5 mm；苞片狭三角形至钻形，长 1 ～ 1.5 mm。雄花无梗；花被片 4，船状椭圆形，长约 1.2 mm，外面有短毛；雄蕊

4，长约 1.6 mm，花药长约 0.6 mm；退化雌蕊椭圆形，长约 0.5 mm。雌花花被纺锤形，长 0.7 ～ 1 mm，先端有 2 小齿，外面密被短伏毛，果期呈菱状倒卵形，长约 1.5 mm；柱头长 1 ～ 2 mm。瘦果卵球形，长约 1.2 mm，基部有短柄。花期 6 ～ 8 月。

| 生境分布 | 生于海拔 100 ～ 1 600 m 的丘陵或低山山坡草地、灌丛中、岩石上及沟边。湖北有分布。

| 资源情况 | 野生资源较丰富，栽培资源丰富。

| 采收加工 | 麦麸草：秋季采收，晒干。
麦麸草根：秋季采收，鲜用或晒干。

| 功能主治 | 麦麸草：清热解毒，除风止痒，利湿。用于皮肤发痒，湿毒。
麦麸草根：活血消肿。用于跌打伤肿，痔疮肿痛。

荨麻科 Urticaceae 苎麻属 Boehmeria

大叶苎麻
Boehmeria longispica Steud.

药材名

水麻、水麻根。

形态特征

亚灌木或多年生草本，高 0.6 ~ 1.5 m，上部通常有较密的开展或贴伏的糙毛。叶对生，同 1 对叶等大或稍不等大；叶片纸质，近圆形、卵圆形或卵形，长 7 ~ 17（~ 26）cm，宽 5.5 ~ 13（~ 20）cm，先端骤尖，有时不明显 3 骤尖，基部宽楔形或截形，边缘在基部之上有牙齿，下部的较小，近正三角形，上部的大，三角形，先端锐尖，全缘或常有 1 小齿，上面粗糙，有短糙伏毛，下面沿脉网有短柔毛；侧脉 1 ~ 2 对；叶柄长达 6（~ 8）cm。穗状花序单生于叶腋，雌雄异株，不分枝，有时具少数分枝，雄的长约 3 cm，雌的长 7 ~ 20（~ 30）cm；雄团伞花序直径约 1.5 mm，约有 3 花，雌团伞花序直径 2 ~ 4 mm，有极多数雌花；苞片卵状三角形或狭披针形，长 0.8 ~ 1.5 mm；雄花花被片 4，椭圆形，长约 1 mm，基部合生，外面被短糙伏毛，雄蕊 4，花药长约 0.5 mm，退化雌蕊椭圆形，长约 0.5 mm；雌花花被片倒卵状纺锤形，长 1 ~ 1.2 mm，先端有 2 小齿，上部密被糙毛，果期呈菱状倒卵形，长约 2 mm，柱头长 1.2 ～ 1.5 mm。瘦果倒卵球形，长约 1 mm，光滑。花期 6 ～ 9 月。

| 生境分布 | 生于海拔 300 ～ 600 m 的丘陵或低山山地灌丛中、疏林中、田边或溪边。湖北有分布。

| 资源情况 | 野生资源较丰富。栽培资源丰富。

| 采收加工 | 水麻：夏、秋季采收，鲜用或晒干。
水麻根：夏、秋季采挖，晒干。

| 功能主治 | 水麻：消积，解毒。用于疳积，小儿头疮，中耳炎。
水麻根：发表祛风，除湿，解毒。用于感冒，风湿性关节炎，中耳炎。

荨麻科 Urticaceae 苎麻属 Boehmeria

苎麻
Boehmeria nivea (L.) Gaudich.

| 药 材 名 | 苎麻。

| 形态特征 | 多年生半灌木，高 1 ~ 2 m。茎直立，圆柱形，多分枝，青褐色，密生粗长毛。叶互生；叶柄长 2 ~ 11 cm；托叶 2，分离，早落；叶片宽卵形或卵形，长 7 ~ 15 cm，宽 6 ~ 12 cm，先端渐尖或近尾状，基部宽楔形或截形，边缘密生牙齿，上面绿色，粗糙，并散生疏毛，下面密生交织的白色柔毛，基出脉 3。花单性，雌雄通常同株；花序呈圆锥状，腋生，长 5 ~ 10 cm，雄花序通常位于雌花序之下；雄花小，无花梗，黄白色，花被片 4，雄蕊 4，有退化雌蕊；雌花淡绿色，球形，直径约 2 mm，花被管状，宿存，花柱 1。瘦果小，椭圆形，密生短毛，为宿存花被包裹，内有种子 1。花期 9 月，果期 10 月。

| **生境分布** | 生于山谷林边或草坡。湖北有分布。

| **资源情况** | 野生资源一般，栽培资源丰富。

| **采收加工** | 苎麻根：冬、春季采挖，除去地上茎和泥土，晒干。

苎麻皮：夏、秋季采收，剥取茎皮，鲜用或晒干。

苎麻叶：春、夏、秋季均可采收，鲜用或晒干。

苎麻花：夏季花盛开时采收，鲜用或晒干。

苎麻梗：春、夏季采收，鲜用或晒干。

| **功能主治** | 苎麻根：凉血止血，清热安胎，利尿，解毒。用于血热迫血妄行的各种出血，血热胎动不安，胎漏下血，热毒痈肿。

苎麻皮：清热凉血，散瘀止血，解毒利尿，安胎回乳。用于瘀热心烦，天行热病，产后血晕，腹痛，跌打损伤，创伤出血，血淋，小便不通，肛门肿痛，胎动不安，乳房胀痛。

苎麻叶：凉血止血，散瘀消肿，解毒。用于咯血，吐血，血淋，尿血，月经过多，外伤出血，跌打肿痛，脱肛不收，丹毒，疮肿，乳痈，湿疹，蛇虫咬伤。

苎麻花：清心除烦，凉血透疹。用于心烦失眠，口舌生疮，麻疹透发不畅，风疹瘙痒。

苎麻梗：用于金疮折损，痘疮，痈肿，丹毒。

荨麻科 Urticaceae 苎麻属 *Boehmeria*

长叶苎麻 *Boehmeria penduliflora* Wedd. ex Long

| 药 材 名 | 长叶苎麻。

| 形态特征 | 灌木，直立，有时枝条蔓生，高 1.5 ~ 4.5 m。小枝多少密被短伏毛，近方形，有浅纵沟。叶对生；叶片厚纸质，披针形或条状披针形，长（8 ~ ）14 ~ 25（~ 29）cm，宽（1.4 ~ ）2.2 ~ 5.2 cm，先端长渐尖或尾状，基部钝或呈圆形、不明显心形，边缘自基部之上有多数小钝牙齿，上面脉网下陷，常有小泡状隆起，粗糙，无毛或有疏短毛，很快变无毛，下面沿隆起的脉网有疏或密的短毛；侧脉 3 ~ 4 对；叶柄长 0.6 ~ 3 cm；托叶钻形，长达 1.5 cm。穗状花序通常雌雄异株，有时枝上部的雌性，单生于叶腋，长 6 ~ 32 cm，其下的为雄性，常 2 花序生于叶腋，长 4.5 ~ 8 cm；雄团伞花序直

径 1 ~ 2 mm，有少数雄花，雌团伞花序直径 2.5 ~ 6 mm，有极多数密集的雌花；雄花花被片 4，椭圆形，长约 1.2 mm，下部合生，外面有短毛，雄蕊 4，长约 1.8 mm，花药长约 0.6 mm，退化雌蕊椭圆形，长约 0.5 mm；雌花花被片倒披针形或狭倒披针形，长（1.2 ~ ）1.6 ~ 2.2 mm，先端圆形，突然缢缩成 2 小齿，外面上部疏被短毛，有时近无毛，柱头长（0.7 ~ ）1.2 ~ 2.2 mm。瘦果椭圆状球形或卵球形，长约 0.5 mm，周围具翅，并具长约 1.2 mm 的柄。花期 7 ~ 10 月。

| 生境分布 | 生于海拔 500 ~ 2 000 m 的丘陵及山谷林中、灌丛中、林边或溪边。湖北有分布。

| 功能主治 | 宣肺解表，祛风止痛，健胃消积。用于中耳炎，消化不良，疳积，风湿性关节炎。

荨麻科 Urticaceae 苎麻属 Boehmeria

赤麻
Boehmeria silvestrii (Pamp.) W. T. Wang

| **药 材 名** | 赤麻。

| **形态特征** | 多年生草本或亚灌木。茎高 60 ~ 100 cm，分枝或不分枝，下部无
毛，上部疏被短伏毛。叶对生，同一对叶不等大或近等大；叶片
薄草质，茎中部的近五角形或圆卵形，长 5 ~ 8（~ 13）cm，宽
4.8 ~ 7.5（~ 13）cm，先端 3 或 5 骤尖，基部宽楔形或截状楔形；
茎上部叶渐变小，常为卵形，顶部 1 或 3 骤尖，边缘自基部之上有
牙齿，两面疏被短伏毛，下面有时近无毛，侧脉 1（~ 2）对；叶柄
长 4（~ 8）cm。穗状花序单生于叶腋，雌雄异株或同株；同株时，
茎上部的为雌性，下部的为雄性或两性（即含有雄的和雌的团伞花
序），长 4 ~ 11（~ 20）cm，不分枝；团伞花序直径 1 ~ 3 mm；
苞片三角形或狭披针形，长达 1.5 mm。雄花无梗或有短梗；花梗长

0.5 ～ 2 mm；花被片 4，船状椭圆形，长约 1.5 mm，合生至中部，外面疏被短柔毛；雄蕊 4，长约 2 mm，花药长约 0.5 mm；退化雌蕊椭圆形，长约 0.8 mm。雌花花被狭椭圆形或椭圆形，长约 0.8 mm，先端有 2 小齿，外面密被短柔毛，果期呈菱状倒卵形，长约 1.5 mm；柱头长 0.82 mm。瘦果近卵球形或椭圆球形，长约 1 mm，光滑，基部具短柄。花期 6 ～ 8 月。

| 生境分布 | 生于海拔 700 ～ 1 400 m 的丘陵或低山草坡、山谷石边背阴处、沟边。湖北有分布。

| 功能主治 | 收敛止血，清热解毒。用于咯血，衄血，尿血，便血，崩漏，跌打损伤，无名肿毒，疮疡。

荨麻科 Urticaceae 苎麻属 Boehmeria

小赤麻
Boehmeria spicata (Thunb.) Thunb.

| **药 材 名** | 小赤麻、小赤麻根。

| **形态特征** | 多年生草本或亚灌木。茎高 40 ~ 100 cm，常分枝，疏被短伏毛或近无毛。叶对生；叶片薄草质，卵状菱形或卵状宽菱形，长 2.4 ~ 7.5 cm，宽 1.5 ~ 5 cm，先端长骤尖，基部宽楔形，边缘每侧在基部之上有（3 ~ ）4 ~ 7（ ~ 8）大牙齿（上部牙齿常狭三角形），两面疏被短伏毛或近无毛，侧脉 1 ~ 2 对；叶柄长 1 ~ 6.5 cm。穗状花序单生叶腋，雌雄异株或同株；同株时，茎上部的为雌性，其下的为雄性，雄的长约 2.5 cm，雌的长 4 ~ 10 cm。雄花无梗；花被片（3 ~ ）4，椭圆形，长约 1 mm，下部合生，外面有稀疏短毛；雄蕊（3 ~ ）4，花药近圆形；退化雌蕊椭圆形，长约 0.5 mm。雌花花被近狭椭圆形，长约 0.6 mm，齿不明显，外面有短柔毛，果期呈

菱状倒卵形或宽菱形，长约 1 mm；柱头长 1 ~ 1.2 mm。花期 6 ~ 8 月。

| **生境分布** | 生于丘陵或低山草坡、岩石上、沟边。湖北有分布。

| **资源情况** | 野生资源较丰富。

| **采收加工** | **小赤麻**：夏、秋季采收，鲜用或晒干。
小赤麻根：秋季采挖，洗净，鲜用或晒干。

| **功能主治** | **小赤麻**：利尿消肿，解毒透疹。用于水肿腹胀，麻疹。
小赤麻根：活血消肿，止痛。用于跌打损伤，痔疮肿痛。

荨麻科 Urticaceae 苎麻属 Boehmeria

悬铃叶苎麻
Boehmeria tricuspis (Hance) Makino

| 药 材 名 | 赤麻、山麻根。

| 形态特征 | 亚灌木或多年生草本。茎高 50 ~ 150 cm，中部以上与叶柄和花序轴密被短毛。叶对生，稀互生；叶片纸质，扁五角形或扁圆卵形，茎上部叶常为卵形，长 8 ~ 12（~ 18）cm，宽 7 ~ 14（~ 22）cm，顶部 3 骤尖或 3 浅裂，基部截形、浅心形或宽楔形，边缘有粗牙齿，上面粗糙，有糙伏毛，下面密被短柔毛，侧脉 2 对；叶柄长 1.5 ~ 6（~ 10）cm。穗状花序单生于叶腋；同一植株的全为雌性或茎上部的为雌性、下部的为雄性，雌的长 5.5 ~ 24 cm，分枝呈圆锥状或不分枝，雄的长 8 ~ 17 cm，分枝呈圆锥状；团伞花序直径 1 ~ 2.5 mm。雄花花被片 4，椭圆形，长约 1 mm，下部合生，外面上部疏被短毛；雄蕊 4，长约 1.6 mm，花药长约 0.6 mm；退化雌蕊椭圆

形，长约 0.6 mm。雌花花被椭圆形，长 0.5 ~ 0.6 mm，齿不明显，外面有密柔毛，果期呈楔形至倒卵状菱形，长约 1.2 mm；柱头长 1 ~ 1.6 mm。花期 7 ~ 8 月。

| **生境分布** | 生于海拔 500 ~ 1 400 m 的低山山谷疏林下、沟边或田边。湖北有分布。

| **资源情况** | 野生资源较丰富。

| **采收加工** | **赤麻：**春、秋季采挖根，夏、秋季采收叶，洗净，鲜用或晒干。
山麻根：秋季采挖根，洗净，鲜用或晒干。

| **功能主治** | **赤麻：**收敛止血，清热解毒。用于咯血，衄血，尿血，便血，崩漏，跌打损伤，无名肿毒，疮疡。
山麻根：活血止血，解毒消肿。用于跌打损伤，胎漏下血，痔疮肿痛，疖肿。

荨麻科 Urticaceae 水麻属 *Debregeasia*

长叶水麻
Debregeasia longifolia (Burm. f.) Wedd.

| **药 材 名** | 长叶水麻。

| **形态特征** | 小乔木或灌木，高 3 ～ 6 m。小枝纤细，多少延伸，棕红色或褐紫色，密被伸展的灰色或褐色微粗毛，以后渐脱落。叶纸质或薄纸质，长圆状或倒卵状披针形，有时近条形或长圆状椭圆形，稀狭卵形，先端渐尖，基部圆形或微缺，稀宽楔形，长（7 ～ ）9 ～ 18（ ～ 23）cm，宽（1.5 ～ ）2 ～ 5（ ～ 6.5）cm，边缘具细牙齿或细锯齿，上面深绿色，疏生细糙毛，有泡状隆起，下面灰绿色，在脉网内被一层灰白色的短毡毛，在脉上密生灰色或褐色粗毛；基出脉 3，侧出 2 近直伸达中部边缘，侧脉 5 ～ 8（ ～ 10）对，在近边缘网结，并向外分出细脉达齿尖，细脉交互横生结成细网，各级脉在下面隆起；叶柄长 1 ～ 3（ ～ 4）cm，被毛同幼枝；托叶长圆状披针形，长 6 ～ 10 mm，

先端 2 裂至上部的近 1/3 处，背面被短柔毛。花序雌雄异株，稀同株，生于当年生枝、去年生枝和老枝的叶腋，2 ～ 4 回的二叉分枝，在花枝最上部的常二叉分枝或单生，长 1 ～ 2.5 cm；花序梗近无或长至 1 cm，序轴上密被伸展的短柔毛；团伞花簇直径 3 ～ 4 mm；苞片长三角状卵形，长约 1 mm，背面被短柔毛；雄花在芽时微扁球形，具短梗，直径 1.2 ～ 1.5 mm，花被片 4，在中部合生，三角状卵形，背面稀疏的贴生细毛，雄蕊 4，退化雌蕊倒卵珠形，近无柄，密生雪白色的长绵毛；雌花几无梗，倒卵珠形，压扁，下部紧缩成柄，长约 0.8 mm，花被薄膜质，倒卵珠形，先端 4 齿，包被着雌蕊而离生，子房倒卵珠形，压扁，具短柄，柱头短圆锥状，其上着生画笔头状的长毛柱头组织，宿存。瘦果带红色或金黄色，干时变铁锈色，葫芦状，下半部紧缩成柄，长 1 ～ 1.5 mm，宿存花被与果实贴生。花期 7 ～ 9 月，果期 9 月至翌年 2 月。

| 生境分布 | 生于海拔 500 ～ 3 100 m 的山谷、溪边两岸灌丛中、森林湿润处或向阳干燥处。湖北有分布。

| 资源情况 | 野生资源较丰富。

| 采收加工 | **茎叶：**全年均可采收，鲜用或晒干。

| 功能主治 | 祛风止咳，清热利湿。用于伤风感冒，咳嗽，热痹，膀胱炎，无名肿毒，牙痛。

荨麻科 Urticaceae 水麻属 Debregeasia

水麻

Debregeasia orientalis C. J. Chen

| 药 材 名 | 冬里麻、冬里麻根。

| 形态特征 | 灌木，高达 1 ~ 4 m。小枝纤细，暗红色，常被贴生的白色短柔毛，以后渐变无毛。叶纸质或薄纸质，干时硬膜质，长圆状狭披针形或条状披针形，先端渐尖或短渐尖，基部圆形或宽楔形，长 5 ~ 18（~ 25）cm，宽 1 ~ 2.5（~ 3.5）cm，边缘有不等的细锯齿或细牙齿，上面暗绿色，常有泡状隆起，疏生短糙毛；钟乳体点状，背面被白色或灰绿色毡毛，在脉上疏生短柔毛；基出脉 3，其侧出 2 达中部边缘，近直伸，二级脉 3 ~ 5 对，细脉结成细网，各级脉在背面突起；叶柄短，长 3 ~ 10 mm，稀更长，被毛同幼枝；托叶披针形，长 6 ~ 8 mm，先端 2 浅裂，背面纵肋上疏生短柔毛。花序雌雄异株，稀同株，生于去年生枝和老枝的叶腋，2 回二歧分枝或二叉分

枝，具短梗或无梗，长 1 ～ 1.5 cm，每分枝的先端各生 1 球状团伞花簇，雄的团伞花簇直径 4 ～ 6 mm，雌的直径 3 ～ 5 mm，苞片宽倒卵形，长约 2 mm；雄花在芽时扁球形，直径 1.5 ～ 2 mm，花被片 4（混生于雌花序上的雄花花被片 3 ～ 4），在下部合生，裂片三角状卵形，背面疏生微柔毛，雄蕊 4，退化雌蕊倒卵形，长约 0.5 mm，在基部密生雪白色绵毛；雌花几无梗，倒卵形，长约 0.7 mm，花被薄膜质，紧贴子房，倒卵形，先端有 4 齿，外面近无毛，柱头画笔头状，从小圆锥体上生出 1 束柱头毛。瘦果小浆果状，倒卵形，长约 1 mm，鲜时橙黄色，宿存花被肉质，紧贴生于果实。花期 3 ～ 4 月，果期 5 ～ 7 月。

| **生境分布** | 生于海拔 300 ～ 2 800 m 的溪谷河流两岸潮湿处。湖北有分布。

| **资源情况** | 野生资源一般，栽培资源丰富。

| **采收加工** | **冬里麻：**夏、秋季采收，鲜用或晒干。
　　　　　　　冬里麻根：夏、秋季采挖，洗净，鲜用或晒干。

| **功能主治** | **冬里麻：**疏风止咳，清热透疹，化瘀止血。
　　　　　　　冬里麻根：祛风除湿，活血止痛，解毒消肿。用于风湿痹痛，跌打伤肿，骨折，外伤出血，疮痈肿毒。

短齿楼梯草

Elatostema brachyodontum (Hand.-Mazz.) W. T. Wang

| 药 材 名 | 短齿楼梯草。

| 形态特征 | 多年生草本。茎高 60 ~ 100 cm，上部有短分枝，无毛。叶具短柄
或无柄；叶片草质或薄纸质，斜长圆形，有时稍镰状弯曲，长 7 ~
17 cm，宽（2 ~）4 ~ 5.2 cm，先端突渐尖，渐尖部分全缘，基部
在狭侧楔形或钝，在宽侧楔形或宽楔形，下部全缘，其上通常有浅
而钝的牙齿，无毛，间或上面散生少数短毛，钟乳体明显，密，长
0.1 ~ 0.2(~ 0.4)mm；叶脉羽状，侧脉每侧 5 ~ 7；叶柄长 1.5 ~ 4 mm，
无毛；托叶钻形，长 1.5 ~ 2.5 mm，无毛，早落。花序雌雄同株或
异株，单生于叶腋；雄花序具梗，花序梗长 2.5 ~ 6 mm，无毛；花
序托初似球形或似无花果的隐头花序，直径约 1.2 cm，顶部的宽卵

形苞片互相覆压，后花序托开展并 2 深裂，近蝴蝶形，宽约 3 cm；小苞片狭披针形，长约 4 mm，无毛；雄花有梗，花被片 5，狭椭圆形，长约 2 mm，下部合生，无毛，外面先端之下有短角状突起，雄蕊 4，退化雌蕊极小；雌花序具极短梗，有多数花，花序托长方形或近方形，长 3 ~ 10 mm，边缘的苞片宽卵形，先端有长 1 ~ 2 mm 的角状突起；小苞片多数，密集，倒梯形，长约 1 mm；雌花无梗或有梗，子房狭卵形，与小苞片近等长。瘦果狭卵球形，长 0.8 ~ 1 mm，约有 6 不明显纵肋。花期 6 ~ 9 月。

| **生境分布** | 生于海拔 500 ~ 1 100 m 的山谷林中或沟边石上。湖北有分布。

| **资源情况** | 野生资源较丰富。

| **采收加工** | 夏、秋季采收，鲜用或晒干。

| **功能主治** | 祛风湿，散瘀肿，解热毒。用于风湿热痹，目赤肿痛，黄疸，跌打骨折。

宜昌楼梯草
Elatostema ichangense H. Schroter

| **药 材 名** | 宜昌楼梯草。

| **形态特征** | 多年生草本。茎高约25 cm，不分枝，无毛。叶具短柄或无柄，无毛；叶片草质或薄纸质，斜倒卵状长圆形或斜长圆形，长6～12.4 cm，宽2～3 cm，先端尾状渐尖（渐尖部分全缘），基部在狭侧楔形或钝，在宽侧钝或圆形，边缘下部或中部之下全缘，其上有浅牙齿；钟乳体明显或稍明显，密，长0.2～0.4 mm，半离基三出脉或近三出脉；侧脉在狭侧1～2，在宽侧约3；叶柄长达1.5 mm；托叶条形或长圆形，长2～3.5 mm。花序雌雄异株或同株；雄花序无梗或近无梗，直径3～6 mm，有10数花；花序托小；苞片约6，卵形或正三角形，长3～4 mm，无毛，2较大，其先端的角状突起长3.5～7 mm，其他的较小，其先端突起长1～1.5 mm；小苞片膜质，

匙形、匙状条形或船状条形，长 2 ~ 2.5 mm，顶部有疏睫毛；雄花无毛；花梗长达 2.5 mm；花被片 5，狭椭圆形，长约 1.6 mm，下部合生，外面先端之下有长 0.1 ~ 0.3 mm 的角状突起。雌花序有梗；花序梗长达 4 mm；花序托近方形或长方形，有时二裂呈蝴蝶形，长 3 ~ 8 mm；苞片三角形，长 0.5 ~ 1 mm，先端有短角状突起，有时少数苞片具长 1.5 ~ 2 mm 的长角状突起；小苞片多数，密集，楔状或匙状条形，长 0.6 ~ 0.9 mm，先端密被短柔毛。瘦果椭圆球形，长约 0.6 mm，约有 8 纵肋。花期 8 ~ 9 月。

| 生境分布 | 生于海拔 300 ~ 900 m 的山地常绿阔叶林中或岩石上。湖北有分布。

| 资源情况 | 野生资源较丰富。

| 采收加工 | **根、叶：**全年均可采收，鲜用或晒干。

| 功能主治 | 清热解毒，调经止痛。用于痈疽疮毒，月经不调，痛经。

荨麻科 Urticaceae 楼梯草属 *Elatostema*

楼梯草
Elatostema involucratum Franch. et Sav.

| **药 材 名** | 楼梯草、楼梯草根。

| **形态特征** | 多年生草本。茎肉质，高 25 ~ 60 cm，不分枝或有 1 分枝，无毛，稀上部有疏柔毛。叶无柄或近无柄；叶片草质，斜倒披针状长圆形或斜长圆形，有时稍镰状弯曲，长 4.5 ~ 16（~ 19）cm，宽 2.2 ~ 4.5（~ 6）cm，先端骤尖（骤尖部分全缘），基部在狭侧楔形，在宽侧圆形或浅心形，边缘在基部之上有较多牙齿，上面有少数短糙伏毛，下面无毛或沿脉有短毛；钟乳体明显，密，长 0.3 ~ 0.4 mm；叶脉羽状，侧脉每侧 5 ~ 8；托叶狭条形或狭三角形，长 3 ~ 5 mm，无毛。花序雌雄同株或异株；雄花序有梗，直径 3 ~ 9 mm，花序梗长（4 ~）7 ~ 20（~ 32）mm，无毛或稀有短毛，花序托不明显，稀明显，苞片少数，狭卵形或卵形，长约 2 mm，小苞片条形，长约

1.5 mm，雄花有梗，花被片 5，椭圆形，长约 1.8 mm，下部合生，先端之下有不明显突起，雄蕊 5；雌花序具极短梗，直径 1.5～4（～13）mm，花序托通常很小，周围有卵形苞片，小苞片条形，长约 0.8 mm，有睫毛。瘦果卵球形，长约 0.8 mm，有少数不明显纵肋。花期 5～10 月。

| **生境分布** | 生于海拔 200～2 000 m 的山谷沟边岩石上、林中或灌丛中。湖北有分布。

| **资源情况** | 野生资源较丰富，栽培资源稀少。

| **采收加工** | 楼梯草：春、夏、秋季均可采收，洗净，切碎，鲜用或晒干。
楼梯草根：春、秋季采挖，除去茎叶及须根，洗净，晒干。

| **功能主治** | 楼梯草：清热解毒，祛风除湿，利水消肿，活血止痛。用于赤白痢，高热惊风，黄疸，风湿痹痛，水肿，淋病，闭经，疮肿，痄腮，带状疱疹，毒蛇咬伤，跌打损伤，骨折。
楼梯草根：活血止痛。用于跌打损伤，筋骨疼痛。

荨麻科 Urticaceae 楼梯草属 Elatostema

托叶楼梯草
Elatostema nasutum Hook. f.

| **药 材 名** | 托叶楼梯草。

| **形态特征** | 多年生草本。茎直立或渐升，高 16 ~ 40 cm，不分枝或分枝，无

毛。叶具短柄；叶片草质，干时常变黑，斜椭圆形或斜椭圆状卵形，长 3.5 ~ 9（~ 15.5）cm，宽 2 ~ 3.5（~ 6）cm，先端渐尖（渐尖部分全缘），基部在狭侧近楔形，在宽侧心形或近耳形，边缘在狭侧中部之上、宽侧基部之上有牙齿，无毛或上面疏被少数短硬伏毛；钟乳体不太明显，稀疏或稍密，长 0.2 ~ 0.4 mm；叶三出脉，稀半离基三出脉，侧脉在狭侧约 1，在宽侧约 3；叶柄长 1 ~ 4 mm，无毛；托叶膜质，狭卵形至条形，长 9 ~ 18 mm，宽 1.5 ~ 4.5 mm，无毛。花序雌雄异株；雄花序有梗，直径 4 ~ 10 mm，有多数密集的花；花序梗长 0.3 ~ 3.6 cm，无毛；花序托小；苞片约 6，船状卵形，长 2 ~ 5 mm，先端有角状突起，近无毛或有短睫毛；小苞片长 1.5 ~ 3 mm，似苞片或条形，有睫毛，先端有长或短的角状突起；雄花无毛；花梗长达 2.5 mm，花被片 4，船状椭圆形，长约 1.2 mm，基部合生，外面先端之下有角状突起，雄蕊 4，退化雌蕊长达 0.1 mm；雌花序无梗或具极短梗，直径 3 ~ 9 mm，有多数密集的花，花序托明显，周围有苞片，苞片正三角形，长约 3 mm，先端有长角状突起，被睫毛，小苞片狭长圆形，长约 2 mm，先端有角状突起。瘦果椭圆球形，长 0.8 ~ 1 mm，约有 10 纵肋。花期 7 ~ 10 月。

| **生境分布** | 生于海拔 600 ~ 2 400 m 的山地林下或草坡背阴处。湖北有分布。

| **功能主治** | 清热解毒，接骨。用于疮毒，蛇咬伤，骨折。

荨麻科 Urticaceae 楼梯草属 *Elatostema*

庐山楼梯草 *Elatostema stewardii* Merr.

| 药 材 名 | 乌骨麻。

| 形态特征 | 多年生草本。茎高 24 ~ 40 cm，不分枝，无毛或近无毛，常具球形

或卵球形珠芽。叶具短柄；叶片草质或薄纸质，斜椭圆状倒卵形、斜椭圆形或斜长圆形，长 7 ～ 12.5 cm，宽 2.8 ～ 4.5 cm，先端骤尖，基部在狭侧楔形或钝，在宽侧耳形或圆形，下部全缘，其上有牙齿，无毛或上面散生短硬毛；钟乳体明显，密，长 0.1 ～ 0.4 mm；叶脉羽状，侧脉在狭侧 4 ～ 6，在宽侧 5 ～ 7；叶柄长 1 ～ 4 mm，无毛；托叶狭三角形或钻形，长约 4 mm，无毛。花序雌雄异株，单生于叶腋。雄花序具短梗，直径 7 ～ 10 mm；花序梗长 1.5 ～ 3 mm；花序托小；苞片 6，外面 2 较大，宽卵形，长 2 mm，宽 3 mm，先端有长角状突起，其他苞片较小，先端有短突起；小苞片膜质，宽条形至狭条形，长 2 ～ 3 mm，有疏睫毛；雄花花被片 5，椭圆形，长约 1.8 mm，下部合生，外面先端之下有短角状突起，有短睫毛；雄蕊 5；退化雌蕊极小。雌花序无梗；花序托近长方形，长约 3 mm；苞片多数，三角形，长约 0.5 mm，密被短柔毛，较大的具角状突起；小苞片密集，匙形或狭倒披针形，长 0.5 ～ 0.8 mm，边缘上部密被短柔毛。瘦果卵球形，长约 0.6 mm，纵肋不明显。花期 7 ～ 9 月。

| **生境分布** | 生于海拔 580 ～ 1 400 m 的山谷沟边或林下。湖北有分布。

| **资源情况** | 野生资源较丰富，栽培资源稀少。

| **采收加工** | **全草或根茎：**夏、秋季采收，鲜用或晒干。

| **功能主治** | 活血祛瘀，解毒消肿，止咳。用于跌打扭伤，骨折，闭经，风湿痹痛，疟腮，带状疱疹，疮肿，毒蛇咬伤，咳嗽。

荨麻科 Urticaceae 楼梯草属 Elatostema

疣果楼梯草
Elatostema trichocarpum Hand.-Mazz.

| **药 材 名** | 疣果楼梯草。

| **形态特征** | 多年生草本。茎直立或渐升，高 12 ~ 25 cm，无毛或有伏毛，不分枝或分枝。叶具短柄；叶片草质，茎下部叶小，长 8 ~ 10 mm，上部的叶较大，斜椭圆状卵形或斜椭圆形，长 2 ~ 4.8 cm，宽 1.2 ~ 1.7 cm，先端微尖或微钝，基部在狭侧钝，在宽侧心形或近耳形，下部或中部之下全缘，其上有小牙齿，上面散生少数糙伏毛，下面无毛，钟乳体不明显，长约 0.2 mm，半离基三出脉；侧脉在狭侧约 2，在宽侧约 3；叶柄长 0.5 ~ 2 mm，无毛；托叶钻形，长 0.6 ~ 1 mm，速落。花序雌雄同株或异株，单生于叶腋；雄花序无梗，直径 5 ~ 10 mm；苞片约 12，长圆状三角形，长达 5 mm，在先端

之下有角状突起，有疏柔毛。雄花花梗长约5 mm，花被片4，椭圆形，长约1.5 mm，下部合生，雄蕊4；雌花序上部的无梗，下部的具长梗，直径2 ~ 5 mm，有多数密集的花，花序梗长2 ~ 12 mm，有短柔毛；花序托小；苞片10余，狭卵形至狭披针形，长1.2 ~ 2 mm；小苞片披针状条形，长约1 mm，上部有长睫毛；雌花花被片约3，披针形，长约0.3 mm。瘦果狭卵球形，长约1 mm，有数条不明显的纵肋和不明显的小突起，有疏毛或无毛。花期5 ~ 6月。

| **生境分布** | 生于海拔约1 000 m的山地阴湿处。湖北有分布。

| **功能主治** | 清热解毒，祛风除湿。用于风湿痹痛，外伤感染。

荨麻科 Urticaceae 蝎子草属 Girardinia

大蝎子草

Girardinia diversifolia (Link) Friis

药材名

大钱麻。

形态特征

多年生高大草本，茎下部常木质化；茎高达2 m，具5棱，生刺毛和细糙毛或伸展的柔毛，多分枝。叶片宽卵形、扁圆形或五角形，茎上的叶较大，分枝上的叶较小，长、宽均8～25 cm，基部宽心形或近截形，具（3～）5～7深裂片，边缘有不规则的牙齿或重牙齿，上面疏生刺毛和糙伏毛，下面生糙伏毛或短硬毛，在脉上疏生刺毛，基生脉3；叶柄长3～15 cm，毛被与茎上的相同；托叶大，长圆状卵形，长10～30 mm，外面疏生细糙伏毛。花雌雄异株或同株，雌花序生于上部叶腋，雄花序生于下部叶腋，多次2叉状分枝排成总状或近圆锥状，长5～11 cm；雌花序总状或近圆锥状，稀长穗状，果时长10～25 cm，序轴上具糙伏毛和伸展的粗毛，小团伞花枝上密生刺毛和细糙毛；雄花近无梗，芽时直径约1 mm，花被片4，卵形，内凹，外面疏生细糙毛，退化雌蕊杯状；雌花长约0.5 mm，大的1花被片舟形，长约0.4 mm，果时增长到约1 mm，先端有3齿，背面疏生细糙毛，小的1条形，较短；子房狭长圆状卵形。瘦果近心形，稍扁，长 2.5 ~ 3 mm，成熟时变棕黑色，表面有粗疣点。花期 9 ~ 10 月，果期 10 ~ 11 月。

| **生境分布** | 生于山谷、溪旁、山地林边或疏林下。湖北有分布。

| **资源情况** | 野生资源较丰富。

| **采收加工** | 全年均可采收，以春、夏季较多，鲜用或晒干。

| **功能主治** | 祛风除痰，利湿解毒。用于咳嗽痰多，风湿痹痛，跌打疼痛，头痛，皮肤瘙痒，水肿疮毒，蛇咬伤。

荨麻科 Urticaceae 糯米团属 *Gonostegia*

糯米团
Gonostegia hirta (Bl.) Miq.

| **药 材 名** | 糯米藤。

| **形态特征** | 多年生草本。茎不分枝或分枝,上部四棱形,有短柔毛。叶对生,草质或纸质,宽披针形至狭披针形、狭卵形,长(1~)3~10 cm,宽(0.7~)1.2~2.8 cm,先端渐尖,基部浅心形或圆形,全缘,上面稍粗糙,有稀疏短伏毛或近无毛,下面沿脉有疏毛或近无毛,基出脉3~5;叶柄长1~4 mm;托叶钻形。团伞花序腋生,直径2~9 mm,苞片三角形;雄花花梗长1~4 mm,花蕾直径约2 mm,在内折线上有稀疏长柔毛,花被片5,分生,倒披针形,先端短骤尖,雄蕊5,花丝条形,长2~2.5 mm,花药长约1 mm,退化雌蕊圆锥状;雌花花被菱状狭卵形,先端有2小齿,有疏毛,

果期呈卵形，长约 1.6 mm，有 10 纵肋，柱头长约 3 mm，有密毛。瘦果卵球形，长约 1.5 mm，白色或黑色，有光泽。花期 5 ~ 9 月。

| **生境分布** | 生于丘陵或低山林中、灌丛、沟边草地。湖北有分布。

| **采收加工** | **带根全草：** 全年均可采收，鲜用或晒干。

| **功能主治** | 清热解毒，健脾消积，利湿消肿，散瘀止血。用于乳痈，肿毒，痢疾，食积腹痛，疳积，带下，水肿，小便不利，痛经，跌打损伤，咯血，吐血，外伤出血。

荨麻科 Urticaceae 艾麻属 *Laportea*

珠芽艾麻 *Laportea bulbifera* (Sieb. et Zucc.) Wedd.

| 药 材 名 | 野绿麻根、绿线麻。

| 形态特征 | 多年生草本，高达 80 cm。根纺锤形。单叶互生；叶柄长，3 ~ 6 cm，有稀疏刺毛；通常托叶腋生出 1 ~ 3 褐色小珠芽；叶片卵形或椭圆形，长 8 ~ 13 cm，宽 3 ~ 6 cm，先端短渐尖，基部宽楔形或圆形，叶缘有圆齿状锯齿。雌雄同株，雌、雄花均呈圆锥花序；雄花序腋生，长达 4 cm；雄花被 4 ~ 5 裂，白色，雄蕊与花被裂片同数而对生，退化子房杯状；雄花序顶生，长达 15 cm，通常向一侧分枝，密生短毛；雌花有短柄，雌花被 4 全裂，不相等，淡绿色，内侧 2 花被花后增大，子房直立，后斜生，柱头线形。瘦果圆倒卵形，长 2.5 ~ 3 mm。花期 7 ~ 8 月，果期 8 ~ 10 月。

| **生境分布** | 生于海拔 1 000 ～ 2 400 m 的山坡林下或林缘路边半阴坡湿润处。湖北有分布。 |

| **资源情况** | 野生资源较丰富。 |

| **采收加工** | 野绿麻根：秋季采挖，除去茎叶及泥土，晒干。
绿线麻：夏、秋季采挖，除去茎叶及须根，洗净，鲜用或晒干。 |

| **功能主治** | 野绿麻根：祛风除湿，活血止痛。用于风湿痹痛，肢体麻木，跌打损伤，骨折疼痛，月经不调，劳伤乏力，肾炎性水肿。
绿线麻：健脾消积。用于疳积。 |

艾麻 *Laportea cuspidata* (Wedd.) Friis

| **药 材 名** | 红线麻。

| **形态特征** | 多年生草本。根数条丛生，纺锤状，肥厚，长 5 ~ 10 cm，直径 3 ~ 5 mm，有的长达 30 cm，直径达 1 cm。茎下部多少木质化，分枝或不分枝，高 40 ~ 150 cm，直径 4 ~ 15 mm，直立，在上部呈"之"字形，具 5 纵棱，有时带紫红色，疏生刺毛和短柔毛，有时生于叶腋的木质珠芽数枚。叶近膜质至纸质，卵形、椭圆形或近圆形，长 7 ~ 22 cm，宽 3.5 ~ 17 cm，先端长尾状（长达 7 cm），基部心形或圆形，有时近截形，边缘具粗大的锐牙齿，牙齿自下向上渐变大，有时具重牙齿，两面疏生刺毛和短柔毛，有时近光滑；钟乳体细点状，在上面稍明显；基出脉 3，稀离基三出脉，其侧出的 1 对脉近直伸，达中部齿尖，侧脉 2 ~ 4 对，斜出达齿尖；叶柄长 3 ~ 14 cm，

被毛同茎上部；托叶卵状三角形，长 3 ~ 4 mm，先端 2 裂，以后脱落。花序雌雄同株；雄花序圆锥状，生于雌花序的下部叶腋，直立，长 8 ~ 17 cm；雌花序长穗状，生于茎梢叶腋，在果时长 15 ~ 25 cm，小团伞花簇稀疏着生于单一的序轴上，花序梗较短，长 2 ~ 8 cm，疏生刺毛和短柔毛；雄花具短梗或近无梗，在芽时扁圆球形，直径约 1.5 mm；花被片 5，狭椭圆形，外面上部无角状突起，疏生微毛，雄蕊 5，花丝下部贴生于花被片，退化雌蕊倒圆锥形，长约 0.4 mm；雌花具梗，花被片 4，不等大，侧生 2 花被片紧包被着子房，长圆状卵形，长约 0.7 mm，在果时显著增大，外面有微毛，背生 1 花被片圆卵形，内凹，长约 0.6 mm，腹生 1 花被片宽卵形，长约 0.4 mm，柱头丝形，长约 0.2 mm，雌蕊柄短，在果时显著增长。瘦果卵形，歪斜，双凸透镜状，长近 2 mm，绿褐色，光滑，具短的弯折的柄，着生于近直立的雌蕊柄上，雌蕊柄长 1 ~ 2 mm；花梗无翅；2 宿存花被侧生，圆卵形，长 1.5 ~ 1.8 mm，背面中肋显著隆起。花期 6 ~ 7 月，果期 8 ~ 9 月。

| **生境分布** | 生于海拔 800 ~ 2 700 m 的山坡林下或沟边。湖北有分布。

| **资源情况** | 野生资源较丰富。

| **采收加工** | **根：**夏、秋季采挖，除去茎叶及须根，洗净，鲜用或晒干。

| **功能主治** | 祛风除湿，通经活络，消肿，解毒。用于风湿痹痛，肢体麻木，腰腿疼痛，虚肿水肿，淋巴结结核，蛇咬伤。

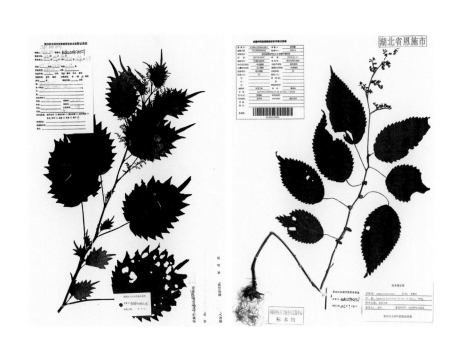

荨麻科 Urticaceae 花点草属 *Nanocnide*

花点草 *Nanocnide japonica* Bl.

| **药 材 名** | 幼油草。

| **形态特征** | 多年生小草本。茎直立，自基部分枝，下部多少匍匐，高 10 ～ 25

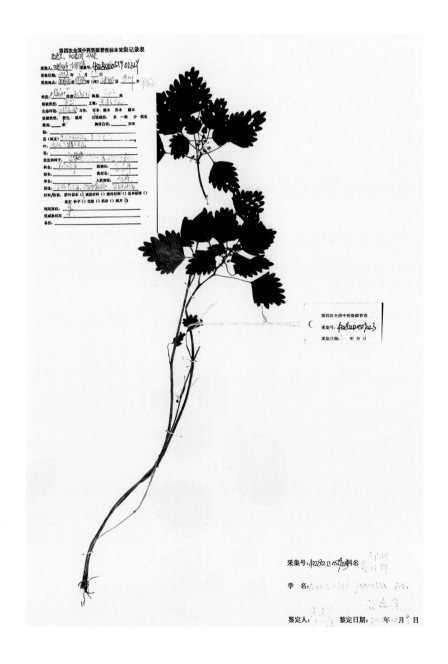

（～45）cm，常半透明，黄绿色，有时上部带紫色，被向上倾斜的微硬毛。叶三角状卵形或近扇形，长 1.5 ～ 3（～ 4）cm，宽 1.3 ～ 2.7（～ 4）cm，先端钝圆，基部宽楔形、圆形或近截形，边缘每边具 4 ～ 7 圆齿或粗牙齿，茎下部的叶较小，扇形或三角形，基部截形或浅心形，上面翠绿色，疏生紧贴的小刺毛，下面浅绿色，有时带紫色，疏生短柔毛；钟乳体短杆状，两面均明显；基出脉 3 ～ 5，次级脉与细脉呈二叉状分枝；茎下部的叶柄较长；托叶膜质，宽卵形，长 1 ～ 1.5 mm，具缘毛。雄花序为多回二歧聚伞花序，生于枝的顶部叶腋，直径 1.5 ～ 4 cm，疏松，具长梗，长过叶，花序梗被向上倾斜的毛；雌花序密集成团伞花序，直径 3 ～ 6 mm，具短梗；雄花具梗，紫红色，直径 2 ～ 3 mm，花被 5 深裂，裂片卵形，长约 1.5 mm，背面近中部有横向的鸡冠状突起物，其上缘生长毛，雄蕊 5，退化雌蕊宽倒卵形，长约 0.5 mm；雌花长约 1 mm，花被绿色，不等的 4 深裂，外面 1 对生于雌蕊的背面，较大，倒卵状船形，稍长于子房，具龙骨状突起，先端有 1 ～ 2 透明长刺毛，背面和边缘疏生短毛，内面 1 对裂片生于雌蕊的两侧，长倒卵形，较窄小，顶生 1 透明长刺毛。瘦果卵形，黄褐色，长约 1 mm，有疣点状突起。花期 4 ～ 5 月，果期 6 ～ 7 月。

| **生境分布** | 生于海拔 100 ～ 1 600 m 的山谷林下和石缝阴湿处。湖北有分布。

| **资源情况** | 野生资源较丰富。

| **采收加工** | **全草**：全年均可采收，除去杂质，洗净，鲜用或晒干。

| **功能主治** | 清热，润肺，止血，解毒。用于黄疸，肺痨咯血，潮热，痔疮，痱子。

荨麻科 Urticaceae 花点草属 *Nanocnide*

毛花点草
Nanocnide lobata Wedd

| 药 材 名 | 雪药。

| 形态特征 | 一年生或多年生草本。茎柔软，铺散丛生，自基部分枝，长 17 ~ 40 cm，常半透明，有时下部带紫色，被向下弯曲的微硬毛。叶膜质，宽卵形至三角状卵形，长 1.5 ~ 2 cm，宽 1.3 ~ 1.8 cm，先端钝或锐尖，基部近截形至宽楔形，边缘每边具 4 ~ 5（~ 7）不等大的粗圆齿或近裂片状粗齿，齿呈三角状卵形，先端锐尖或钝，长 2 ~ 5 mm，先端的 1 叶常较大，稀全绿色；茎下部的叶较小，扇形，先端钝或圆形，基部近截形或浅心形，上面深绿色，疏生小刺毛和短柔毛，下面浅绿色，略带光泽，在脉上密生紧贴的短柔毛；基出脉 3 ~ 5，两面散生短杆状钟乳体；叶柄在茎下部的长过叶片，茎上部的短于叶片，被向下弯曲的短柔毛；托叶膜质，卵形，长约 1 mm，

具缘毛。雄花序常生于枝的上部叶腋，少数雄花散生于雌花序的下部，具短梗，长 5 ～ 12 mm；雌花序由多数花组成团聚伞花序，生于枝的顶部叶腋或茎下部裸茎的叶腋内（有时花枝梢也无叶），直径 3 ～ 7 mm，具短梗或无梗；雄花淡绿色，直径 2 ～ 3 mm，花被（4 ～）5 深裂，裂片卵形，长约 1.5 mm，背面上部有鸡冠状突起，其边缘疏生白色小刺毛，雄蕊（4 ～）5，长 2 ～ 2.5 mm，退化雌蕊宽倒卵形，长约 0.5 mm，透明；雌花长 1 ～ 1.5 mm，花被片绿色，不等 4 深裂，外面 1 对较大，近舟形，长过子房，在背部龙骨上和边缘密生小刺毛，内面 1 对裂片较小，狭卵形，与子房近等长。瘦果卵形，压扁，褐色，长约 1 mm，有疣状突起，外面围以稍大的宿存花被片。花期 4 ～ 6 月，果期 6 ～ 8 月。

| **生境分布** | 生于海拔 25 ～ 1 400 m 的山谷溪旁和石缝、路旁阴湿处及草丛中。湖北有分布。

| **资源情况** | 野生资源较丰富。

| **采收加工** | **全草**：春、夏季采收，鲜用或晒干。

| **功能主治** | 清热解毒，消肿散结，止血。用于肺热咳嗽，瘰疬，咯血，烫火伤，痈肿，跌打损伤，蛇咬伤，外伤出血。

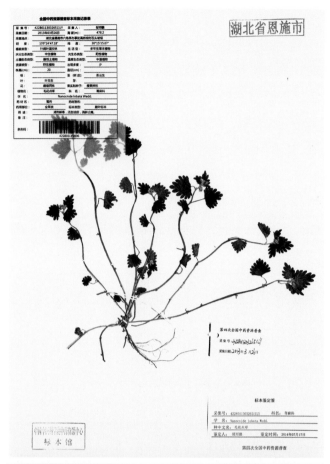

荨麻科 Urticaceae 紫麻属 *Oreocnide*

紫麻

Oreocnide frutescens (Thunb.) Miq.

| 药材名 | 紫麻。

| 形态特征 | 小灌木，高 1 ~ 3 m。分枝上部生短伏毛。叶互生，多生于茎或分枝的顶部或上部；叶柄长 1 ~ 4 cm；托叶披针形，早落；叶片卵形或狭卵形，长 4 ~ 12 cm，宽 1.7 ~ 5 cm，先端渐尖，基部圆形或宽楔形，边缘有牙齿，上面粗糙，疏生短毛，枝条上部叶的下面常密生交织的白色柔毛，下部叶的下面疏生短毛，钟乳体点状；基生脉 3。雌雄异株；花小，无柄，簇生于落叶腋部或叶腋；雄花花被片 3，卵形，长约 1.5 mm，雄蕊 3；雌花序球形，直径约 3 mm，近无柄，花被管状，柱头盾形，密生 1 簇长毛。瘦果卵形，长约 1 mm。花期 3 ~ 4 月，果期 6 ~ 7 月。

| **生境分布** | 生于山谷或溪边、林下阴湿处。湖北有分布。 |

| **资源情况** | 野生资源一般，栽培资源丰富。 |

| **采收加工** | **全株**：夏、秋季采收，洗净，鲜用或晒干。 |

| **功能主治** | 清热解毒，行气活血，透疹。用于感冒发热，跌打损伤，牙痛，麻疹不透，疮疡。 |

| 荨麻科 Urticaceae | 墙草属 Parietaria |

墙草
Parietaria micrantha Ledeb.

| **药 材 名** | 墙草。

| **形态特征** | 一年生铺散草本，长 10 ~ 40 cm。茎上升平卧或直立，肉质，纤细，多分枝，被短柔毛。叶膜质；卵形或卵状心形，长 0.5 ~ 3 cm，宽 0.4 ~ 2.2 cm，先端锐尖或钝尖，基部圆形或浅心形，稀宽楔形或骤狭，上面疏生短糙伏毛，下面疏生柔毛；钟乳体点状，在上面明显；基出脉 3，侧出的 1 对稍弧曲，伸达中部边缘，侧脉常 1 对，常从叶的近基部伸出达上部，在近边缘消失；叶柄纤细，长 0.4 ~ 2 cm，被短柔毛。花杂性；聚伞花序具短梗或呈近簇生状；苞片条形，单生于花梗的基部或 3 在基部合生呈轮生状，着生于花被的基部，绿色，外面被腺毛，在果时伸长达 1.5 mm。两性花具梗，长约 0.6 mm，花被片 4 深裂，褐绿色，外面有毛，膜质，裂片长圆状卵形，雄蕊

4，花丝纤细，花药近球形，淡黄色，柱头画笔头状；雌花具短梗或近无梗，花被片合生成钟状，4 浅裂，浅褐色，薄膜质，裂片三角形。果实坚果状，卵形，长 1 ~ 1.3 mm，黑色，极光滑，有光泽，具宿存的花被和苞片。花期 6 ~ 7 月，果期 8 ~ 10 月。

| 生境分布 | 生于海拔 700 ~ 3 100 m 的山坡阴湿草地、屋宅墙上或岩石下阴湿处。湖北有分布。

| 资源情况 | 野生资源一般。

| 采收加工 | 墙草：夏季采收，除去泥土，鲜用或晒干。
墙草根：全年均可采挖，鲜用。

| 功能主治 | 墙草：清热解毒，消痈排脓。用于痈疽疔疮肿痛，白秃疮，疝气坠痛，背痛，脓肿，疮疡。
墙草根：清热解毒，消肿，拔脓。用于痈疽疔疖，乳腺炎，睾丸炎，深部脓肿，多发性脓肿，白秃疮。

荨麻科 Urticaceae 赤车属 *Pellionia*

赤车
Pellionia radicans (Sieb. et Zucc.) Wedd.

| 药 材 名 |

赤车使者。

| 形态特征 |

多年生草本。茎肉质，长达 25 cm，上部渐升，下部铺地生，具不定根，无毛或疏生微柔毛。叶具短柄或无柄，不对称；叶片狭卵形或卵形，长 1.4 ~ 4.5 cm，宽 0.7 ~ 2 cm，先端短渐尖至长渐尖，基部在较狭一侧楔形，在较宽一侧耳形，边缘在基部或中部以上疏生浅牙齿，下面无毛或沿脉疏生微柔毛。雌雄异株；雄花序分枝稀疏，总花梗长 0.5 ~ 2 cm，花被片 5，倒卵形，长约 2 cm，具角，雄蕊 5；雌花序无柄或具短柄，近球形，直径达 7 mm，具多数密集的花。瘦果卵形，长约 0.8 mm，有小疣点。花期 4 ~ 7 月，果期 7 ~ 8 月。

| 生境分布 |

生于海拔 600 ~ 2 500 m 的山谷沟边、林下阴湿草丛中或溪边。湖北有分布。

| 资源情况 |

野生资源较丰富，栽培资源丰富。

| 采收加工 | 全草或根：夏、秋季采收，洗净，鲜用或晒干。

| 功能主治 | 祛风胜湿，活血行瘀，解毒止痛。用于风湿骨痛，跌打肿痛，骨折，疮疖，牙痛，骨髓炎，丝虫病引起的淋巴管炎，肝炎，支气管炎，毒蛇咬伤，烫火伤。

荨麻科 Urticaceae　冷水花属 Pilea

波缘冷水花 *Pilea cavaleriei* H. Lév.

| 药 材 名 |　石油菜。

| 形态特征 |　草本，无毛。根茎匍匐，地上茎直立，多分枝，高 5 ~ 30 cm，直径 1.5 ~ 2.5 mm，下部裸露，节间较长，上部节间密集，干时变蓝绿色，密布杆状钟乳体。叶集生于枝顶部，同对的常不等大，多汁，宽卵形、菱状卵形或近圆形，长 8 ~ 20 mm，宽 6 ~ 18 mm，先端钝，近圆形或锐尖，基部宽楔形、近圆形或近截形，在近叶柄处常有不对称的小耳突，全缘，稀波状，上面绿色，下面灰绿色，呈蜂巢状，钟乳体仅分布于叶上面，条形，纤细，长约 0.3 mm，在边缘常整齐纵行排列 1 圈，基出脉 3，不明显，有时在下面稍隆起，其侧出的 1 对达中部边缘，侧脉 2 ~ 4 对，斜伸出，常不明显，细脉末端在下

面常膨大成腺点状；叶柄纤细，长 5 ～ 20 mm；托叶小，三角形，长约 1 mm，宿存。雌雄同株；聚伞花序常密集成近头状，有时具少数分枝，雄花序梗纤细，长 1 ～ 2 cm，雌花序梗长 0.2 ～ 1 cm，稀近无梗；苞片三角状卵形，常约 0.4 mm；雄花具短梗或无梗，淡黄色，芽时约 1.8 mm，花被片 4，倒卵状长圆形，内弯，外面近先端几无短角突起，雄蕊 4，花丝下部贴生于花被，退化雌蕊小，长圆锥形；雌花近无梗或具短梗，长约 0.5 mm，花被片 3，不等大，果时中间 1 花被片长圆状船形，边缘薄，干时带紫褐色，中央增厚，淡绿色，长及果的 1/2，侧生 2 花被片较薄，卵形，比长的 1 花被片短约 1 倍，退化雄蕊不明显。瘦果卵形，稍扁，先端稍歪斜，边缘变薄，长约 0.7 mm，光滑。花期 5 ～ 8 月，果期 8 ～ 10 月。

| 生境分布 | 生于海拔 200 ～ 1 500 m 的林下石上湿处。湖北有分布。

| 资源情况 | 野生资源一般。

| 采收加工 | 全年均可采收，洗净，鲜用或晒干。

| 功能主治 | 清肺止咳，利水消肿，解毒止痛。用于肺热咳嗽，肺结核，肾炎性水肿，烫火伤，跌打损伤，疮疖肿毒。

■ 荨麻科 ■ Urticaceae ■ 冷水花属 ■ *Pilea*

隆脉冷水花 *Pilea lomatogramma* Hand.-Mazz.

| 药 材 名 | 鼠舌草。

| 形态特征 | 多年生草本,无毛,具匍匐地下茎。茎稍肉质,干时坚硬,高 10 ~ 25 cm,直径 1 ~ 2 mm,下部方形,带红色,干时变棕褐色,分枝或不分枝。叶亚革质,同对的近等大,椭圆形、狭卵形或卵形,有时宽菱状卵形或卵状披针形,长 1 ~ 4 cm,宽 0.7 ~ 2.5 cm,下部的叶较小,不久脱落,先端锐尖或钝,基部圆形或宽楔形,边缘有圆齿状锯齿,齿有短尖头,上面墨绿色,干时灰绿色,下面淡绿色或带紫红色,两面极光滑无毛,钟乳体仅在上面近边缘和下面稍明显,梭形,长约 0.2 mm;基出脉 3,在上面显著隆起,在下面近压平,其侧出的 2 脉稍弧曲,伸达上部,不整齐,仅上部的较明显;叶柄

长 0.5 ~ 2.5 cm；托叶小，宽三角形，长 1 ~ 2 mm。雌雄同株或异株；雄花序聚伞状，长过叶，花序梗长 2 ~ 5 cm，具少数短的分枝，有时雄花密集成近头状，生于花序梗先端；雌聚伞花序密集，具短梗，长 0.5 ~ 1 cm；雄花几无梗，芽时长约 1.5 mm，花被片 4，卵状长圆形，外面近先端有不明显的短角，雄蕊 4，退化雌蕊小，圆锥形；雌花无梗，花被片 3，不等大，三角状卵形，稍增厚，果时中间的 1 花被片长约为果的 1/3，侧生的 2 花被片枚更短。瘦果长圆状卵形，双凸透镜状，先端歪斜，钝圆，长约 0.8 mm，表面有不明显的细疣状突起。花期 4 ~ 9 月，果期 6 ~ 10 月。

| **生境分布** | 生于海拔 1 000 ~ 2 000 m 的林下路边阴处或溪旁石上。湖北有分布。

| **资源情况** | 野生资源较丰富。

| **采收加工** | 夏、秋季采收，洗净，鲜用或晒干。

| **功能主治** | 祛瘀止痛，解毒敛疮。用于跌打损伤，烫火伤。

大叶冷水花 *Pilea martinii* (H. Lév.) Hand.-Mazz.

| **药 材 名** | 到老嫩。

| **形态特征** | 多年生草本。茎肉质，高 30 ~ 100 cm，直径 3 ~ 10 mm，节间下部有数条棱，在节间中部多少膨大，无毛或上部有短柔毛，单一或有分枝。叶近膜质，同对的常不等大，卵形、狭卵形或卵状披针形，两侧常不对称，长 7 ~ 20 cm，宽 3.5 ~ 12 cm，先端长渐尖，基部圆形或浅心形，稀钝，边缘自基部直到先端尾部有锯齿状牙齿，上面绿色，疏生透明硬毛，下面浅绿色，无毛，或幼时有疏柔毛，后毛渐脱落，钟乳体条形，长约 0.3 mm；基出脉 3，其侧出的 2 脉弧曲，伸达先端的齿尖，侧脉多数，近横展，整齐；叶柄长 1 ~ 8 cm，无毛或上部有稀疏的短柔毛；托叶薄膜质，褐色，披针形，长 4 ~ 8 mm，

后脱落。花雌雄异株，有时雌雄同株；花序聚伞圆锥状，单生于叶腋，长 4 ～ 10 cm，花序梗长 2 ～ 6 cm，有时雌花序呈聚伞总状，长 1 ～ 2 cm，具短的花序梗；雄花无梗或有短梗，淡红色，芽时长约 1.2 mm，花被片 4，长圆状卵形，其中 2 花被片外面近先端有明显的短角，雄蕊 4，退化雌蕊小，圆锥状；雌花花被片 3，不等大，果时中间的 1 花被片船形，长及果的 1/2 ～ 2/3，侧生的 2 花被片三角状卵形，比中间的 1 花被片短 1 ～ 2 倍，退化雄蕊长圆形，比中间的 1 花被片稍短。瘦果狭卵形，先端歪斜，两侧微扁，长 1 mm，成熟时带绿褐色，光滑。花期 5 ～ 9 月，果期 8 ～ 10 月。

| **生境分布** | 生于海拔 1 100 ～ 3 100 m 的山坡林下沟旁阴湿处。湖北有分布。

| **资源情况** | 野生资源较丰富。

| **采收加工** | 夏、秋季采收，洗净，鲜用或晒干。

| **功能主治** | 清热解毒，祛瘀止痛，利尿消肿。用于无名肿毒，跌打骨折，小便不利，浮肿。

| 荨麻科 | Urticaceae | 冷水花属 | Pilea |

小叶冷水花 *Pilea microphylla* (L.) Liebm.

| **药 材 名** | 透明草。

| **形态特征** | 纤细小草本，无毛，铺散或直立。茎肉质，多分枝，高 3 ~ 17 cm，直径 1 ~ 1.5 mm，干时常变蓝绿色，密布条形钟乳体。叶很小，同对的不等大，倒卵形至匙形，长 3 ~ 7 mm，宽 1.5 ~ 3 mm，先端钝，基部楔形或渐狭，全缘，稍反曲，上面绿色，下面浅绿色，干时呈细蜂巢状，钟乳体条形，上面明显，长 0.3 ~ 0.4 mm，横向排列，整齐；叶脉羽状，中脉稍明显，在近先端消失，侧脉数对，不明显；叶柄纤细，长 1 ~ 4 mm；托叶不明显，三角形，长约 0.5 mm。雌雄同株，有时同序，聚伞花序密集成近头状，具梗，稀近无梗，长 1.5 ~ 6 mm；雄花具梗，芽时长约 0.7 mm，花被片 4，卵形，外面

近先端有短角状突起，雄蕊 4，退化雌蕊不明显；雌花更小，花被片 3，稍不等长，果时中间的 1 花被片长圆形，稍增厚，与果近等长，侧生 2 花被片卵形，先端锐尖，薄膜质，较长的 1 花被片短约 1/4，退化雄蕊不明显。瘦果卵形，长约 0.4 mm，成熟时变褐色，光滑。花期夏、秋季，果期秋季。

| 生境分布 | 生于路边石缝和墙上阴湿处。湖北有分布。

| 资源情况 | 野生资源较丰富。

| 采收加工 | 夏、秋季采收，洗净，鲜用或晒干。

| 功能主治 | 清热解毒。用于痈疮肿痛，丹毒，无名肿毒，烫火伤，毒蛇咬伤。

荨麻科 Urticaceae 冷水花属 Pilea

冷水花
Pilea notata C. H. Wright

| 药 材 名 |

冷水花。

| 形态特征 |

多年生草本，具匍匐茎。茎肉质，纤细，中部稍膨大，高 25 ~ 70 cm，直径 2 ~ 4 mm，无毛，稀上部有短柔毛，密布条形钟乳体。叶纸质，同对的近等大，狭卵形、卵状披针形或卵形，长 4 ~ 11 cm，宽 1.5 ~ 4.5 cm，先端尾状渐尖或渐尖，基部圆形，稀宽楔形，边缘自下部至先端有浅锯齿，稀有重锯齿，上面深绿色，有光泽，下面浅绿色；钟乳体条形，长 0.5 ~ 0.6 mm，两面密布，明显；基出脉 3，其侧出的 2 脉弧曲，伸达上部与侧脉环结，侧脉 8 ~ 13 对，稍斜展呈网脉；叶柄纤细，长 17 cm，常无毛，稀有短柔毛；托叶大，带绿色，长圆形，长 8 ~ 12 mm，脱落。花雌雄异株；雄花序聚伞总状，长 2 ~ 5 cm，有少数分枝，团伞花簇疏生于花枝上；雌聚伞花序较短而密集；雄花具梗或近无梗，在芽时长约 1 mm；花被片绿黄色，4 深裂，卵状长圆形，先端锐尖，外面近先端处有短角状突起；雄蕊 4，花药白色或带粉红色，花丝与药隔红色；退化雌蕊小，圆锥状。瘦果小，圆卵形，先端歪斜，长近

0.8 mm，成熟时绿褐色，有明显刺状小疣点突起；宿存花被片 3 深裂，等大，卵状长圆形，先端钝，长约为果实的 1/3。花期 6 ～ 9 月，果期 9 ～ 11 月。

| 生境分布 | 生于海拔 300 ～ 1 500 m 的山谷、溪旁或林下阴湿处。湖北有分布。

| 资源情况 | 野生资源较丰富。

| 采收加工 | **全草：**夏、秋季采收，鲜用或晒干。

| 功能主治 | 清热利湿，退黄，消肿散结，健脾和胃。用于湿热黄疸，赤白带，淋浊，尿血，小儿夏季热，疟母，消化不良，跌打损伤，外伤感染。

荨麻科 Urticaceae 冷水花属 Pilea

矮冷水花

Pilea peploides (Gaudich.) Hook. et Arn.

|药材名|

水石油菜。

|形态特征|

一年生小草本，无毛，常丛生。茎肉质，带红色，纤细，高 3 ～ 20 cm，直径 1 ～ 2 mm，下部裸露，节间疏长，上部节间较密，不分枝或有少数分枝。叶膜质，常集生于茎和枝的顶部，同对的近等大，菱状圆形，稀扁圆状菱形或三角状卵形，长 3.5 ～ 18 mm，宽 3 ～ 16 mm，先端钝，稀近锐尖，基部常楔形或宽楔形，稀近圆形，全缘或波状，稀上部有不明显的钝齿，两面生紫褐色斑点，尤其在下面更明显，钟乳体条形，长约 0.4 mm，常近横向排列，在上面明显；基出脉 3，在近先端边缘处消失，2 级脉不明显；叶柄纤细，长 3 ～ 20 mm；托叶很小，三角形。雌雄同株，雌花序与雄花序常同生于叶腋，或分别单生于叶腋，有时雌、雄花混生；聚伞花序密集成头状，雄花序长 3 ～ 10 mm，其中花序梗长 1.5 ～ 7 mm；雌花序长 2 ～ 6 mm，花序梗长 1 ～ 4 mm，或近无；雄花具梗，淡黄色，芽时长约 0.8 mm，花被片 4，卵形，外面近先端无短角状突起，雄蕊 4，退化雌蕊不明显；雌花具短梗，淡绿色，花被片 2，不等大，腹生的 1 花被片较大，近船形或倒卵状长圆形，果时增厚，与果近等长或稍短，外面有条形钟乳体，背生的 1 花被片膜质，三角状卵形，长仅为前者的 1/5 退化雄蕊长圆形，长约为果的 1/2，不育雌花的较发达，带状，比果稍短。瘦果，卵形，先端稍歪斜，长约 0.5 mm，成熟时黄褐色，光滑。花期 4 ~ 7 月，果期 7 ~ 8 月。

| 生境分布 |　生于海拔 200 ~ 950 m 的山坡石缝阴湿处或长苔藓的石上。湖北有分布。

| 资源情况 |　野生资源较丰富。

| 采收加工 |　全年均可采收，洗净，鲜用或晒干。

| 功能主治 |　清热解毒，化痰止咳，祛风除湿，祛瘀止痛。用于咳嗽，哮喘，风湿痹痛，水肿，跌打损伤，骨折，痈疖肿毒，皮肤瘙痒，毒蛇咬伤。

草麻科 Urticaceae 冷水花属 Pilea

石筋草
Pilea plataniflora C. H. Wright

| 药 材 名 | 石筋草。

| 形态特征 | 多年生草本，无毛。根茎长，匍匐，多少木质化，生根，纤维状。茎肉质，高 10 ~ 70 cm，直径 1.5 ~ 5 mm，基部常多少木质化，干时带蓝绿色，常呈灰白色的蜡质，下部裸露，节间距 0.5 ~ 3 cm，分枝或几无分枝。叶薄纸质或近膜质，同对的不等大或近等大，形状大小变异很大，卵形、卵状披针形、椭圆状披针形或倒卵状长圆形，长 1 ~ 15 cm，宽 0.6 ~ 5 cm，先端尾状渐尖或长尾状渐尖，基部常偏斜，圆形、浅心形或心形，有时变狭近楔形，边缘稍厚，全缘，有时波状，干后上面暗绿色或蓝绿色，下面淡绿色，常呈细蜂窠状，疏生腺点；钟乳体梭形，长 0.3 ~ 0.4 mm，在上面明显，基出脉 3（~ 5），其侧出的 1 对弧曲，伸达近先端网结或消失，侧脉多数，

常不规则地结成网脉，外向的二级脉在远离边缘处彼此网结，有时二级脉不明显；叶柄长 0.5 ~ 7 cm；托叶很小，三角形，长 1 ~ 2 mm，渐脱落。花雌雄同株或异株，有时雌雄同序；花序聚伞圆锥状，有时仅有少数分枝，呈总状；雄花序稍长过叶或近等长，花序梗长，纤细，团伞花序疏松着生于花枝上；雌花序在雌雄异株时常呈聚伞圆锥状，与叶近等长或稍短，花序梗长，纤细，团伞花序较密地着生于花枝上，在雌雄同株时，常仅有少数分枝，呈总状，与叶柄近等长，花序梗较短；雄花带绿黄色或紫红色，近无梗，在芽时长约 1.5 mm，花被片 4，合生至中部，倒卵形，内凹，外面近先端有短角状突起，雄蕊 4，退化雌蕊极小，圆锥形；雌花带绿色，近无梗，花被片 3，不等大，果时中间 1 卵状长圆形，背面增厚略呈龙骨状，长及果的 1/2 或更长，侧生的 2 三角形，稍增厚，比长的 1 短 1/2 或更短，退化雄蕊椭圆状长圆形，略长过短的花被片。瘦果卵形，先端稍歪斜，双凸透镜状，长 0.5 ~ 0.6 mm，成熟时深褐色，有细疣点。花期（4 ~ ）6 ~ 9 月，果期 7 ~ 10 月。

| 生境分布 | 生于海拔 200 ~ 2 400 m 的半阴坡路边灌丛中、岩石上、石缝内或疏林下湿润处。湖北有分布。

| 资源情况 | 野生资源较丰富。

| 采收加工 | **全草：**夏、秋季采收，洗净，鲜用或晒干。
根：秋、冬季采挖，洗净，晒干。

| 功能主治 | 舒筋活络，利尿，解毒。用于风寒湿痹，筋骨疼痛，手足麻木，跌打损伤，水肿，小便不利，癃闭，黄疸，痢疾，疮疡肿毒，烫伤。

透茎冷水花

Pilea pumila (L.) A. Gray

| **药 材 名** | 透茎冷水花。

| **形态特征** | 一年生草本。茎肉质，直立，高 5 ~ 50 cm，无毛，分枝或不分枝。叶近膜质，同对的近等大，近平展，菱状卵形或宽卵形，长1 ~ 9 cm，宽 0.6 ~ 5 cm，先端渐尖、短渐尖、锐尖或微钝（尤在下部的叶），基部常宽楔形，有时钝圆，边缘除基部全缘外，其上有牙齿或牙齿状锯齿，稀近全绿色，两面疏生透明硬毛；钟乳体条形，长约 0.3 mm；基出脉 3，侧出的 1 对微弧曲，伸达上部与侧脉网结或达齿尖，侧脉数对，不明显，上部的几对常网结；叶柄长0.5 ~ 4.5 cm，上部近叶片基部常疏生短毛；托叶卵状长圆形，长2 ~ 3 mm，后脱落。花雌雄同株并常同序；雄花常生于花序的下部，花序蝎尾状，密集，几生于每个叶腋，长 0.5 ~ 5 cm，雌花枝在果

时增长，雄花具短梗或无梗，在芽时倒卵形，长 0.6 ~ 1 mm，花被片常 2，有时 3 ~ 4，近船形，外面近先端处有短角突起，雄蕊 2（~ 3 ~ 4），退化雌蕊不明显；雌花花被片 3，近等大或侧生的 2 较大，中间的 1 较小，条形，在果时长不过果实或与果实近等长，而不育的雌花花被片更长，退化雄蕊在果时增大，椭圆状长圆形，长及花被片的 1/2。瘦果三角状卵形，扁，长 1.2 ~ 1.8 mm，初时光滑，常有褐色或深棕色斑点，成熟时色斑多少隆起。花期 6 ~ 8 月，果期 8 ~ 10 月。

| 生境分布 | 生于海拔 400 ~ 2 200 m 的山坡林下或岩石缝的阴湿处。湖北有分布。

| 资源情况 | 野生资源较丰富。

| 采收加工 | **全草或根茎：** 夏、秋季采收，洗净，鲜用或晒干。

| 功能主治 | 清热，利尿，解毒。用于尿路感染，急性肾炎，子宫内膜炎，子宫脱垂，赤白带，跌打损伤，痈肿初起，蛇虫咬伤。

荨麻科 Urticaceae 冷水花属 Pilea

粗齿冷水花 *Pilea sinofasciata* C. J. Chen

| 药 材 名 | 紫绿麻。

| 形 态 特 征 | 草本。茎肉质，高 25 ～ 100 cm，有时上部有短柔毛，几不分枝。叶同对近等大，椭圆形、卵形或长圆状披针形，稀卵形，长（2 ～）4 ～ 17 cm，宽（1.5 ～）2 ～ 7 cm，先端常长尾状渐尖，稀锐尖或渐尖，基部楔形或钝圆形，边缘在基部以上有粗大的牙齿或牙齿状锯齿；下部的叶常渐变小，倒卵形或扇形，先端锐尖或近圆形，有数枚粗钝齿，上面沿着中脉常有 2 白斑带，疏生透明短毛，后渐脱落，下面近无毛或有时在脉上有短柔毛；钟乳体蠕虫形，长 0.2 ～ 0.3 mm，不明显，常在下面围着细脉增大的结节点排成星状；基出脉 3，其侧生的 2 脉与中脉成 20° ～ 30° 的夹角并伸达上部与邻近侧脉环结，侧脉下部的数对不明显，上部的 3 ～ 4 对明显增粗结成

网状；叶柄长（0.5～）1～5 cm，在其上部常有短毛，有时整个叶柄生短柔毛；托叶小，膜质，三角形，长约 2 mm，宿存。花雌雄异株或同株，花序聚伞圆锥状，具短梗，长不过叶柄；雄花具短梗，在芽时长 1～1.5 mm，花被片 4，合生至中下部，椭圆形，内凹，先端钝圆，其中 2 在外面近先端处有不明显的短角状突起，有时（尤其在花芽时）有较明显的短角，雄蕊 4，退化雌蕊小，圆锥状；雌花小，长约 0.5 mm，花被片 3，近等大。瘦果卵圆形，先端歪斜，长约 0.7 mm，成熟时外面常有细疣点，宿存花被片在下部合生，宽卵形，先端钝圆，边缘膜质，长约果的 1/2；退化雄蕊长圆形，长约 0.4 mm。花期 6～7 月，果期 8～10 月。

| 生境分布 | 生于海拔 700～2 500 m 的山坡林下阴湿处。湖北有分布。

| 资源情况 | 野生资源较丰富。

| 采收加工 | **全草：** 夏、秋季采收，鲜用或晒干。

| 功能主治 | 清热解毒，活血祛风，理气止痛。用于高热，喉蛾肿痛，鹅口疮，跌打损伤，骨折，风湿痹痛。

尊麻科 Urticaceae 冷水花属 Pilea

疣果冷水花 *Pilea verrucosa* Hand.-Mazz.

| **药 材 名** | 疣果冷水花。

| **形态特征** | 多年生草本，近无毛，根茎横走，常丛生。茎肉质，高 20 ~ 100 cm，带红色，干时变褐色，下部常有棱，不分枝或分枝。叶近膜质至纸质，同对的近等大，椭圆形、椭圆状披针形或长圆状狭披针形，稀倒卵状长圆形，长 3 ~ 18 cm，宽 1.8 ~ 5 cm，先端渐尖至尾状渐尖，基部圆形或宽楔形，边缘有锯齿或圆齿状锯齿，上面深绿色，疏生透明粗毛，下面带紫红色或淡绿色，无毛，干时两面常变红褐色，钟乳体常细小，不明显，短杆状或纺锤形，长 0.1 ~ 0.2 mm；基出脉 3，在两面隆起，侧脉多数，横向结成网脉；叶柄长 1 ~ 7 cm；托叶膜质，三角形，长约 1 mm，宿存。雌雄异株；花序多回 2 歧聚

伞状，有时雄的聚伞圆锥状，成对生于叶腋，雄的长 2 ~ 5 cm，其中总花梗长
1 ~ 2.5 cm；雌花序具较短的梗，长 0.7 ~ 2 cm，或近无梗，紧缩成簇生状；雄
花大，具短梗，芽时长约 2 mm，花被片 4，卵形，先端锐尖，几无短角突起，
雄蕊 4，退化雌蕊小，圆锥形；雌花近无梗；花被片 3，近等大或中间的 1 花被
片较大，果时增厚，三角状卵形，长为果的 1/3，退化雄蕊鳞片状，长圆形，较
花被片稍短。瘦果圆卵形，先端偏斜，双凸透镜状，长约 0.7 mm，成熟时有细
疣状突起。花期 4 ~ 5 月，果期 5 ~ 7 月。

| **生境分布** | 生于海拔 400 ~ 1 600 m 的山谷阴湿处。湖北有分布。

| **资源情况** | 野生资源较丰富。

| **采收加工** | 夏、秋季采收，洗净，鲜用或晒干。

| **功能主治** | 清热解毒，消肿。用于疮疖痈肿，水肿。

荨麻科 Urticaceae 雾水葛属 Pouzolzia

雾水葛

Pouzolzia zeylanica (L.) Benn

| 药 材 名 | 雾水葛。

| 形态特征 | 多年生草本。茎直立或渐升，高 12 ～ 40 cm，不分枝，通常在基部或下部有 1 ～ 3 对对生的长分枝；枝条不分枝或有少数极短的分枝，有短伏毛或混有开展的疏柔毛。叶全部对生或茎顶部的叶对生；叶片草质，卵形或宽卵形，长 1.2 ～ 3.8 cm，宽 0.8 ～ 2.6 cm，短分枝的叶很小，长约 6 mm，先端短渐尖或微钝，基部圆形，全缘，两面有疏伏毛或有时下面的毛较密，侧脉 1 对；叶柄长 0.3 ～ 1.6 cm。团伞花序通常两性，直径 1 ～ 2.5 mm；苞片三角形，长 2 ～ 3 mm，先端骤尖，背面有毛；雄花有短梗，花被片 4，狭长圆形或长圆状倒披针形，长约 1.5 mm，基部稍合生，外面有疏毛，雄蕊 4，长约 1.8 mm，花药长约 0.5 mm；退化雌蕊狭倒卵形，长约 0.4 mm；雌

花花被椭圆形或近菱形，长约 0.8 mm，先端有 2 小齿，外面密被柔毛，果期呈菱状卵形，长约 1.5 mm；柱头长 1.2 ～ 2 mm。瘦果卵球形，长约 1.2 mm，淡黄白色，上部褐色或全部黑色，有光泽。花期秋季。

| 生境分布 | 生于潮湿的山地、沟边、路旁、低山灌丛中或疏林中。湖北有分布。

| 资源情况 | 野生资源一般，栽培资源丰富。

| 采收加工 | **全草**：全年均可采收，洗净，鲜用或晒干。

| 功能主治 | 清热解毒，消肿排脓，利水通淋。用于疮疡痈疽，乳痈，风火牙痛，痢疾，腹泻，小便淋痛，白浊。

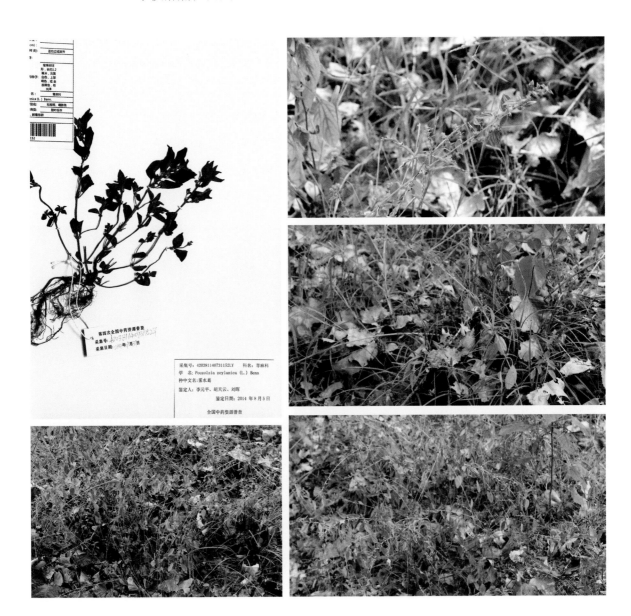

荨麻
Urtica fissa Pritz.

| **药 材 名** | 荨麻、荨麻根。

| **形态特征** | 多年生草本，有横走的根茎。茎自基部多出，高 40 ～ 100 cm，四棱形，密生刺毛和被微柔毛，分枝少。叶近膜质，宽卵形、椭圆形、五角形或近圆形，长 5 ～ 15 cm，宽 3 ～ 14 cm，先端渐尖或锐尖，基部截形或心形，边缘有 5 ～ 7 对浅裂片或掌状 3 深裂（此时每裂片又分出 2 ～ 4 对不整齐的小裂片），裂片自下向上逐渐增大，三角形或长圆形，长 1 ～ 5 cm，先端锐尖或尾状，边缘有数枚不整齐的牙齿状锯齿，上面绿色或深绿色，疏生刺毛和糙伏毛，下面浅绿色，被稍密的短柔毛，在脉上生较密的短柔毛和刺毛；钟乳体杆状，稀近点状；基出脉 5，上面 1 对脉伸达中上部裂齿尖，侧脉 3 ～ 6 对；叶柄长 2 ～ 8 cm，密生刺毛和微柔毛；托叶草质，绿色，2 托叶在

叶柄间合生，宽矩圆状卵形至矩圆形，长 10 ~ 20 mm，先端钝圆，被微柔毛和钟乳体，有纵肋 10 ~ 12。雌雄同株，雌花序生于上部叶腋，雄花序生于下部叶腋，稀雌雄异株；花序圆锥状，具少数分枝，有时近穗状，长达 10 cm，序轴被微柔毛和疏生刺毛；雄花具短梗，在芽时直径约 1.4 mm，开放后直径约 2.5 mm，花被片 4，在中下部合生，裂片常矩圆状卵形，外面疏生微柔毛，退化雌蕊碗状，无柄，常白色透明；雌花小，几无梗。瘦果近圆形，稍双凸透镜状，长约 1 mm，表面有带褐红色的细疣点；宿存花被片 4，内面 2 近圆形，与果实近等大，外面 2 近圆形，边缘薄，外面被细硬毛。花期 8 ~ 10 月，果期 9 ~ 11 月。

| 生境分布 |　生于海拔 500 ~ 2 000 m 的山坡、路旁或住宅旁半阴湿处。湖北有分布。

| 资源情况 |　野生资源较丰富。

| 采收加工 |　荨麻：夏、秋季采收，切段，晒干。
荨麻根：夏、秋季采挖，除去杂质，洗净，鲜用或晒干。

| 功能主治 |　荨麻：祛风通络，平肝定惊，消积通便，解毒。用于风湿痹痛，小儿惊风，小儿麻痹后遗症，高血压，消化不良，大便不通，荨麻疹，跌打损伤，蛇虫咬伤。
荨麻根：祛风，活血，止痛。用于风湿疼痛，荨麻疹，湿疹，高血压。

荨麻科 Urticaceae 荨麻属 Urtica

宽叶荨麻
Urtica laetevirens Maxim.

| **药 材 名** | 荨麻。

| **形态特征** | 多年生草本。根茎匍匐。茎纤细，高 30 ~ 100 cm，节间常较长，四棱形，近无刺毛或有稀疏的刺毛和疏生的细糙毛，节上密生细糙毛，不分枝或少分枝。叶常近膜质，卵形或披针形，向上的叶常渐变狭，长 4 ~ 10 cm，宽 2 ~ 6 cm，先端短渐尖至尾状渐尖，基部圆形或宽楔形，基部和先端全缘，其余部分有锐或钝的牙齿或牙齿状锯齿，两面疏生刺毛和细糙毛，钟乳体常呈短杆状，有时呈点状，基出脉 3，侧出 1 对脉多少弧曲，伸达叶上部齿尖或与侧脉网结，侧脉 2 ~ 3 对；叶柄纤细，长 1.5 ~ 7 cm，向上的叶柄渐变短，疏生刺毛和细糙毛；每节有 4 托叶，托叶离生或上部的托叶多少合生，

条状披针形或长圆形，长 3 ~ 8 mm，被微柔毛。雌雄同株，稀异株；雄花序近穗状，纤细，生于上部叶腋，长达 8 cm；雌花序近穗状，生于下部叶腋，较短，纤细，稀缩短成簇生状，小团伞花簇稀疏地着生于花序轴上；雄花无梗或具短梗，在芽时直径约 1 mm，开放后直径约 2 mm，花被片 4，在近中部合生，裂片卵形，内凹，外面疏生微糙毛，退化雌蕊近杯状，先端凹陷至中空，中央有柱头残迹，基部多少具柄；雌花具短梗。瘦果卵形，双凸透镜状，长近 1 mm，先端稍钝，成熟时变灰褐色，多少有疣点，果柄上部有关节；宿存花被片 4，在基部合生，外面疏生微糙毛，内面 2 花被片椭圆状卵形，与果实近等大，外面 2 花被片狭卵形或倒卵形，伸达内面花被片的中下部。花期 6 ~ 8 月，果期 8 ~ 9 月。

| **生境分布** | 生于海拔 800 ~ 3 100 m 的山谷溪边或山坡林下阴湿处。湖北有分布。

| **资源情况** | 野生资源较丰富。药材来源于栽培。

| **采收加工** | **全草**：夏季茎叶茂盛时采收，除去杂质，切段，鲜用或晒干。

| **功能主治** | 祛风通络，平肝定惊，消积通便，解毒。用于风湿痹痛，产后抽风，小儿惊风，小儿麻痹后遗症，高血压，消化不良，大便不通，荨麻疹，跌打损伤，虫蛇咬伤。

青皮木
Schoepfia jasminodora Sieb. et Zucc.

| **药材名** | 青皮木。

| **形态特征** | 落叶小乔木或灌木，高 3 ~ 14 m。树皮灰褐色；具短枝，新枝自去年生短枝上抽出，嫩时红色，老枝灰褐色，小枝干后栗褐色。叶纸质，卵形或长卵形，长 3.5 ~ 7（~ 10）cm，宽 2 ~ 4.5（~ 5）cm，先端近尾状或长尖，基部圆形，稀微凹或宽楔形，叶上面绿色，背面淡绿色，干后上面黑色，背面淡黄褐色；侧脉每边 4 ~ 5，略呈红色；叶柄长 2 ~ 3 mm，红色。花无梗，（2 ~）3 ~ 9 排成螺旋状聚伞花序，花序长 2 ~ 6 cm，总花梗长 1 ~ 2.5 cm，红色，果时可增长到 4 ~ 5 cm；花萼筒杯状，上端有 4 ~ 5 小萼齿；无副萼，花冠钟形或宽钟形，白色或浅黄色，长 5 ~ 7 mm，宽 3 ~ 4 mm，

先端具 4 ~ 5 小裂齿，裂齿长三角形，长 1 ~ 2 mm，外卷；雄蕊着生在花冠管上，花冠内面着生雄蕊处的下部各有 1 束短毛；子房半埋在花盘中，下部 3 室、上部 1 室，每室具 1 胚珠，柱头通常伸出花冠管外。果实椭圆状或长圆形，长 1 ~ 1.2 cm，直径 5 ~ 8 mm，成熟时几全部为增大成壶状的花萼筒所包围，增大的花萼筒外部紫红色，基部为略膨大的基座所承托。花、叶同时开放。花期 3 ~ 5 月，果期 4 ~ 6 月。

| 生境分布 | 生于海拔 500 ~ 1 000 m 的山谷、沟边、山坡、路旁的密林或疏林中。分布于湖北竹溪、兴山、罗田、通城、崇阳、利川、建始、巴东、宣恩、鹤峰、神农架。

| 资源情况 | 药材来源于野生和栽培。

| 功能主治 | 清热利湿，消肿止痛。用于肝胆湿热所致黄疸，湿热痹痛，跌打损伤，瘀血肿痛，外伤疼痛，闪挫扭伤。

檀香科 Santalaceae 米面蓊属 Buckleya

秦岭米面蓊 *Buckleya graebneriana* Diels

| 药 材 名 |

秦岭米面蓊。

| 形态特征 |

小灌木，高约 2.5 m。芽卵圆形，长约 3 mm，先端锐尖，鳞片覆瓦状排列，带灰色；小枝灰白色，有白色皮孔，幼嫩时黄绿色，被短刺毛，有细纵沟。叶绿色，常带红色，形状变化较大，通常呈长椭圆形或倒卵状长圆形，长 2 ~ 8 cm，宽 1 ~ 3 cm，基生枝的叶较小一半，先端锐尖或短渐尖，基生枝的叶尖常有红色鳞片，基部阔或狭楔形，边缘有微锯齿，两面被短刺毛；沿叶面边缘被毛更密；叶柄很短或近无柄，被微刺毛。雄花直径约 3 mm，集成顶生聚伞花序或伞形花序，总花梗长 1.5 ~ 2.5 cm，被稀疏褐色短柔毛；花梗细长，长 6 ~ 10 mm，花被片 4，浅绿色，卵状披针形，长 1.5 mm，比花被管稍长，有颇明显的网脉，雄蕊 4，稀 5，短于花被片，花药淡黄色；雌花单朵，顶生，叶状苞片鳞生于子房先端，披针形或椭圆状披针形，被稀疏短柔毛，花被片 4，淡绿色，椭圆状披针形，长 2 ~ 3 mm，早落，子房无毛。核果椭圆状球形，长 1 ~ 1.5 cm，宽 6 ~ 8 mm，橙黄色，粗糙，常被短柔毛，无纵棱；果柄很短，长不及 5 mm，有时近无柄；叶状苞片线状倒披针形，长 1 ～ 2.5 cm。花期 4 ～ 5 月，果期 6 ～ 7 月。

| **生境分布** | 生于海拔 700 ～ 1 800 m 的林中。分布于湖北神农架。

| **资源情况** | 野生资源少。

| **功能主治** | 解毒消肿。用于痈疽，肿毒。

米面蓊

Buckleya lanceolata (Siebold & Zucc.) Miq.

| 药 材 名 | 米面蓊根、米面蓊叶。

| 形态特征 | 灌木，高 1 ~ 2.5 m。茎直立；多分枝，枝多少被微柔毛或无毛，幼嫩时有棱或有条纹。叶薄膜质，近无柄，下部枝的叶呈阔卵形，上部枝的叶呈披针形，长 3 ~ 9 cm，宽 1.5 ~ 2.5 cm，先端尾状渐尖，基生枝上的叶尖常具红色鳞片，基部楔形或狭楔形，全缘；中脉稍隆起，嫩时两面被疏毛，侧脉不明显，5 ~ 12 对。雄花序顶生和腋生，雄花浅黄棕色，卵形，直径 4 ~ 4.5 mm，花梗纤细，长 3 ~ 6 mm，花被裂片卵状长圆形，长约 2 mm，被稀疏短柔毛，雄蕊 4，内藏；雌花单一，顶生或腋生，花梗细长或很短，花被漏斗形，长 7 ~ 8 mm，外面被微柔毛或近无毛，裂片小，三角状卵形或卵形，

先端锐尖，苞片4，披针形，长约1.5 mm，花柱黄色。核果椭圆状或倒圆锥状，长1.5 cm，直径约1 cm，无毛，宿存苞片叶状，披针形或倒披针形，长3～4 cm，宽8～9 mm，干膜质，有明显的羽脉；果柄细长，棒状，先端有节，长8～15 mm。花期6月，果期9～10月。

| 生境分布 | 生于海拔700～1 800 m的山区林中。分布于湖北竹溪、房县、罗田、英山、神农架。

| 资源情况 | 药材来源于野生。

| 采收加工 | 米面蓊根：夏、秋季采挖，洗净，鲜用或晒干。
米面蓊叶：春、夏季叶茂盛时采收，洗净，鲜用或晒干。

| 功能主治 | 米面蓊根：解毒消肿。用于痈疽，肿毒。
米面蓊叶：清热解毒，燥湿止痒。外用于皮肤瘙痒，蜂蛰。

檀香科 Santalaceae 百蕊草属 Thesium

百蕊草
Thesium chinense Turcz.

| 药 材 名 |

百蕊草。

| 形态特征 |

多年生柔弱草本，高 15 ~ 40 cm，全株多少被白粉，无毛。茎细长，簇生，基部以上疏分枝，斜升，有纵沟。叶线形，长 1.5 ~ 3.5 cm，宽 0.5 ~ 1.5 mm，先端急尖或渐尖，具单脉。花单一，5 数，腋生；花梗短或很短，长 3 ~ 3.5 mm；苞片 1，线状披针形；小苞片 2，线形，长 2 ~ 6 mm，边缘粗糙；花被绿白色，长 2.5 ~ 3 mm，花被管呈管状，花被裂片，先端锐尖，内弯，内面的微毛不明显；雄蕊不外伸；子房无柄，花柱很短。坚果椭圆状或近球形，长、宽均 2 ~ 2.5 mm，淡绿色，表面有明显隆起的网脉；先端的宿存花被近球形，长约 2 mm；果柄长 3.5 mm。花期 4 ~ 5 月，果期 6 ~ 7 月。

| 生境分布 |

生于阴凉湿润的小溪边、田野或草甸和沙漠地带边缘、干草原与栎树林的石砾坡地上。分布于湖北郧西、秭归、长阳、保康、京山、红安、通山、建始、巴东、来凤、鹤峰、神农架，以及宜昌、武汉、荆门。

| **资源情况** | 野生资源较丰富。药材主要来源于野生。

| **采收加工** | **全草**：春、夏季采收，去净泥土，晒干。

| **功能主治** | 清热，利湿，解毒。用于风热感冒，中暑，肺痈，乳蛾，淋巴结结核，乳痈，疖肿，淋病，黄疸，腰痛，遗精。

桑寄生科 Loranthaceae 桑寄生属 Loranthus

椆树桑寄生
Loranthus delavayi Van Tiegh.

| 药 材 名 | 椆树桑寄生。

| 形态特征 | 灌木，高 0.5 ~ 1 m，全株无毛。小枝淡黑色，具散生皮孔，有时具白色蜡被。叶对生或近对生，纸质或革质，卵形至长椭圆形，稀

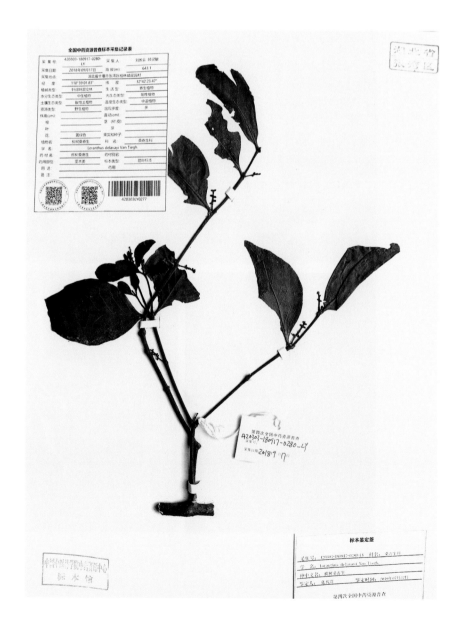

长圆状披针形，长（5～）6～10 cm，宽（2.5～）3～3.5 cm，先端圆钝或钝尖，基部阔楔形，稀楔形，稍下延；侧脉5～6对，明显；叶柄长0.5～1 cm。雌雄异株；穗状花序，1～3腋生或生于小枝已落叶腋处，长1～4 cm，具花8～16，花单性，对生或近对生，黄绿色，苞片杓状，长约0.5 mm，花托杯状，长约1 mm，副萼环状，花瓣6；雄花花蕾时棒状，花瓣匙状披针形，长4～5 mm，上半部反折，花丝着生于花瓣中部，长1～2 mm，花药长1～1.5 mm，4室，不育雌蕊的花柱纤细或柱状，长1.5～2 mm，先端渐尖或2浅裂，稀急尖；雌花花蕾时柱状，花瓣披针形，长2.5～3 mm，开展，不育雄蕊长1～1.5 mm，花药线状，花柱柱状，长约2.5 mm，六棱，柱头头状。果实椭圆状或卵球形，长约5 mm，直径4 mm，淡黄色，果皮平滑。花期1～3月，果期9～10月。

| **生境分布** | 生于海拔（200～）500～3 000 m的山谷、山地常绿阔叶林中，寄生于壳斗科植物上，稀寄生于云南油杉、梨树等树上。分布于湖北兴山、神农架。

| **资源情况** | 野生资源较少。药材主要来源于野生。

| **采收加工** | **带叶茎枝：**夏、秋季采收，扎成束，晾干。

| **功能主治** | 祛风湿，补肝肾，接骨。用于风湿痹痛，腰膝疼痛，骨折。

桑寄生科 Loranthaceae 钝果寄生属 Taxillus

桑寄生

Taxillus chinensis (DC.) Danser

| 药 材 名 | 桑寄生。

| 形态特征 | 灌木，高 0.5 ~ 1 m。嫩枝、叶密被锈色星状毛，有时具疏生叠生星状毛，稍后绒毛呈粉状脱落，枝、叶变无毛；小枝灰褐色，具细小皮孔。叶对生或近对生，厚纸质，卵形至长卵形，长（2.5 ~）3 ~ 8 cm，宽（1.5 ~）2.5 ~ 5 cm，先端圆钝，基部楔形或阔楔形；侧脉 3 ~ 4 对，略明显；叶柄长 8 ~ 10 mm。伞形花序，1 ~ 2 腋生或生于小枝已落叶腋处，具花 1 ~ 4，通常 2，花序和花被星状毛；总花梗长 2 ~ 4 mm；花梗长 6 ~ 7 mm；苞片鳞片状，长约 0.5 mm；花褐色；花托椭圆状或卵球形，长 2 mm；副萼环状；花冠花蕾时管状，长 2.5 ~ 2.7 cm，稍弯，下半部膨胀，顶部卵球形，裂片 4，匙形，长约 6 mm，反折；花丝长约 1 mm，花药长 3 mm，药室具横隔；

花盘环状；花柱线状，柱头头状。果实椭圆状或近球形，果皮密生小瘤体，具疏毛，成熟果实浅黄色，长 8 ~ 10 mm，直径 5 ~ 6 mm，果皮变平滑。花果期 4 月至翌年 1 月。

| **生境分布** | 生于海拔 20 ~ 400 m 的平原或低山常绿阔叶林中，寄生于桑、桃、李、龙眼、荔枝、杨桃、油茶、油桐、橡胶树、榕树、木棉、马尾松、水松等多种植物上。湖北有分布。

| **资源情况** | 药材来源于野生和栽培。

| **采收加工** | **带叶茎枝**：冬季至次春采收，除去粗茎，切段，干燥，或蒸后干燥。

| **功能主治** | 祛风湿，补肝肾，强筋骨，安胎元。用于风湿痹痛，腰膝酸软，筋骨无力，崩漏经多，妊娠漏血，胎动不安，头晕目眩。

桑寄生科 Loranthaceae **钝果寄生属** *Taxillus*

锈毛钝果寄生

Taxillus levinei (Merr.) H. S. Kiu

| 药 材 名 |

锈毛钝果寄生。

| 形态特征 |

灌木，高 0.5 ~ 2 m。嫩枝、叶、花序和花均密被锈色，稀被褐色的叠生星状毛和星状毛；小枝灰褐色或暗褐色，无毛，具散生皮孔。叶互生或近对生，革质，卵形，稀椭圆形或长圆形，长 4 ~ 8（~ 10）cm，宽（1.5 ~）2 ~ 3.5（~ 4.5）cm，先端圆钝，稀急尖，基部近圆形，上面无毛，干后榄绿色或暗黄色，下面被绒毛；侧脉 4 ~ 6 对，在叶上面明显；叶柄长 6 ~ 12（~ 15）mm，被绒毛。伞形花序，1 ~ 2 腋生或生于小枝已落叶腋处，具花（1 ~）2（~ 3）；总花梗长 2.5 ~ 5 mm；花梗长 1 ~ 2 mm；苞片三角形，长 0.5 ~ 1 mm；花红色；花托卵球形，长约 2 mm；副萼环状，稍内卷；花冠花蕾时管状，长（1.8 ~）2 ~ 2.2 cm，稍弯，冠管膨胀，顶部卵球形，裂片 4，匙形，长 5 ~ 7 mm，反折；花丝长 2.5 ~ 3 mm，花药长 1.5 ~ 2 mm；花盘环状；花柱线状，柱头头状。果实卵球形，长约 6 mm，直径 4 mm，两端圆钝，黄色，果皮具颗粒状体，被星状毛。花期 9 ~ 12 月，果期翌年 4 ~ 5 月。

| **生境分布** | 生于海拔 200 ～ 700（～ 1 200）m 的山地或山谷常绿阔叶林中，寄生于壳斗科植物或油茶、樟树、板栗上。分布于湖北宜昌及神农架。

| **资源情况** | 药材主要来源于野生。

| **采收加工** | **带叶茎枝：**全年均可采收，扎成束，鲜用或晾干。

| **功能主治** | 清肺止咳，祛风湿。用于肺热咳嗽，风湿腰腿痛，皮肤疮疖。

桑寄生科 | Loranthaceae | 钝果寄生属 | *Taxillus*

毛叶钝果寄生
Taxillus nigrans (Hance) Danser

药 材 名

桑寄生。

形态特征

灌木，高 0.5 ~ 1.5 m。嫩枝、叶、花序和花均密被灰黄色、黄褐色或褐色的叠生星状毛和星状毛；小枝灰褐色或暗黑色，无毛，具散生皮孔。叶对生或互生，革质，长椭圆形、长圆形或长卵形，长 6 ~ 8.5（~ 11）cm，宽 3 ~ 4（~ 5）cm，先端圆钝或急尖，基部楔形至圆形，上面无毛，干后暗黑色或黄褐色，下面被绒毛；侧脉 4 ~ 5 对，在叶上面稍凸起；叶柄长 5 ~ 8 mm，被绒毛。总状花序，1 ~ 3（~ 5）簇生于叶腋或小枝已落叶腋处，具花 2 或 3 ~ 5，密集排列呈伞形；总花梗和花序轴共长 2 ~ 3（~ 4）mm；花梗长 1 ~ 1.5 mm；苞片三角形，长约 1 mm；花红黄色；花托卵球形，长约 2 mm；副萼环状，全缘，稍内卷；花冠花蕾时管状，长 1.2 ~ 1.8 cm，微弯或近直立，花冠管稍膨胀，顶部卵球形，裂片 4，匙形，长 4 ~ 6 mm，稍开展或反折；花丝长 1.5 ~ 3 mm，花药长约 1.5 mm；花柱线状，柱头头状。果实椭圆状，长约 7 mm，直径约 4 mm，两端圆钝，淡黄色，果皮粗糙，具疏生的星状毛；果序梗长 3 ～ 5 mm；果柄长 2 ～ 3 mm。花期 8 ～ 11 月，果期翌年 4 ～ 5 月。

| 生境分布 | 生于海拔 300 ～ 1 300 m 的山地、丘陵或河谷盆地阔叶林中，寄生于栎属、柳属植物或樟、桑、油茶上。分布于湖北兴山、利川、巴东。

| 资源情况 | 药材主要来源于野生。

| 采收加工 | **带叶茎枝**：冬季至次春采收，除去粗茎，切段，干燥，或蒸后干燥。

| 功能主治 | 补肝肾，强筋骨，祛风湿，安胎。用于腰膝酸痛，筋骨痿弱，风湿痹痛，头晕目眩，胎动不安，崩漏下血。

桑寄生科 Loranthaceae 槲寄生属 Viscum

槲寄生

Viscum coloratum (Kom.) Nakai

| **药 材 名** | 槲寄生。

| **形态特征** | 灌木，高 0.3 ~ 0.8 m。茎、枝均圆柱状，二叉分枝或 3 歧分枝，稀多歧分枝；节稍膨大，小枝的节间长 5 ~ 10 cm，直径 3 ~ 5 mm，干后具不规则皱纹。叶对生，稀 3 轮生，厚革质或革质，长椭圆形至椭圆状披针形，长 3 ~ 7 cm，宽 0.7 ~ 1.5 (~ 2) cm，先端圆形或钝圆形，基部渐狭；基出脉 3 ~ 5；叶柄短。雌雄异株；花序顶生或腋生于茎叉状分枝处；雄花序聚伞状，总花梗几无或长达 5 mm，总苞舟形，长 5 ~ 7 mm，通常具 3 花，中央的花具 2 苞片或无；雄花花蕾时卵球形，长 3 ~ 4 mm，萼片 4，卵形，花药椭圆形，长 2.5 ~ 3 mm；雌花序聚伞式穗状，总花梗长 2 ~ 3 mm 或几无，具花 3 ~ 5，顶生的花具 2 苞片或无，交叉对生的花各具 1 苞片，

苞片阔三角形，长约 1.5 mm，初具细缘毛，稍后变全缘，雌花花蕾时长卵球形，长约 2 mm，花托卵球形，萼片 4，三角形，长约 1 mm；柱头乳头状。果实球形，直径 6 ~ 8 mm，具宿存花柱，成熟时淡黄色或橙红色，果皮平滑。花期 4 ~ 5 月，果期 9 ~ 11 月。

| 生境分布 | 生于海拔 500 ~ 1 400（~ 2 000）m 的阔叶林中，寄生于枫杨、赤杨、椴属植物及榆、杨、柳、桦、栎、梨、李、苹果等树上。分布于湖北罗田、通山、利川、神农架。

| 资源情况 | 药材来源于野生或栽培。

| 采收加工 | **带叶茎枝：** 冬季至次春采收，除去粗茎，切段，干燥，或蒸后干燥。

| 功能主治 | 祛风湿，补肝肾，强筋骨，安胎元。用于风湿痹痛，腰膝酸软，筋骨无力，崩漏经多，妊娠漏血，胎动不安，头晕目眩。

桑寄生科 Loranthaceae 槲寄生属 *Viscum*

枫香槲寄生
Viscum liquidambaricola Hayata

| 药 材 名 | 枫香寄生。

| 形态特征 | 灌木，高 0.5 ~ 0.7 m。茎基部近圆柱状，枝和小枝均扁平；枝交叉对生或二叉分枝，节间长 2 ~ 4 cm，宽 4 ~ 6（~ 8） mm，干后边缘肥厚，纵肋 5 ~ 7，明显。叶退化呈鳞片状。聚伞花序，1 ~ 3 腋生，总花梗几无，总苞舟形，长 1.5 ~ 2 mm，具花 1 ~ 3，通常仅具 1 雌花或雄花，或中央 1 花为雌花，侧生的为雄花；雄花花蕾时近球形，长约 1 mm，萼片 4，花药圆形，贴生于萼片下半部；雌花花蕾时椭圆状，长 2 ~ 2.5 mm，花托长卵球形，长 1.5 ~ 2 mm，基部具杯状苞片或无，萼片 4，三角形，长 0.5 mm，柱头乳头状。果实椭圆状，长 5 ~ 7 mm，直径约 4 mm，有时卵球形，长 6 mm，直径约 5 mm，成熟时橙红色或黄色，果皮平滑。花果期 4 ~ 12 月。

生境分布	生于海拔 200 ~ 750 m 的山地阔叶林中或常绿阔叶林中，寄生于壳斗科植物或枫香、油桐、柿树上。分布于湖北秭归、五峰、咸丰。
资源情况	药材来源于野生和栽培。
采收加工	**带叶茎枝：**夏、秋季采收，扎成束，晾干。
功能主治	祛风除湿，舒筋活血，止咳化痰，止血。用于风湿痹痛，腰膝酸软，跌打疼痛，劳伤咳嗽，崩漏带下，产后气血虚。

马兜铃科 Aristiolochiaceae 马兜铃属 Aristolochia

北马兜铃

Aristolochia contorta Bunge

| **药 材 名** | 青木香、天仙藤、马兜铃。

| **形态特征** | 草质藤本。茎长 2 m 以上，无毛，干后有纵槽纹。叶纸质，卵状心形或三角状心形，长 3 ~ 13 cm，宽 3 ~ 10 cm，先端短尖或钝，基部心形，两侧裂片圆形，下垂或扩展，长约 1.5 cm，边全缘，上面绿色，下面浅绿色，两面均无毛；基出脉 5 ~ 7，邻近中脉的两侧脉平行向上，略叉开，各级叶脉在两面均明显且稍凸起；叶柄柔弱，长 2 ~ 7 cm。总状花序有花 2 ~ 8 或有时仅 1 生于叶腋；花序梗和花序轴极短或近无；花梗长 1 ~ 2 cm，无毛，基部有小苞片；小苞片卵形，长约 1.5 cm，宽约 1 cm，具长柄；花被长 2 ~ 3 cm，基部膨大成球形，直径达 6 mm，向上收狭成 1 长管，管长约 1.4 cm，绿色，外面无毛，内面具腺体状毛，管口扩大成漏斗状；檐部一侧极短，

有时边缘下翻或稍 2 裂，另一侧渐扩大成舌片；舌片卵状披针形，先端长渐尖具延伸成 1 ～ 3 cm 线形而弯扭的尾尖，黄绿色，常具紫色纵脉和网纹；花药长圆形，贴生于合蕊柱近基部，并单个与其裂片对生；子房圆柱形，长 6 ～ 8 mm，6 棱；合蕊柱先端 6 裂，裂片渐尖，向下延伸成波状圆环。蒴果宽倒卵形或椭圆状倒卵形，长 3 ～ 6.5 cm，直径 2.5 ～ 4 cm，先端圆形而微凹，6 棱，平滑无毛，成熟时黄绿色，由基部向上 6 瓣开裂；果柄下垂，长 2.5 cm，随果实开裂；种子三角状心形，灰褐色，长、宽均为 3 ～ 5 mm，扁平，具小疣点，具宽 2 ～ 4 mm、浅褐色膜质翅。花期 5 ～ 7 月，果期 8 ～ 10 月。

| 生境分布 | 生于海拔 500 ～ 1 200 m 的山坡灌丛、沟谷两旁及林缘。湖北有分布。

| 资源情况 | 野生资源较少。

| 采收加工 | **青木香：** 10 ～ 11 月茎叶枯萎时采挖，除去须根及泥土，晒干。
天仙藤： 秋季采收，除去杂质，晒干。
马兜铃： 9 ～ 10 月果实由绿变黄时连柄摘下，晒干。

| 功能主治 | **青木香：** 平肝止痛，解毒消肿。用于眩晕头痛，胸腹胀痛，痈肿疔疮，蛇虫咬伤。
天仙藤： 行气活血，利水消肿。用于脘腹刺痛，关节痹痛，妊娠水肿。
马兜铃： 清肺降气，止咳平喘，清肠消痔。用于肺热喘咳，痰中带血，肠热痔血，痔疮肿痛。

马兜铃科 Aristiolochiaceae 马兜铃属 Aristolochia

葫芦叶马兜铃

Aristolochia cucurbitoides C. F. Liang

| 药 材 名 |

葫芦叶马兜铃。

| 形态特征 |

草质藤本，具圆柱状肉质根。茎细长，纵棱不明显。叶厚纸质，葫芦状披针形、卵状披针形或披针形，长 12 ~ 22 cm，中部宽 2.5 ~ 4.5 cm，下部宽 3.5 ~ 7 cm，先端长渐尖，基部耳形，两侧裂片长圆形，向外扩展或下垂，弯缺深 1 ~ 2 cm，全缘，上面绿色，疏被长柔毛或无毛，下面灰绿色或浅绿色，疏被长柔毛；基出脉 5 ~ 7，侧脉每边 7 ~ 10，网脉网状，最末级网脉树枝状，但不明显；叶柄长 3 ~ 5 cm，上面具深槽，疏被长柔毛。花单生于叶腋；花梗纤细，长 5 ~ 7 cm，常向下弯垂，中部以下有小苞片；小苞片卵形，长约 3 mm，密被黄褐色长柔毛；花被管中部急遽弯曲，下部长约 2 cm，直径约 8 mm，管的上部与下部近等长或稍短，有明显纵脉和网脉，稍被毛或以后无毛；檐部圆筒状，长约 2 cm，宽约 8 mm，上部稍狭，有时稍偏向一侧，边缘 3 深裂；裂片披针形，长 5 ~ 7 mm，宽 2 ~ 3 mm，先端渐尖；花药长圆形，成对贴生于合蕊柱基部，并与其裂片对生；子房圆柱形，长约 1 cm，具 6 棱，密被褐色长柔毛；合蕊柱先端 3 裂，裂片边缘向下延伸，常具疣状突起。嫩果长圆形，黄绿色，6 棱，棱常紫红色，无毛。花期 5～6 月。

| **生境分布** | 生于海拔 800～2 400 m 的疏林中。湖北有分布。

| **资源情况** | 野生资源较少。

| **功能主治** | 清肺降气，止咳平喘，清肠消痔。用于肺热喘咳，痰中带血，肠热痔血，痔疮肿痛。

馬兜鈴科 Aristiolochiaceae 馬兜铃属 Aristolochia

马兜铃
Aristolochia debilis Sieb. et Zucc.

| **药 材 名** | 青木香、天仙藤、马兜铃。

| **形态特征** | 草质藤本。根圆柱形，直径 3 ~ 15 mm，外皮黄褐色。茎柔弱，无毛，暗紫色或绿色，有腐肉味。叶纸质，卵状三角形、长圆状卵形或戟形，长 3 ~ 6 cm，基部宽 1.5 ~ 3.5 cm，上部宽 1.5 ~ 2.5 cm，先端钝圆或短渐尖，基部心形，两侧裂片圆形，下垂或稍扩展，长 1 ~ 1.5 cm，两面无毛；基出脉 5 ~ 7，邻近中脉的两侧脉平行向上，略开叉，其余向侧边延伸，各级叶脉在两面均明显；叶柄长 1 ~ 2 cm，柔弱。花单生或 2 聚生于叶腋；花梗长 1 ~ 1.5 cm，开花后期近先端常稍弯，基部具小苞片；小苞片三角形，长 2 ~ 3 mm，易脱落；花被长 3 ~ 5.5 cm，基部膨大成球形，与子房连接处具关节，直径 3 ~ 6 mm，向上收狭成 1 长管，管长 2 ~ 2.5 cm，直径 2 ~ 3 mm，

管口扩大成漏斗状，黄绿色，口部有紫斑，外面无毛，内面有腺体状毛；檐部一侧极短，另一侧渐延伸成舌片；舌片卵状披针形，向上渐狭，长 2 ~ 3 cm，先端钝；花药卵形，贴生于合蕊柱近基部，并单个与其裂片对生；子房圆柱形，长约 10 mm，6 棱；合蕊柱先端 6 裂，稍具乳头状突起，裂片先端钝，向下延伸形成波状圆环。蒴果近球形，先端圆形而微凹，长约 6 cm，直径约 4 cm，具 6 棱，成熟时黄绿色，由基部向上沿室间 6 瓣开裂；果柄长 2.5 ~ 5 cm，常撕裂成 6；种子扁平，钝三角形，长、宽均约 4 mm，边缘具白色膜质宽翅。花期 7 ~ 8 月，果期 9 ~ 10 月。

| 生境分布 | 生于海拔 40 ~ 1 500 m 的山谷、沟边、路旁阴湿处及山坡灌丛中。分布于湖北汉阳、武昌、房县、红安、罗田、英山、麻城、通城、通山、恩施、利川、建始、神农架，以及武汉、荆门。

| 资源情况 | 药材主要来源于野生。

| 采收加工 | 青木香：10 ~ 11 月茎叶枯萎时采挖，除去须根及泥土，晒干。
天仙藤：秋季采收，除去杂质，晒干。
马兜铃：9 ~ 10 月果实由绿变黄时连柄摘下，晒干。

| 功能主治 | 青木香：平肝止痛，解毒消肿。用于眩晕头痛，胸腹胀痛，痈肿疔疮，蛇虫咬伤。
天仙藤：行气活血，利水消肿。用于脘腹刺痛，关节痹痛，妊娠水肿。
马兜铃：清肺降气，止咳平喘，清肠消痔。用于肺热喘咳，痰中带血，肠热痔血，痔疮肿痛。

马兜铃科 Aristiolochiaceae 马兜铃属 Aristolochia

贯叶马兜铃
Aristolochia delavayi Franch.

| 药 材 名 | 贯叶马兜铃。

| 形态特征 | 柔弱草本。全株无毛，有浓烈辛辣气味。块根圆形，外表具不规则
皱纹，暗褐色，内面黄褐色。茎近直立，细长，粉绿色，高30～
60 cm，节间短而密。叶纸质，卵形，长2～8 cm，宽1.5～5 cm，
先端短尖或钝，基部心形而抱茎，全缘，生于茎中部的叶具短柄，
生于茎上部和下部的叶较小而近无柄，上面绿色，下面粉绿色，无
毛或稍粗糙，密布油点；基出脉5～9，在两面均明显隆起。花单
生于叶腋；花梗长1～1.5 cm，开花后期近先端常向下弯；花被全
长4～6 cm，基部膨大成球形，直径3～5 mm，向上急遽收狭成
圆筒形的长管，管口扩大成漏斗状；檐部一侧极短，稍2裂，常向
下翻，另一侧延伸成舌片；舌片卵状长圆形，长1.5～2 cm，先端

短尖，具平行脉纹，外面淡黄色，内面近管口粉红色；花药卵形，贴生于合蕊柱近基部，并单个与其裂片对生；子房圆柱形，具 6 棱；合蕊柱粗厚，先端 6 裂，裂片先端急尖而稍弯，向下延伸成波状圆环。蒴果近球形，直径 1.2 ~ 1.5 cm，明显 6 棱，先端圆而具凸尖，成熟时黄褐色，由基部向上沿室间 6 瓣开裂，果柄长 2 ~ 3 cm，下垂，常随果实开裂成 6；种子卵状心形，长、宽均约 3 mm，背面凸起，暗褐色，密布乳头状突起小点，腹面凹入。花期 8 ~ 10 月，果期 12 月。

| **生境分布** | 生于海拔 1 600 ~ 1 900 m 的石灰岩山地、丘陵或河谷灌丛中。湖北有分布。

| **资源情况** | 药材主要来源于野生。

| **功能主治** | 清肺降气，止咳平喘，健胃。用于肺热喘咳，痰中带血，食欲不振。

马兜铃科 Aristiolochiaceae 马兜铃属 Aristolochia

广防己

Aristolochia fangchi Y. C. Wu ex L. D. Chou et S. M. Hwang

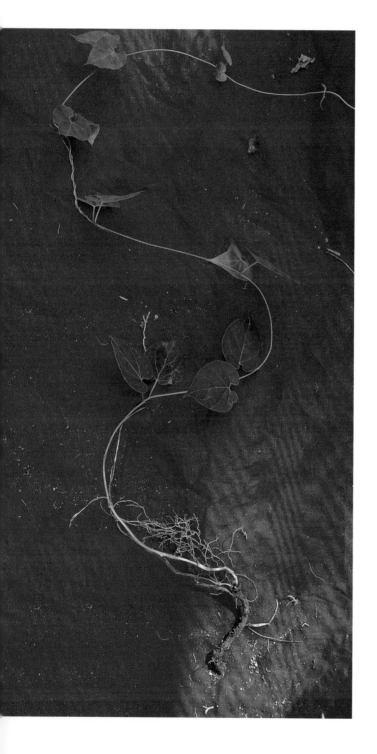

| 药 材 名 |

广防己。

| 形态特征 |

多年生攀缘藤本，长 3 ~ 4 m。根部粗大，圆柱形，栓皮发达。茎细长，少分枝，灰褐色或棕黑色，密生褐色绒毛。叶互生；叶柄长 1 ~ 4 cm，密生褐色绒毛；叶片长圆形或卵状长圆形，长 3 ~ 17 cm，宽 2 ~ 6 cm，先端渐尖或钝，基部心形或圆形，全缘，幼时两面均被灰白色绒毛，后渐脱落，老时质稍厚，主脉 3，基出。花单生于叶腋；花梗长 1 ~ 2 cm，被棕色短毛；花被筒状，长约 5 cm，紫色，上有黄色小斑点，下部不分裂，中部收缩成管状，略弯曲，外面被毛；雄蕊 6，附于柱头裂片的外面，组成合蕊柱，花丝几无或甚短；柱头 3 裂。蒴果，种子多数。花期 5 ~ 6 月，果期 7 ~ 8 月。

| 生境分布 |

生于山坡密林或灌丛中。湖北有分布。

| 资源情况 |

药材来源于野生或栽培。

| 采收加工 | **根：** 秋季采挖，洗净，切段，晒干。

| 功能主治 | 祛风止痛，清热利水。用于湿热身痛，风湿痹痛，下肢水肿，小便不利。

| 附　　注 | 因本种含有马兜铃酸，广防己不再用作药品。马兜铃酸长期服用会引发肾病，
最终导致肾衰竭。

马兜铃科 Aristiolochiaceae 马兜铃属 Aristolochia

宝兴马兜铃
Aristolochia jinshanensis Z. L. Yang et S. X. Tan

| **药 材 名** | 淮通。

| **形态特征** | 木质藤本。根长圆柱形。嫩枝和芽密被黄棕色或灰色长柔毛。叶互生；叶柄密被灰棕色或黄棕色长柔毛；叶片卵形或卵状心形，长6～16 cm，宽5～12 cm，先端短尖或短渐尖，基部深心形，两侧裂片下垂或稍内弯，上面疏生灰白色糙伏毛，后变无毛，下面密被黄棕色长柔毛，网脉两面均明显。花单生或2聚生于叶腋；花梗长3～8 cm，花后常伸长，密被长柔毛；小苞片卵形；花被管中部急遽弯曲，略扁，弯曲处至檐部与下部近等长而稍狭，外面疏被黄棕色长柔毛，内面仅近子房处被微柔毛；檐部盘状，近圆形，内面黄色，有紫红色斑点，边缘绿色，具网状脉纹，3浅裂，裂片先端具凸尖；喉部圆形，稍具领状环；花药成对贴生于合蕊柱近基部；子房圆柱

形，密被长柔毛；合蕊柱先端 3 裂，有时再 2 裂。蒴果长圆形，成熟时自先端
向下 6 瓣开裂；种子长卵形，背面平凸状，具皱纹及隆起的边缘。花期 5 ～ 6 月，
果期 8 ～ 10 月。

| 生境分布 | 生于海拔 2 000 ～ 3 100 m 的林中、沟边及灌丛中。湖北有分布。

| 资源情况 | 药材主要来源于野生。

| 采收加工 | **藤茎、根：** 春、秋季采收，切段或剖开，晒干。

| 功能主治 | 清热利湿，祛风止痛。用于泻痢腹痛，湿热身肿，小便赤涩，尿血，风湿热痹，
痈肿恶疮，湿疹，毒蛇咬伤。

异叶马兜铃

Aristolochia kaempferi Willd. f. *heterophylla* (Hemsl.)

| 药 材 名 | 汉中防己。

| 形态特征 | 木质缠绕藤本，长 2 ~ 3 m。茎多分枝，幼枝密生淡褐色短茸毛，老枝疏生短柔毛，有浅纵沟。芽小，密生褐色柔毛。叶卵圆形或卵状心形，长 3 ~ 8 cm，宽 2 ~ 7 cm，先端钝或短尖，基部心形，两侧耳状下垂，全缘，上面绿色，密被茸毛，下面灰绿色，密被褐色绒毛。花单生于叶腋；花梗长 3 ~ 4 cm，中部以下包围一长、宽均约 1 cm 的圆形苞片；花被管烟斗状，黄色，外被细硬毛，内面无毛，中部以上弯曲处膨大，长约 2.5 cm，缘部灰紫色，3 裂，裂片宽卵形，近平展；雄蕊几无花丝，贴生于花柱体上；花柱肉质，先端 6 裂；子房柱状，外密被褐色硬毛。蒴果长圆状圆柱形，长 4 ~ 7 cm，室间开裂；种子三角状卵圆形，腹面具凹沟，脐部有毛。花期 5 ~ 6 月，

果期 7 ~ 8 月。

| **生境分布** | 生于海拔 780 ~ 1 300 m 的疏林中和山坡灌丛中。分布于湖北郧西、竹溪、房县、远安、兴山、五峰、保康、恩施、利川、建始、巴东、鹤峰、神农架。

| **资源情况** | 药材主要来源于野生。

| **采收加工** | **根**：秋季采挖，洗净，切段，晒干。

| **功能主治** | 祛风止痛，清热利水。用于风湿关节疼痛，湿热肢体疼痛，水肿，小便不利，脚气湿肿。

马兜铃科 Aristiolochiaceae 马兜铃属 Aristolochia

广西马兜铃

Aristolochia kwangsiensis Chun et How ex C. F. Liang

| 药 材 名 | 大百解薯。

| 形态特征 | 木质大藤本。块根椭圆形或纺锤形，常数个相连，表面棕褐色，外皮常有裂纹，内面淡黄色。嫩枝有棱，密被污黄色或淡棕色长硬毛；老枝无毛，有增厚成长条状剥落的木栓层。叶厚纸质至革质，卵状心形或圆形，长 11 ~ 25（~ 35）cm，宽 9 ~ 22（~ 32）cm，先端钝或短尖，基部宽心形，弯缺深 3 ~ 5 cm，全缘，嫩叶上面疏被长硬毛，成长叶除叶脉外，两面均密被污黄色或淡棕色长硬毛；基出脉 5，侧脉每边 3 ~ 5，网脉上面平坦或稍隆起，下面明显隆起；叶柄长 6 ~ 15 cm，直径 3 ~ 5 mm，上面有深槽，密被长硬毛。总状花序腋生，有花 2 ~ 3；花梗长 2.5 ~ 3.5 cm，常向下弯垂，密被污黄色或淡棕色长硬毛，近基部具小苞片；小苞片钻形，长约

3 mm，密被长硬毛；花被管中部急遽弯曲，下部长 2 ~ 3.5 cm，直径 0.5 ~ 1 cm，弯曲处至檐部与下部近等长而较狭，外面淡绿色，具褐色纵脉纹和纵棱，密被淡棕色长硬毛，内面无毛；檐部盘状，近圆三角形，直径 3.5 ~ 4.5 cm，上面蓝紫色而有暗红色棘状突起，具网脉，外面密被棕色长硬毛，边缘 3 浅裂，裂片平展，阔三角形，长约 1.5 cm，宽约 2 cm，边缘常外反，先端短尖；喉部近圆形，黄色，稍凸出成领状；花药长圆形，成对贴生于合蕊柱近基部，并与其裂片对生；子房圆柱形，长约 1 cm，6 棱；合蕊柱先端 3 裂，裂片先端钝，边缘向下延伸而翻卷，具乳头状突起。蒴果暗黄色，长圆柱形，长 8 ~ 10 cm，直径约 2 cm，有 6 棱，先端具长约 3 mm 的喙，基部收狭；成熟时自先端向下 6 瓣开裂；种子卵形，长约 5 mm，宽约 4 mm，背面平凸状，腹面凹入，栗褐色。花期 4 ~ 5 月，果期 8 ~ 9 月。

| **生境分布** | 生于海拔 600 ~ 1 600 m 的山谷林中。分布于湖北武汉等。

| **资源情况** | 药材主要来源于野生。

| **功能主治** | 理气止痛，清热解毒，止血。用于痉挛性胃痛，腹痛，急性胃肠炎，复合性胃和十二指肠溃疡，痢疾，跌打损伤，疮痈肿毒，外伤出血，蛇咬伤，骨结核。

马兜铃科 Aristiolochiaceae 马兜铃属 Aristolochia

木通马兜铃
Aristolochia manshuriensis Kom.

| **药 材 名** | 关木通。

| **形态特征** | 木质藤本，长超过 10 m。嫩枝深紫色，密生白色长柔毛。茎皮灰色，老茎基部直径 2 ~ 8 cm，表面散生淡褐色长圆形皮孔，具纵皱纹或老茎具增厚又呈长条状纵裂的木栓层。叶革质，心形或卵状心形，长 15 ~ 29 cm，宽 13 ~ 28 cm，先端钝圆或短尖，基部心形至深心形，弯缺深 1 ~ 4.5 cm，全缘，嫩叶上面疏生白色长柔毛，以后毛渐脱落，下面密被白色长柔毛，毛亦渐脱落而变稀疏；基出脉 5 ~ 7，侧脉每边 2 ~ 3，第 3 级小脉近横出，彼此平行而明显；叶柄长 6 ~ 8 cm，略扁。花单朵，稀 2 聚生于叶腋；花梗长 1.5 ~ 3 cm，常向下弯垂，初被白色长柔毛，以后无毛，中部具小苞片；

小苞片卵状心形或心形，长约 1 cm，绿色，近无柄；花被管中部马蹄形弯曲，下部管状，长 5 ~ 7 cm，直径 1.5 ~ 2.5 cm，弯曲之处至檐部与下部近相等，外面粉红色，具绿色纵脉纹；檐部圆盘状，直径 4 ~ 6 cm 或更大，内面暗紫色而有稀疏乳头状小点，外面绿色，有紫色条纹，边缘 3 浅裂，裂片平展，阔三角形，先端钝而稍尖；喉部圆形并具领状环；花药长圆形，成对贴生于合蕊柱基部，并与其裂片对生；子房圆柱形，长 1 ~ 2 cm，具 6 棱，被白色长柔毛；合蕊柱先端 3 裂；裂片先端尖，边缘向下延伸并向上翻卷，皱波状。蒴果长圆柱形，暗褐色，有 6 棱，长 9 ~ 11 cm，直径 3 ~ 4 cm，成熟时 6 瓣开裂；种子三角状心形，长、宽均 6 ~ 7 mm，干时灰褐色，背面平凸状，具小疣点。花期 6 ~ 7 月，果期 8 ~ 9 月。

| 生境分布 | 生于海拔 100 ~ 2 200 m 的阴湿阔叶林和针叶林的混交林中。分布于湖北神农架等。

| 资源情况 | 药材来源于野生。

| 采收加工 | 9 月至翌年 3 月采收，割取茎部，切段，去掉外面糙皮，晒干或烤干，理直，扎捆。

| 功能主治 | 清心火，利小便，通经下乳。用于口舌生疮，心烦尿赤，水肿，热淋涩痛，带下，经闭乳少，湿热痹痛。

| 附　　注 | 不可多用、久服，肾功能不全及孕妇忌服。有用大量木通（60 g）煎汤服用后引起急性肾功能衰竭者，故在临床应用时不宜大量使用。现含"关木通"的药物已被禁止生产。

马兜铃科 Aristiolochiaceae 马兜铃属 Aristolochia

寻骨风

Aristolochia mollissima Hance

| **药 材 名** | 寻骨风。

| **形态特征** | 多年生草质藤本。根细长，圆柱形。嫩枝密被灰白色长绵毛。叶互生；叶柄长 2 ~ 5 cm，密被白色长绵毛；叶片卵形或卵状心形，长 3.5 ~ 10 cm，宽 2.5 ~ 8 cm，先端钝圆至短尖，基部心形，两侧裂片广展，弯缺深 1 ~ 2 cm，全缘，上面被糙伏毛，下面密被灰色或白色长绵毛，基出脉 5 ~ 7。花单生于叶腋；花梗长 1.5 ~ 3 cm，直立或近先端向下弯；小苞片卵形或长卵形，两面被毛；花被管中部急遽弯曲，弯曲处至檐部较下部而狭，外面密生白色长绵毛；檐部盘状，直径 2 ~ 2.5 cm，内面无毛或稍被微柔毛，浅黄色，并有紫色网纹，外面密生白色长绵毛，边缘 3 浅裂，裂片先端短尖或钝，喉部近圆形，稍呈指状突起，紫色；花药成对贴生于合蕊柱近基部；

子房圆柱形，密被白色长绵毛；合蕊柱近基部；子房柱形，密被白色长绵毛；合蕊柱裂片先端钝圆，边缘向下延伸，并具乳头状突起。蒴果长圆状或椭圆状倒卵形，具 6 呈波状或扭曲的棱或翅，毛常脱落，成熟时自先端向下 6 瓣开裂；种子卵状三角形。花期 4 ~ 6 月，果期 8 ~ 10 月。

| 生境分布 | 生于海拔 85 ~ 850 m 的山坡、草丛、沟边和路旁。分布于湖北武昌、京山、罗田、神农架，以及荆门、宜昌、武汉、襄阳。

| 资源情况 | 药材主要来源于野生。

| 采收加工 | **全草**：5 月开花前采收，除去泥土及杂质，洗净，切段，晒干。

| 功能主治 | 祛风除湿，通络止痛。用于风湿痹痛，肢体麻木，筋骨拘挛，脘腹疼痛，睾丸肿痛，跌打伤痛，乳痈。

| 附　注 | 本品含有马兜铃酸，马兜铃酸能引起肾脏损害等不良反应。用药时间不得超过 2 周，儿童及老人慎用，肾病患者、孕妇及新生儿禁用。

马兜铃科 Aristiolochiaceae 马兜铃属 Aristolochia

管花马兜铃

Aristolochia tubiflora Dunn

| 药 材 名 |

鼻血雷。

| 形态特征 |

草质藤本。根圆柱形，细长，黄褐色，内面白色。茎无毛，干后有槽纹，嫩枝、叶柄折断后渗出微红色汁液。叶纸质或近膜质，卵状心形或卵状三角形，极少近肾形，长3～15 cm，宽3～16 cm，先端钝而具凸尖，基部浅心形至深心形，两侧裂片下垂，广展或内弯，弯缺通常深2～4 cm，边全缘，上面深绿色，下面浅绿色或粉绿色，两面无毛或有时下面有短柔毛或粗糙，常密布小油点；基出脉7，叶脉干后常呈红色；叶柄长2～10 cm，柔弱。花单生或2聚生于叶腋；花梗纤细，长1～2 cm，基部有小苞片；小苞片卵形，长3～8 mm，无柄；花被全长3～4 cm，基部膨大成球形，直径约5 mm，向上急遽收狭成1长管，宽2～4 mm，管口扩大成漏斗状；檐部一侧极短，另一侧渐延伸成舌片；舌片卵状狭长圆形，基部宽5～8 mm，先端钝，凹入或具短尖头，深紫色，具平行脉纹；花药卵形，贴生于合蕊柱近基部，并单个与其裂片对生；子房圆柱形，长约5 mm，5～6棱；合蕊柱先端 6 裂，裂片先端骤狭，向下延伸成波状的圆环。蒴果长圆形，长约 2.5 cm，直径约 1.5 cm，6 棱，成熟时黄褐色，由基部向上 6 瓣开裂，果柄常随果实开裂成 6；种子卵形或卵状三角形，长约 4 mm，宽约 3.5 mm，背面凸起，具疣状突起小点，腹面凹入，中间具种脊，褐色。花期 4 ~ 8 月，果期 10 ~ 12 月。

| 生境分布 | 生于海拔 100 ~ 1 700 m 的林下阴湿处。分布于湖北兴山、罗田、通城、恩施、利川、建始、神农架，以及宜昌。

| 资源情况 | 药材主要来源于野生。

| 采收加工 | **根：**冬季采挖，洗净，切段，鲜用或晒干。

| 功能主治 | 清热解毒，行气止痛。用于毒蛇咬伤，疮疡疖肿，胃痛，肠炎痢疾，腹泻，风湿关节疼痛，痛经，跌打损伤。

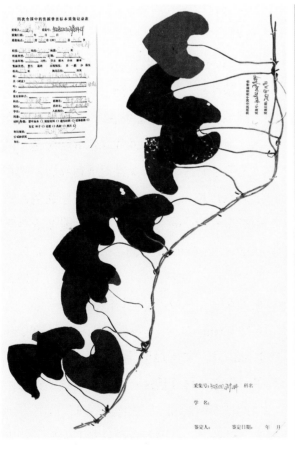

马兜铃科 Aristiolochiaceae 马兜铃属 *Aristolochia*

大叶马蹄香 *Aristolochia maximum* Hemsl.

| **药 材 名** | 大细辛。

| **形态特征** | 多年生草本,植株粗壮。根茎匍匐,长可达 7 cm,直径 2 ~ 3 mm,根稍肉质。叶片长卵形、阔卵形或近戟形,长 6 ~ 13 cm,宽 7 ~ 15 cm,先端急尖,基部心形,两侧裂片长 3 ~ 7 cm,宽 3.5 ~ 6 cm,叶面深绿色,偶有白色云斑,脉上和近边缘有短毛,叶背浅绿色;叶柄长 10 ~ 23 cm;芽苞叶卵形,长约 18 mm,宽约 7 mm,边缘密生睫毛。花紫黑色,直径 4 ~ 6 cm;花梗长 1 ~ 5 cm;花被管钟状,长约 2.5 cm,直径 1.5 ~ 2 cm,在与花柱等高处向外膨胀成 1 带状环突,喉部不缢缩或稍缢缩,喉孔直径约 1 cm,无膜环或仅有膜环状的横向间断的折皱,内壁具纵行脊状折皱,花被裂片宽卵形,长

2 ~ 4 cm，宽 2 ~ 3 cm，中部以下有半圆状污白色斑块，干后淡棕色，向下具数行横列的乳突状折皱；药隔伸出，钝尖；子房半下位，花柱 6，先端 2 裂，柱头侧生。花期 4 ~ 5 月。

| **生境分布** | 生于海拔 600 ~ 800 m 的林下腐殖土中。分布于湖北兴山、南漳、利川。

| **采收加工** | **全草**：春、夏季采收，洗净，晒干。

| **功能主治** | 祛风散寒，止咳祛痰，活血解毒，止痛。用于风寒感冒，咳喘，牙痛，中暑腹痛，肠炎，痢疾，风湿关节痛，跌打损伤，痈疮肿毒，蛇咬伤。

马兜铃科 Aristiolochiaceae 细辛属 Asarum

短尾细辛

Asarum caudigerellum C. Y. Cheng et C. S. Yang

| 药 材 名 | 接气草。

| 形态特征 | 多年生草本，高 20 ~ 30 cm。根茎横走，直径约 4 mm，节间甚长；根多条，纤细；地上茎长 2 ~ 5 cm，斜升。叶对生，叶片心形，长 3 ~ 7 cm，宽 4 ~ 10 cm，先端渐尖或长渐尖，基部心形，两侧裂片长 1 ~ 3 cm，宽 2 ~ 4 cm，叶面深绿色，散生柔毛，脉上较密，叶背仅脉上有毛，叶缘两侧在中部常向内弯；叶柄长 4 ~ 18 cm；芽苞叶阔卵形，长约 2 cm，宽 1 ~ 1.5 cm。花被在子房以上合生成直径约 1 cm 的短管，裂片三角状卵形，被长柔毛，长约 10 mm，宽约 7 mm，先端常具短尖尾，长 3 ~ 4 mm，通常向内弯曲；雄蕊长于花柱，花丝比花药稍长，药隔伸出成尖舌状；子房下位，近球状，

有 6 纵棱，被长柔毛，花柱合生，先端辐射状 6 裂。果实肉质，近球状，直径约 1.5 cm。花期 4 ～ 5 月。

| 生境分布 | 生于海拔 1 600 ～ 2 100 m 的林下阴湿地或水边岩石上。分布于湖北利川、宣恩、咸丰等。

| 资源情况 | 药材来源于野生。

| 采收加工 | 全年均可采收，洗净，阴干。

| 功能主治 | 祛风散寒，温肺化痰，止痛。用于风寒头痛，痰饮咳喘，胃寒痛，腹痛，牙痛，风湿痹痛，跌打损伤。

马兜铃科 Aristolochiaceae 细辛属 *Asarum*

尾花细辛

Asarum caudigerum Hance

| **药 材 名** | 尾花细辛。

| **形态特征** | 多年生草本。全株被散生柔毛。根茎粗壮，节间短或较长，有多条纤维根。叶片阔卵形、三角状卵形或卵状心形，长 4 ~ 10 cm，宽 3.5 ~ 10 cm，先端急尖至长渐尖，基部耳状或心形，叶面深绿色，脉两旁偶有白色云斑，疏被长柔毛，叶背浅绿色，稀稍带红色，被较密的毛；叶柄长 5 ~ 20 cm，有毛；芽苞叶卵形或卵状披针形，长 8 ~ 13 cm，宽 4 ~ 6 mm，背面和边缘密生柔毛。花被绿色，被紫红色圆点状短毛丛；花梗长 1 ~ 2 cm，有柔毛；花被裂片直立，下部靠合如管，直径 8 ~ 10 mm，喉部稍缢缩，内壁有柔毛和纵纹，花被裂片上部卵状长圆形，先端骤窄成细长尾尖，尾长可达 1.2 cm，外面被柔毛；雄蕊比花柱长，花丝比花药长，药隔伸出，锥尖或

舌状；子房下位，具 6 棱，花柱合生，先端 6 裂，柱头顶生。果实近球状，直径约 1.8 cm，具宿存花被。花期 4 ~ 5 月，云南、广西可晚至 11 月。

| 生境分布 | 生于海拔 350 ~ 1 660 m 的林下、溪边和路旁阴湿地。分布于湖北恩施等地。

| 资源情况 | 药材主要来源于野生。

| 采收加工 | **全草**：全年均可采收，阴干。

| 功能主治 | 温经散寒，化痰止咳，消肿止痛。用于风寒感冒，头痛，咳嗽哮喘，风湿痹痛，跌打损伤，口舌生疮，毒蛇咬伤，疮疡肿毒。

马兜铃科 Aristiolochiaceae 细辛属 Asarum

双叶细辛 *Asarum caulescens* Maxim.

| **药 材 名** | 土细辛。

| **形态特征** | 多年生草本。根茎横走，节间长 3 ~ 5 cm，有多条须根。地上茎匍匐，有 1 ~ 2 对叶。叶片近心形，长 4 ~ 9 cm，宽 5 ~ 10 cm，先端常具长 1 ~ 2 cm 的尖头，基部心形，两侧裂片长 1.5 ~ 2.5 cm，宽 2.5 ~ 4 cm，先端圆形，常向内弯，接近叶柄，两面散生柔毛，叶背毛较密；叶柄长 6 ~ 12 cm，无毛；芽苞叶近圆形，长、宽均约 13 mm，边缘密生睫毛。花紫色，花梗长 1 ~ 2 cm，被柔毛；花被裂片三角状卵形，长约 10 mm，宽约 8 mm，开花时上部向下反折；雄蕊和花柱上部常伸出花被之外，花丝比花药约长 2 倍，药隔锥尖；子房近下位，略呈球状，有 6 纵棱，花柱合生，先端 6 裂，裂片倒心形，柱头着生于裂缝外侧。果实近球状，直径约 1 cm。花期 4 ~ 5 月。

| 生境分布 | 生于海拔 1 200 ～ 1 700 m 的林下腐殖质中。分布于湖北恩施、巴东、神农架等。

| 资源情况 | 药材主要来源于野生。

| 采收加工 | **全草**：夏、秋季采挖，除去泥土，阴干。

| 功能主治 | 祛风散寒，止痛，温肺化饮。用于风寒感冒，头痛，牙痛，风湿痹痛，痰饮喘咳。

马兜铃科 Aristiolochiaceae 细辛属 *Asarum*

川北细辛 *Asarum chinense* Franch.

| **药 材 名** | 土细辛。

| **形态特征** | 多年生草本。根茎细长横走，直径约 1 mm，节间长约 2 cm；根通常细长。叶片椭圆形或卵形，稀心形，长 3 ~ 7 cm，宽 2.5 ~ 6 cm，先端渐尖，基部耳状心形，两侧裂片长 1.5 ~ 2 cm，宽 1.5 ~ 2.5 cm，叶面绿色或叶脉周围白色，形成白色网纹，稀中脉两侧有白色云斑，疏被短毛，叶背浅绿色或紫红色；叶柄长 5 ~ 15 cm；芽苞叶卵形，长 10 ~ 15 mm，宽约 8 mm，边缘有睫毛。花紫色或紫绿色；花梗长约 1.5 cm；花被管球状或卵球状，长约 8 mm，直径约 1 cm，喉部缢缩并逐渐扩展成 1 短颈，膜环宽约 1 mm，内壁有格状网眼，有时横向折皱不明显；花被裂片宽卵形，长和宽均约 1 cm，基部密生细乳突，排列成半圆形；花丝极短，药隔不伸出或稍伸出；子房近

上位或半下位，花柱离生，柱头着生于花柱先端，稀先端浅内凹，柱头近侧生。花期 4 ~ 5 月。

| **生境分布** | 生于海拔 1 300 ~ 1 500 m 的林下或山谷阴湿处。分布于湖北西部。

| **资源情况** | 野生资源较少。

| **采收加工** | **全草**：夏、秋季采收，除去泥土，阴干。

| **功能主治** | 祛风散寒，止痛，温肺化饮。用于风寒感冒，头痛，牙痛，风湿痹痛，痰饮喘咳。

马兜铃科 Aristiolochiaceae 细辛属 Asarum

铜钱细辛

Asarum debile Franch.

| 药 材 名 | 铜钱细辛。

| 形态特征 | 多年生草本，植株通常矮小，高 10 ~ 15 cm。根茎横走，直径 1 ~ 2 mm；根纤维状。2 叶对生于枝顶，叶片心形，长 2.5 ~ 4 cm，宽 3 ~ 6 cm，先端急尖或钝，基部心形，两侧裂片长 7 ~ 20 mm，宽 10 ~ 25 mm，先端圆形，叶缘在中部常内弯，叶面深绿色，散生柔毛，脉上较密，叶背浅绿色，光滑或脉上有毛；叶柄长 5 ~ 12 cm；芽苞叶卵形，长约 10 mm，宽约 7 mm，边缘密生睫毛。花紫色；花梗长 1 ~ 1.5 cm，无毛；花被在子房以上合生成短管，直径约 8 mm，裂片宽卵形，被长柔毛，长约 10 mm，宽 8 mm，先端渐窄，有时长成约 1 mm 的短尖头；雄蕊 12，稀较少，与花柱近等长，花

丝比花药长约 1.5 倍，药隔通常不伸出，稀略伸出；子房下位，近球状，具 6 棱，初有柔毛，后逐渐脱落，花柱合生，先端辐射 6 裂，柱头顶生。花期 5 ~ 6 月。

| **生境分布** | 生于海拔 1 300 ~ 2 300 m 的林下石缝或溪边湿地上。分布于湖北竹溪、兴山、五峰、保康、巴东、神农架。

| **资源情况** | 药材来源于野生。

| **采收加工** | 全草：5 ~ 8 月采收，洗净，置通风处阴干。

| **功能主治** | 发表散寒，温肺化痰，行气止痛，祛风除湿。用于风寒感冒，肺寒喘咳，风寒湿痹，脘腹疼痛，鼻窦炎，牙痛。

马兜铃科 Aristiolochiaceae 细辛属 Asarum

川滇细辛 *Asarum delavayi* Franch.

| **药 材 名** | 土细辛。

| **形态特征** | 多年生草本，植株粗壮。根茎横走，直径 2 ~ 3 mm；根稍肉质，直径达 3 mm。叶片长卵形、阔卵形或近戟形，长 7 ~ 12 cm，宽 6 ~ 11 cm，先端通常长渐尖，基部耳形或耳状心形，两侧裂片长 2 ~ 6 cm，宽 1.5 ~ 5 cm，通常外展，有时互相接近或覆盖，叶面深绿色或具白色云斑，稀叶脉周围白色并成白色脉网，疏被短毛或仅侧脉被毛，叶背浅绿色，偶为紫红色，有光泽；叶柄长可达 21 cm，无毛或被疏毛；芽苞叶长卵形或卵形，长 1 ~ 3 cm，宽 8 ~ 10 mm，边缘有睫毛。花大，紫绿色，直径 4 ~ 6 cm；花梗长 1 ~ 3.5 cm，无毛；花被管圆筒状，长约 2 cm，中部直径约 1.5 cm，向上逐渐扩展，喉部缢缩，膜环宽约 2 mm，内壁有格状网眼；花被

裂片阔卵形，长 2 ~ 3 cm，宽 2.5 ~ 3.5 cm，基部有乳突状折皱区；药隔伸出，宽卵形或锥尖；子房近上位或半下位，花柱 6，离生，先端 2 裂，柱头侧生。花期 4 ~ 6 月。

| 生境分布 | 生于海拔 800 ~ 1 600 m 的林下阴湿岩坡上。分布于湖北恩施等。

| 资源情况 | 药材主要来源于野生。

| 采收加工 | **全草**：夏、秋季采收，除去泥土，阴干。

| 功能主治 | 祛风散寒，止痛，温肺化饮。用于风寒感冒，头痛，牙痛，风湿痹痛，痰饮喘咳。

马兜铃科 Aristiolochiaceae 细辛属 Asarum

杜衡

Asarum forbesii Maxim.

| 药 材 名 |　土细辛。

| 形态特征 |　多年生草本。根茎短，根丛生，稍肉质，直径 1 ～ 2 mm。叶片阔心形至肾形，长和宽均为 3 ～ 8 cm，先端钝或圆，基部心形，两侧裂片长 1 ～ 3 cm，宽 1.5 ～ 3.5 cm，叶面深绿色，中脉两旁有白色云斑，脉上及其近边缘有短毛，叶背浅绿色；叶柄长 3 ～ 15 cm；芽苞叶肾形或倒卵形，长和宽均约 1 cm，边缘有睫毛。花暗紫色；花梗长 1 ～ 2 cm；花被管钟状或圆筒状，长 1 ～ 1.5 cm，直径 8 ～ 10 mm；喉部不缢缩，喉孔直径 4 ～ 6 mm，膜环极窄，宽不足 1 mm，内壁具明显格状网眼；花被裂片直立，卵形，长 5 ～ 7 mm，宽和长近相等，平滑，无乳突折皱；药隔稍伸出；子房半下位，花柱离生，先端 2 浅裂，柱头卵状，侧生。花期 4 ～ 5 月。

| **生境分布** | 生于海拔 800 m 以下的林下沟边阴湿地。分布于湖北武昌、京山、罗田、英山、巴东。 |

| **资源情况** | 野生资源较少。药材主要来源于野生。 |

| **采收加工** | **全草**：夏、秋季采挖，除去泥土，阴干。 |

| **功能主治** | 祛风散寒，止痛，温肺化饮。用于风寒感冒，头痛，牙痛，风湿痹痛，痰饮喘咳。 |

马兜铃科 Aristiolochiaceae 细辛属 Asarum

单叶细辛

Asarum himalaicum Hook. f. et Thomas. ex Klotzsch.

| 药 材 名 | 土细辛。

| 形态特征 | 多年生草本。根茎细长，直径 1 ~ 2 mm，节间长 2 ~ 3 cm，有多条纤维根。叶互生，疏离，叶片心形或圆心形，长 4 ~ 8 cm，宽 6.5 ~ 11 cm，先端渐尖或短渐尖，基部心形，两侧裂片长 2 ~ 4 cm，宽 2.5 ~ 5 cm，先端圆形，两面散生柔毛，叶背和叶缘的毛较长；叶柄长 10 ~ 25 cm，有毛；芽苞叶卵圆形，长 5 ~ 10 mm，宽约 5 mm。花深紫红色；花梗细长，长 3 ~ 7 cm，有毛，毛渐脱落；花被在子房以上有短管，裂片长圆卵形，长、宽均约 7 mm，上部外折，外折部分三角形，深紫色；雄蕊与花柱等长或较花柱稍长，花丝比花药长约 2 倍，药隔伸出，短锥形；子房半下位，具 6 棱，花柱合生，

先端辐射状 6 裂，柱头顶生。果实近球状，直径约 1.2 cm。花期 4 ～ 6 月。

| **生境分布** | 生于海拔 1 300 ～ 3 100 m 的溪边林下阴湿地。分布于湖北兴山、宣恩、神农架等。

| **采收加工** | **全草**：夏、秋季采挖带根全草，除去泥土，摊放在通风处，阴干。

| **功能主治** | 祛风散寒，止痛，温肺化饮。用于风寒感冒，头痛，牙痛，风湿痹痛，痰饮喘咳。

马兜铃科 Aristiolochiaceae 细辛属 Asarum

小叶马蹄香 Asarum ichangense C. Y. Cheng et C. S. Yang

| 药 材 名 | 土细辛。

| 形态特征 | 多年生草本。根茎短，根稍肉质，直径 1 ~ 2 mm。叶心形或卵心形，稀近戟形，长 3 ~ 6 cm，宽 3.5 ~ 7.5 cm，先端急尖或钝，基部心形，两侧裂片长 2 ~ 4 cm，宽 2.5 ~ 6 cm，叶面通常深绿色有时在中脉两侧有白色云斑，在脉上或近边缘处有短毛，叶背浅绿色或初呈紫色而逐渐消退，有时紫色，无毛；叶柄长 3 ~ 15 cm；芽苞叶卵形或长卵形，长约 10 mm，宽 7 mm，边缘有睫毛。花紫色；花梗长约 1 cm，有时向下弯垂；花被管球状，直径约 1 cm，喉部缢缩，膜环宽约 1 mm，内壁有格状网眼；花被裂片三角状卵形，长 1 ~ 1.4 cm，宽 8 ~ 10 mm，基部有乳突状折皱区；药隔伸出，圆形，中央微内凹；子房近上位，花柱 6，柱头卵状，顶生。花期 4 ~ 5 月。

| 生境分布 | 生于海拔 330 ～ 1 400 m 的林下草丛或溪旁阴湿处。分布于湖北宜昌等。

| 资源情况 | 药材主要来源于野生。

| 采收加工 | **全草**：夏、秋季采挖，除去泥土，阴干。

| 功能主治 | 祛风散寒，止痛，温肺化饮。用于风寒感冒，头痛，牙痛，风湿痹痛，痰饮喘咳。

马兜铃科 Aristiolochiaceae 细辛属 Asarum

金耳环

Asarum insigne Diels

| **药 材 名** | 金耳环。

| **形态特征** | 多年生草本。根茎粗短；根丛生，稍肉质，直径 2 ~ 3 mm，有浓烈的麻辣味。叶片长卵形、卵形或三角状卵形，长 10 ~ 15 cm，宽 6 ~ 11 cm，先端急尖或渐尖，基部耳状深裂，两侧裂片长约4 cm，宽 4 ~ 6 cm，通常外展，叶面中脉两侧有白色云斑，偶无，具疏生短毛，叶背可见细小颗粒状油点，脉上和叶缘有柔毛；叶柄长 10 ~ 20 cm，有柔毛；芽苞叶窄卵形，长 1.5 ~ 3.5 cm，宽 1 ~1.5 cm，先端渐尖，边缘有睫毛。花紫色，直径 3.5 ~ 5.5 cm；花梗长 2 ~ 9.5 cm，常弯曲；花被管钟状，长 1.5 ~ 2.5 cm，直径约 1.5 cm，中部以上扩展成 1 环突，然后缢缩，喉孔窄三角形，无膜环；花被裂片宽卵形至肾状卵形，长 1.5 ~ 2.5 cm，宽 2 ~ 3.5 cm，中部至

基部有 1 半圆形垫状斑块，斑块直径约 1 cm，白色；药隔伸出，锥状或宽舌状，或中央稍下凹；子房下位，外有 6 棱，花柱 6，先端 2 裂，裂片长约 1 mm，柱头侧生。花期 3 ～ 4 月。

| **生境分布** | 生于海拔 450 ～ 700 m 的林下阴湿处或土石山坡上。分布于湖北通山及咸宁等。

| **资源情况** | 药材来源于野生和栽培。

| **采收加工** | **全草：**夏、秋季采挖，除去泥土，阴干。

| **功能主治** | 温经散寒，祛痰止咳，散瘀消肿，行气止痛。用于风寒咳嗽，风寒感冒，慢性支气管炎，哮喘，慢性胃炎，风寒痹痛，龋齿痛，跌打损伤，毒蛇咬伤。

马兜铃科 Aristiolochiaceae 细辛属 Asarum

大花细辛

Asarum macranthum Hook. f.

药材名

大花细辛。

形态特征

多年生草本。叶片三角状卵形，长 10 ~ 13 cm，先端急尖，基部深心形，两侧裂片圆形，叶面浅绿色，具黄绿色云斑，叶背有 5 淡红色叶脉，两面散生柔毛，叶缘近波状；叶柄细长，长 10 ~ 20 cm，有红色斑纹。花多数密集，暗紫色，直径约 6 cm；花梗长约 9 mm；花被管倒圆锥形，长约 1.7 cm，喉孔窄小，围以宽大膜环，内壁有格状网眼；花被裂片 3，稍不等大，宽卵形，长约 2.5 cm，基部有乳突状折皱区，先端钝，边缘深波状，有缘毛；雄蕊花丝极短，花药近箭形，药隔伸出，先端内凹，常有 3 瓣状退化的雄蕊；花柱离生，柱头线状长圆形，末端钩状。花期 5 月。

生境分布

生于山坡林下和溪边阴湿处。分布于湖北神农架等。

资源情况

药材主要来源于野生。

| 采收加工 | 全草：春、夏采收，洗净，晒干。

| 功能主治 | 散寒止咳，祛痰除风。用于风寒感冒，头痛，咳喘，风湿疼痛，四肢麻木，跌打损伤。

祁阳细辛

Asarum magnificum Tsiang

| **药 材 名** | 大细辛。

| **形态特征** | 多年生草本。根茎极短；根丛生，稍肉质，直径 2 ~ 4 mm。叶片
近革质，三角状阔卵形或卵状椭圆形，长 6 ~ 13 cm，宽 5 ~ 12 cm，
先端急尖，基部心状耳形，两侧裂片长 2 ~ 5 cm，宽 2.5 ~ 6 cm，
外展，叶面中脉被短毛，两侧有白色云斑，叶背无毛，网脉不明显；
叶柄长 6 ~ 16 cm；芽苞叶卵形，长约 15 mm，宽约 7 mm，边缘
密生睫毛。花绿紫色；花梗长约 1.5 cm；花被管漏斗状，长 3 ~
5 cm，直径 1.5 cm，喉部不缢缩；花被裂片三角状卵形，长约
3 cm，宽 2.5 ~ 3 cm，先端及边缘紫绿色，中部以下紫色，基部有
三角形乳突区；乳突扁平，向下延伸至管部成疏离的纵列，至花被
管基部呈纵行脊状折皱；药隔锥尖；子房下位，花柱离生，先端

2 裂，柱头侧生。花期 3 ～ 5 月。

| 生境分布 | 生于海拔 300 ～ 700 m 的林下阴湿处。分布于湖北武汉及神农架等。

| 资源情况 | 药材主要来源于野生。

| 采收加工 | **全草**：春、夏季采收，洗净，晒干。

| 功能主治 | 祛风散寒，止咳祛痰，活血解毒，止痛。用于风寒感冒，咳喘，牙痛，中暑腹痛，肠炎，痢疾，风湿关节疼痛，跌打损伤，痈疮肿毒，蛇咬伤。

马兜铃科 Aristiolochiaceae 细辛属 Asarum

长毛细辛

Asarum pulchellum Hemsl.

| 药材名 | 大乌金草。

| 形态特征 | 多年生草本。全株密生白色长柔毛，干后变黑棕色。根茎长可达
50 cm，斜升或横走；地上茎长 3 ~ 7 cm，多分枝。叶对生，1 ~ 2
对，叶片卵状心形或阔卵形，长 5 ~ 8 cm，宽 5 ~ 9.5 cm，先端急
尖或渐尖，基部心形，两侧裂片长 1 ~ 2.5 cm，宽 2 ~ 3 cm，先端
圆形，两面密生长柔毛；叶柄长 10 ~ 22 cm，有长柔毛；芽苞叶
卵形，长 1.5 ~ 2 cm，宽约 1 cm，叶背及边缘密生长柔毛。花紫绿
色；花梗长 1 ~ 2.5 cm，被毛；花被裂片卵形，长约 10 mm，宽约
7 mm，外面被柔毛，紫色，先端黄白色，上部反折；雄蕊与花柱
近等长，花丝约长于花药 2 倍，药隔短舌状；子房半下位，具 6 棱，
被柔毛；花柱合生，先端辐射 6 裂，柱头顶生。果实近球状，直径

约 1.5 cm。花期 4 ~ 5 月。

| **生境分布** | 生于海拔 700 ~ 1 700 m 的林下腐殖质中。分布于湖北巴东等。

| **资源情况** | 药材来源于野生。

| **采收加工** | **全草：** 夏季采挖，除去泥土，阴干。

| **功能主治** | 温肺祛痰，祛风除湿，理气止痛。用于风寒咳嗽，风湿关节痛，胃痛，腹痛，牙痛。

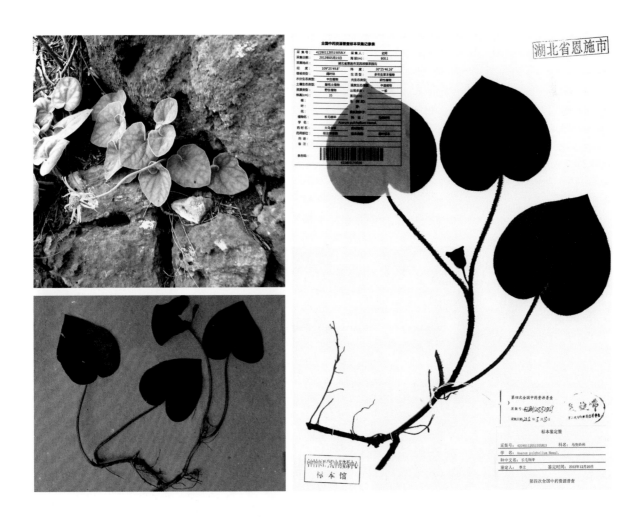

马兜铃科 Aristiolochiaceae 细辛属 Asarum

华细辛
Asarum sieboldii Miq.

| **药 材 名** | 细辛。

| **形态特征** | 多年生草本。根茎直立或横走，节间长 1 ~ 2 cm。叶通常 2；叶柄长 8 ~ 18 cm；芽苞叶肾圆形，边缘疏被柔毛；叶片心形或卵状心形，长 4 ~ 11 cm，宽 4.5 ~ 13.5 cm，先端渐尖或急尖，基部深心形，上面疏生短毛，脉上较密，下面仅脉上被毛。花紫黑色；花梗长 2 ~ 4 cm；花被管钟状，直径 1 ~ 1.5 cm，内壁有疏离纵行脊皱；花被裂片三角状卵形，直立或近平展；雄蕊着生于子房中部，花丝与花药近等长或稍长，药隔突出，短锥形；子房半下位或几近上位，球状，花柱 6，较短，先端 2 裂，柱头侧生。果实近球状，直径约 1.5 cm。花期 4 ~ 5 月。

生境分布	生于海拔 1 200 ～ 2 100 m 的林下阴湿处或山沟腐殖质厚的湿润土壤中。分布于湖北巴东、建始、宣恩、神农架、恩施、鹤峰等。
资源情况	药材来源于野生和栽培。
采收加工	**全草**：5 ～ 7 月连根挖取，除净泥土，阴干。
功能主治	祛风散寒，通窍止痛，温肺化饮。用于风寒感冒，头痛，牙痛，鼻塞，鼻渊，风湿痹痛，痰饮喘咳。

马兜铃科 Aristiolochiaceae 细辛属 *Asarum*

青城细辛

Asarum splendens (Maekawa) C. Y. Cheng et C. S. Yang

| **药 材 名** | 花脸细辛。

| **形态特征** | 多年生草本。根茎横走，直径 2 ~ 3 mm，节间长约 1.5 cm；根稍肉质，直径 2 ~ 3 mm。叶片卵状心形、长卵形或近戟形，长 6 ~ 10 cm，宽 5 ~ 9 cm，先端急尖，基部耳状深裂或近心形，两侧裂片长 3 ~ 5 cm，宽 2.5 ~ 5 cm，叶面中脉两侧有白色云斑，脉上和近边缘有短毛，叶背绿色，无毛；叶柄长 6 ~ 18 cm；芽苞叶长卵形，长约 2 cm，宽约 1.5 cm，有睫毛。花紫绿色，直径 5 ~ 6 cm；花梗长约 1 cm；花被管浅杯状或半球状，长约 1.4 cm，直径约 2 cm，喉部稍缢缩，有宽大喉孔，喉孔直径约 1.5 cm，膜环不明显，内壁有格状网眼；花被裂片宽卵形，长约 2 cm，宽约 2.5 cm，基部有半圆形乳突状折皱区；雄蕊药隔伸出，钝圆形；子房近上位，花柱先端

2 裂或稍下凹，柱头卵状，侧生。花期 4 ~ 5 月。

| **生境分布** | 生于海拔 850 ~ 1 300 m 的陡坡草丛或竹林下阴湿处。分布于湖北武汉等。

| **资源情况** | 药材主要来源于野生。

| **采收加工** | **根及根茎**：秋、冬采挖，洗净，阴干。
全草：全年均可采收，除去杂质，阴干。

| **功能主治** | 散寒止咳，祛痰除风。用于风寒感冒，头痛，咳喘，风湿疼痛，四肢麻木，跌打损伤。

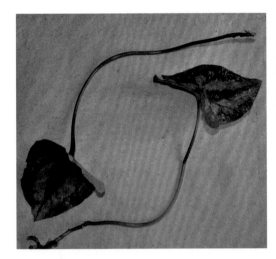

马兜铃科 Aristiolochiaceae 马蹄香属 Saruma

马蹄香 *Saruma henryi Oliv.*

| **药 材 名** | 冷水丹。

| **形态特征** | 多年生直立草本。茎高 50 ~ 100 cm，被灰棕色短柔毛。根茎粗壮，直径约 5 mm；有多数细长须根。叶心形，长 6 ~ 15 cm，先端短渐尖，基部心形，两面和边缘均被柔毛；叶柄长 3 ~ 12 cm，被毛。花单生；花梗长 2 ~ 5.5 cm，被毛；萼片心形，长约 10 mm，宽约 7 mm；花瓣黄绿色，肾形，长约 10 mm，宽约 8 mm，基部耳状心形，有爪；雄蕊与花柱近等高，花丝长约 2 mm，花药长圆形，药隔不伸出；心皮大部分离生，花柱不明显，柱头细小，胚珠多数，着生于心皮腹缝线上。蒴果菁葖果状，长约 9 mm，成熟时沿腹缝线开裂；种子三角状倒锥形，长约 3 mm，背面有细密横纹。花期 4 ~ 7 月。

| 生境分布 | 生于海拔 600 ~ 1 600 m 的山谷林下和沟边草丛中。分布于湖北房县、兴山、神农架等。

| 资源情况 | 药材主要来源于野生。

| 采收加工 | **根及根茎：**夏、秋季采挖，除去泥土，阴干。

| 功能主治 | 祛风散寒，理气止痛，消肿排脓。用于风寒感冒，咳嗽头痛，胃寒气滞，脘胀疼痛，胸痹疼痛，关节疼痛，劳伤身痛，痈肿疮毒。

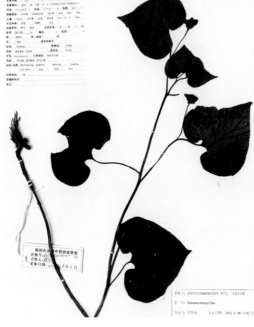